Cher lecteur,

Cette histoire en est une de courage, de détermination et d'amitié, et c'est avec fierté que je la partage avec vous. J'espère qu'elle saura vous toucher.

Bonne lecture!

Caroline

Caroline Héroux

UN COIN DE PARADIS

roman

www.quebecloisirs.com

UNE ÉDITION DU CLUB QUÉBEC LOISIRS INC
Avec l'autorisation de Groupe Ville-Marie Littérature inc.

Design de la couverture : Martin Roux
Illustration de la couverture : Agathe Bray-Bourret
Photo de l'auteure : Mathieu Rivard

Dépôt Légal --- Bibliothèque et Archives nationales du Québec, 2012
ISBN Q.L. 978-2-89666-186-2
Publié précédemment sous ISBN 978-2-89649-389-0

Imprimé au Canada

*À maman… Et à ce moment précieux
dans la piscine du Criterion.*

PROLOGUE

«Je vais te trouver!» s'écria la jeune Suzie, âgée de dix ans, tout en se faufilant à travers les buissons pour y chercher sa sœur de quatre ans sa cadette. L'aînée des sœurs McKinnon se rendit directement vers l'arbre derrière lequel Vivianne se cachait à tout coup. «Je le savais!» s'écria-t-elle en voyant la petite fille. «Tu m'as encore eue!» pleurnicha Vivianne en faisant une moue. «Bien sûr que je t'ai eue! Tu te caches toujours au même endroit!

— Mais c'est ma place préférée!

— À moi aussi!»

Jouer à la cachette avec sa grande sœur était le passe-temps favori de la petite Vivianne, et Suzie ne s'en plaignait pas, puisque toutes deux n'avaient pas beaucoup d'amis dans le voisinage. Non seulement peu d'enfants habitaient le camping des Cantons-de-l'Est où était installée en permanence leur roulotte, mais ils étaient plus âgés et n'incluaient jamais Vivianne dans leurs jeux. Suzie ne s'en préoccupait pas comme de toute façon les McKinnon étaient perçues comme des étrangères se fondant difficilement aux autres. Les enfants de l'école s'en moquaient constamment, puisqu'elles vivaient toute l'année dans une maison mobile, fait inhabituel en cette fin de vingtième siècle.

«Les filles! Venez souper!» dit leur mère, Christina, d'une voix qui résonna dans les bois.

Elles coururent jusque chez elles en pensant aux crêpes au jambon et fromage auxquelles elles savaient avoir droit ce soir, repas exceptionnel, puisque la plupart du temps elles ne mangeaient que du bœuf et des patates.

« Lavez vos mains ! » leur ordonna leur mère, tout en terminant de placer les couverts sur la table. La grimace que Christina fit en se rendant au réfrigérateur n'échappa pas au regard de Suzie : « Ça va, maman ?

— Bien sûr, ma chérie. Mais ma côte élance encore un peu. Je dois faire attention aux faux mouvements, lui répondit-elle en versant aux filles deux verres de lait.

— Tu devrais consulter un médecin pour être certaine, suggéra la petite, visiblement inquiète de l'état de santé de sa mère.

— Pas besoin ! On me dira simplement de faire attention et de ne pas forcer pendant quelques semaines. Il n'y a pas de recette miracle pour une côte fracturée. C'est un accident tellement bête… » conclut Christina en hochant la tête.

La vérité était qu'elle ne voulait pas se rendre à l'hôpital une quatrième fois en cinq semaines. Les médecins avaient commencé à lui poser des questions, trouvant suspecte sa prétendue malchance. Au cours des cinq dernières semaines, elle s'était fait mordre par un chien, était tombée deux fois sur la tête, avait glissé dans les escaliers au travail et s'était cassé le bras. Aucun docteur ne l'aurait crue si elle avait dit être encore tombée dans les escaliers de sa maison, pour la troisième fois en un an…

Les médecins n'étaient pas dupes et savaient lire entre les lignes quand venait le temps d'examiner une femme battue par son mari. Malheureusement, ils étaient incapables d'agir si la victime ne portait pas plainte ou n'avouait pas la réelle origine de ses blessures. Christina McKinnon n'était pas une femme malchanceuse. Non, elle était une femme battue.

Suzie avait un jour demandé à sa mère pourquoi son père était si violent et criait tout le temps après elles. Avec un air hébété, Christina lui avait répondu : « Il n'est pas violent, ma chouette, c'est moi qui suis maladroite. » Mais Suzie n'était pas naïve. Elle savait très bien ce qui se passait quand son père rentrait tard la nuit. Elle le savait, car un soir elle avait tenté de l'arrêter en lui sautant sur le dos et s'était retrouvée à l'urgence avec le nez cassé. Sa mère lui avait alors fait promettre de ne plus jamais s'en mêler et lui avait assuré que la situation était sous contrôle.

La violence de son mari envers Christina s'était manifestée pour la première fois peu après la naissance de Vivianne. Jeffrey avait perdu son emploi encore une fois et ses beuveries étaient de plus en plus fréquentes. Ce soir-là, il s'était emporté lorsque Suzie avait paradé avec ses nouveaux souliers achetés avec l'argent qu'il avait réservé pour parier au poker le lendemain soir. Christina n'avait pu éviter le poing lancé en plein visage par son mari et avait compris à ce moment que sa vie ne serait plus jamais la même. Elle découvrait que Jeffrey Miller était un être exécrable, sans respect ni scrupule envers personne. Il avait été gâté et protégé par ses parents toute sa jeunesse, et Christina en payait le prix fort aujourd'hui.

Elle venait de souffler seize bougies la première fois qu'elle l'aperçut, tombant instantanément sous son charme. C'était un samedi soir, au chalet des Miller, où Christina accompagnait une amie à une fête organisée par Jeffrey en l'absence de ses parents. Christina était une femme d'une beauté admirable, et il l'avait remarquée dès son entrée dans la pièce.

M. Miller dirigeait une compagnie de vêtements et entretenait des relations étroites avec tous les politiciens de la ville et, chaque fois que le fils avait des ennuis, son père était là pour le sortir du pétrin. Jeffrey était effronté et désagréable, et ses amis détestaient son attitude, mais aimaient bien, l'hiver, passer des week-ends de ski au chalet des Miller, et y faire du ski nautique l'été. De plus, il organisait les meilleurs partys du lac en l'absence de ses parents, qui s'envolaient souvent pour un quelconque voyage exotique. Sa faiblesse pour l'alcool s'était manifestée très jeune, et son problème de consommation s'était confirmé dès l'âge de seize ans.

Dès qu'il aperçut Christina, Jeffrey voulut se l'approprier. Ils venaient de deux mondes différents, certes, mais il s'en moquait. Au contraire, c'était pour lui une autre façon de se rebeller contre sa famille. Les parents de Christina n'étaient pas très fortunés, son père vivant de l'aide sociale et sa mère gagnant modestement sa vie avec ses talents de couturière. C'est peut-être pourquoi Christina avait senti de la froideur à son égard dès sa première rencontre avec les parents Miller. La sœur aînée de Jeffrey, Johanne, lui avait même lancé un regard condescendant, qui avait fait monter un frisson le long de sa colonne vertébrale.

Mme Miller ne comprenait pas comment son fils avait pu s'amouracher d'une fille comme elle. Contrairement à Jean, le copain de Johanne, Christina n'était jamais invitée aux soupers ni aux voyages familiaux. Mais, de toute façon, Jeffrey préférait de loin rester en ville et inviter ses amis au chalet. Fouler des sols inconnus avec ses parents l'ennuyait grandement, alors qu'être roi et maître chez lui avec ses copains l'excitait. D'autant plus qu'en présence de sa famille, il ne pouvait jamais consommer d'alcool, et c'était là une assez bonne raison pour le convaincre de rester seul à la maison.

Aux yeux des Miller, la situation devint vraiment intolérable quand leur fils leur annonça la première grossesse de Christina. Pour Mme Miller, qui avait maintes fois encouragé son fils de dix-neuf ans à rompre avec son amoureuse, apprendre qu'il deviendrait père avait été l'insulte ultime, une trahison qu'elle ne pourrait jamais pardonner.

C'est donc sans ménagement que M. Miller avait expulsé Jeffrey de la maison. «Tu n'es plus le bienvenu», lui avait-il précisé, le reniant par le fait même, le laissant à la rue, sans le sou.

Après l'incident, le jeune Miller avait dû se trouver un emploi dans une manufacture. Pour lui qui avait toujours vécu dans le luxe, la découverte du vrai monde avait été un coup très dur à encaisser. Durant les mois qui suivirent son expulsion de sa famille, toutes ses tentatives de renouer avec son père avaient échoué, et son adaptation à une vie plus modeste était un cauchemar quotidien...

Jeffrey haïssait sa nouvelle vie avec Christina et la blâmait pour tout ce qui lui arrivait. Lorsqu'elle avait appris la venue d'un enfant, elle avait tenté de le convaincre qu'il fallait mettre un terme à sa grossesse, insistant sur le fait qu'ils étaient trop jeunes, mais il avait refusé. « Mon père va nous aider », avait-il lancé à plusieurs reprises. Jamais il n'avait envisagé la possibilité de devoir subvenir aux besoins de Christina et d'un enfant en travaillant comme le font des milliards de gens dans le monde.

C'est aussi loin du faste des Miller qu'ils s'étaient mariés, au cours d'une modeste cérémonie et en présence de seulement quelques amis. Fière, Christina avait alors tenu à garder son nom de jeune fille. Plus tard, elle déciderait aussi de le donner à Vivianne et à Suzie. Pour rien au monde, elle n'aurait voulu qu'elles portent le nom d'une famille qui l'avait rejetée.

Cinq ans plus tard, le jeune couple élevait deux enfants et vivait à la limite de la pauvreté. Les abus d'alcool de Jeffrey l'empêchaient de garder un emploi plus de six mois et, chaque fois qu'il était remercié, Christina s'arrangeait pour rester hors de son chemin.

Alors qu'elle était enceinte de Suzie, elle découvrit que son mari la trompait, ce qu'il ne cessa ensuite de faire. Elle n'avait d'autre choix que d'accepter la situation, car s'opposer à Jeffrey n'était jamais une bonne idée. En retrait préventif après six mois de grossesse, elle avait dû laisser son emploi malgré elle et préférait se fermer les yeux quant aux activités extraconjugales de son mari. Tant qu'il ne lèverait pas la main sur l'une de ses filles, elle accepterait ses écarts de conduite.

Elle avait tenté de le quitter à plusieurs reprises, mais il allait toujours la retrouver avec des fleurs et des excuses, et son regard d'un bleu profond la faisait chaque fois craquer. «Ça n'arrivera plus jamais», lui promettait-il en la suppliant de revenir.

Christina avait pris l'habitude d'emmener ses filles pique-niquer les dimanches midi pour laisser Jeffrey dégriser en paix. Elle essayait de leur ouvrir les yeux sur la vie en leur enseignant des valeurs telles que le respect, la politesse et la loyauté.

Les pique-niques du dimanche restaient le moment préféré de Vivianne, qui aimait se retrouver seule avec sa mère et sa sœur. À cause de ses grossesses, Christina n'avait jamais pu terminer ses études et son éducation restait incomplète, mais elle appréciait ces moments privilégiés. Assise avec ses filles autour de leur modeste repas, elle croyait presque oublier la relation infernale qu'elle entretenait avec son époux.

«Regardez la belle coccinelle!» lança Christina en pointant l'insecte qui marchait sur la couverture où elles étaient assises. Les petites s'avancèrent pour fixer la «bibitte» et compter les points noirs sur son dos. «Elle est tellement belle!» s'exclama Vivianne.

«Oui, on en voit rarement des si colorées. Je pense que celle-ci est spéciale, comme vous deux!» Christina aimait inventer des histoires pour faire plaisir à ses filles. Le climat étant très tendu à la maison, elle tentait de leur décrocher un sourire chaque fois qu'elle le pouvait.

Suzie et Vivianne se regardèrent fièrement.

«Vous savez que vous êtes deux petites filles très spéciales, n'est-ce pas?»

Les sœurs acquiescèrent de la tête. « Regardez ! Elle chemine sur la couverture sans se soucier du danger autour d'elle. » Vivianne plissa des yeux en regardant sa mère : « Quel danger ?

— Eh bien, elle n'est pas consciente des gens méchants qui pourraient l'écraser sans raison.

— Des gens méchants ? demanda Vivianne, inquiète.

— Oui, et il faut faire attention et se tenir loin de ces gens-là. "Finis tes études !" me disait toujours ma mère, et c'est ce que je vous répète. Tenez-vous loin des mauvaises influences », ajouta-t-elle avec un sourire un brin ironique.

Elle aurait dû écouter ces conseils. Non seulement elle avait à peine seize ans lorsqu'elle avait lâché l'école, mais elle avait épousé une personne à l'influence néfaste.

« Mais nous sommes gentilles et nous ne lui ferons pas de mal. »

Vivianne tenta de prendre l'insecte du bout des doigts. « Par chance qu'elle est montée sur notre couverture, n'est-ce pas, maman ?

— Oui, ma chérie ! Mais tu sais quoi ? C'est le destin qui en a voulu ainsi. Rien n'arrive pour rien dans la vie. Souviens-toi toujours de ça. Parfois, tu te demandes pourquoi, mais une explication viendra toujours.

— Même quand c'est mauvais ? demanda Vivianne, les yeux dans l'eau.

— Oui, ma chouette. Même quand c'est mauvais, car ce qui est mauvais cache toujours du positif. Il faut rester patiente. Il viendra plus tard. »

Suzie se tenait près d'elle en silence. Elle ne comprenait pas pourquoi sa mère tenait de tels propos, sachant fort bien qu'elle était battue au moins deux fois par semaine. En quoi cela était-il bien ? Elle resta muette pour ne pas effrayer sa sœur, trop jeune pour comprendre les problèmes des adultes. Chaque fois que Vivianne entendait sa mère crier et pleurer, Suzie mentait à sa petite sœur, lui disant

15

que Christina était seulement gauche et dans la lune, que c'était sa maladresse qui expliquait ses blessures et ses pleurs. «Encore? demandait Vivianne, incrédule. Je n'ai que six ans et je fais mieux!»

Depuis les premiers cris de sa petite sœur, Suzie avait été sa protectrice. Elle approchait les cinq ans lorsque Christina avait accouché et était déjà consciente de l'environnement malsain dans lequel elle vivait. Elle se souvint d'avoir été à l'époque réveillée par un cri et d'être accourue pour trouver sa mère assise dans la salle de bain avec une coupure profonde sur la lèvre et l'œil gauche tuméfié. De bonne foi, Mᵐᵉ Goudreault, la voisine, était arrivée quelques instants plus tard, mais Jeffrey l'avait accueillie un bâton de baseball en main. «Mêle-toi de tes affaires!» lui avait-il ordonné. C'est à ce moment que les voisins avaient appris dans quel enfer vivaient les Miller. À la suite de cet événement, chaque fois que la jeune femme sortait de la maison avec des contusions visibles, on ne lui posait pas de questions et aucun commentaire n'était émis. L'entourage connaissait le caractère de Jeffrey, et personne ne voulait être sur son chemin lorsqu'il était en colère.

Les choses ne s'améliorèrent pas avec le temps et, quelques années plus tard, dans une période où Jeffrey était d'humeur particulièrement noire, Suzie, maintenant âgée de dix ans, s'inquiéta plus sérieusement encore. Un jour où elle vit de nouvelles lésions au visage de sa mère, elle la supplia d'appeler la police pour faire arrêter son père une fois pour toutes. Il lui donnait des cauchemars la nuit et elle voulait s'en éloigner le plus possible.

«Maman, pourquoi ne partons-nous pas loin loin loin? Juste nous trois?» De voir sa fille la prier ainsi de se sauver était comme une torture pour Christina, qui ne pouvait faire autrement que de répondre: «C'est ton père, ma chouette, il ne nous laissera jamais partir… et il vous aime tellement.»

Tellement qu'il ne se souvenait jamais de son nom. Tellement qu'il ne pratiquait aucune activité avec elles. Mais Suzie resta une fois de plus silencieuse.

Christina avait contacté la police dans le passé et posé des questions sur les procédures à suivre pour faire arrêter son mari, mais les démarches étaient compliquées et elle craignait pour sa sécurité et celle de ses enfants. Même soumis à une ordonnance de la cour, Jeffrey n'en respecterait sans doute pas les conditions. Elle devait s'enfuir pour toujours, mais n'avait nulle part où aller. Il la dominait depuis tellement d'années qu'elle doutait de pouvoir survivre sans lui.

Le samedi matin suivant, les filles partirent cueillir des fleurs pour leur mère dans le boisé derrière la roulotte. Elles quittèrent leur logis après le petit déjeuner, au moment où leur père se réveillait une fois de plus de mauvaise humeur. Il sentait l'alcool à plein nez et avait de la difficulté à formuler une phrase cohérente. Vivianne eut un haut-le-cœur en sentant l'odeur familière du mélange d'alcool et de tabac lorsque Jeffrey s'approcha pour l'embrasser, et elle sortit de la maison bien avant sa sœur. Suzie détestait subir la présence de son père dans ces moments-là, ne sachant jamais sur quel pied danser. Il était comme une grenade prête à exploser et l'atmosphère dans la maison était insoutenable. S'évader dans le boisé était la meilleure solution pour empêcher sa sœur d'entendre les cris et pleurs de leur mère en détresse.

Elles marchèrent main dans la main tout en ramassant des marguerites, la fleur préférée de Christina, puis jouèrent près de l'étang pendant quelques heures tout en profitant de cette magnifique journée ensoleillée. Elles revinrent vers la maison peu avant midi, sachant que Christina n'aimait pas les savoir traîner trop longtemps dans le boisé et se disant que ce n'était pas le bon moment pour lui désobéir. Elle devait déjà avoir les mains pleines avec Jeffrey, sûrement en train de crier contre elle à tue-tête.

En arrivant près de la roulotte, les deux filles consta-tèrent que le vieux pick-up de leur père était absent et Suzie respira un peu. «Tant mieux, maman doit être en paix», se dit-elle en s'approchant de la porte pour entrer. Mais, dès qu'elle aperçut sa mère au sol, gisant dans une mare de sang, elle sut que les choses n'allaient pas. Le crâne de Christina était ouvert et saignait en abondance. En voyant le bâton de baseball à ses côtés, Suzie comprit rapidement ce qui s'était passé et ordonna à Vivianne de rester à l'extérieur pendant qu'elle appelait le 9-1-1.

Le temps que les ambulanciers arrivent sur les lieux, onze minutes plus tard, il était trop tard. Aucune intervention n'aurait pu sauver la jeune mère de vingt-sept ans. Après tout ce temps et toutes les visites à l'hôpital, Christina McKinnon avait finalement succombé à ses blessures.

La chasse à l'homme pour retrouver Jeffrey Miller com-mença quelques minutes après l'explication de Suzie. Miller était connu partout en ville pour ses comportements vio-lents, et personne ne fut surpris d'apprendre qu'un tel événe-ment était survenu. Il était sans aucun doute coupable du meurtre de sa femme. Le matin suivant, après que les filles eurent passé la nuit au poste de police, Jeffrey Miller fut retrouvé saoul dans sa voiture et arrêté pour meurtre au pre-mier degré. Suzie sut dès cet instant que sa vie et celle de sa sœur ne seraient plus jamais les mêmes. Et le tout se confirma le surlendemain lorsqu'elles déménagèrent à la maison d'ac-cueil de Mme Jackie. Suzie venait d'avoir onze ans, Vivianne n'en avait que six.

1

L'autoroute était presque déserte en ce samedi matin. Généralement, lorsque Vivianne l'empruntait, sa vitesse moyenne ne dépassait jamais les cent kilomètres à l'heure. Mais le calme à glacer le sang qui planait sur cette journée de septembre l'invitait à rouler beaucoup plus vite. Peut-être les gens étaient-ils partis au chalet pour profiter de la fin de semaine? Ou peut-être avaient-ils décidé de rester en ville y faire des emplettes, puisqu'on annonçait de la mauvaise température tout le week-end?

Elle repassa sa jeunesse en revue tout en écoutant de la musique au volant de sa voiture. Le temps filait trop vite, et Vivianne se questionna sur ce qu'aurait été sa vie actuelle si sa mère n'était pas décédée si jeune.

La chanson *Whiskey Lullaby* de Brad Paisley jouait, et elle en analysa les paroles pour la énième fois. Étaient-elles basées sur une histoire vraie? Elles racontaient la vie d'un homme qui avait noyé sa peine d'amour dans la bouteille jusqu'à sa mort. Quelques années plus tard, la femme pour qui il avait rendu l'âme était morte de passion à son tour. *Peut-être existe-t-il des gens qui ne s'en remettent jamais…* pensa Vivianne. Elle n'aurait su dire. Son copain David était une bonne personne, mais mourir par amour? Elle se demandait si c'était romantique ou pathétique.

Vivianne écoutait souvent de la musique adaptée à son humeur du moment, qui réclamait ce jour-là des chansons très tristes. Sa préférence allait au country, non seulement pour ses paroles réalistes, mais surtout pour la nostalgie dans le timbre de voix de ses interprètes. Elle pouvait sélectionner une chanson country pour chaque instant de sa vie, et c'est ce qu'elle appréciait le plus dans cette musique.

Les feuilles tournaient au rouge le long de l'autoroute. Le paysage de la côte était magnifique en ce temps de l'année, avec sa riche palette de couleurs mariant toutes les variantes du doré, de l'orangé et du rouge. Il lui rappelait ce jour où Suzie et elle s'étaient cachées sous une montagne de feuilles dans le but d'en sortir en criant pour effrayer les passants. Pauvre Mme Gendron! Leur voisine de soixante-neuf ans avait eu si peur qu'elle était tombée sur le derrière, manquant de peu d'écraser son caniche baptisé Castafiore! L'autre voisin, M. Sicotte, avait tellement ri qu'il avait failli en cracher son dentier! Vivianne sourit à ce souvenir. Christina était venue à la rescousse de la sexagénaire en panique. «Les filles, voulez-vous arrêter? Mme Gendron aurait pu faire une crise cardiaque!»

Elles s'en moquaient bien, car la vieille dame n'était pas la personne la plus sympathique du monde. Elles l'avaient surnommée *la sorcière*, principalement parce qu'elle distribuait des pommes à l'Halloween. Chaque année, Christina insistait pour qu'elles aillent sonner à sa porte, et chaque année elles revenaient avec des pommes qu'elles jetaient sans tarder à la poubelle. Jamais elles n'auraient pris le risque de croquer dans l'une d'elles, de peur de s'empoisonner, car elles redoutaient la vengeance de *la sorcière*, qui les soupçonnait d'avoir peinturé Castafiore en brun et rose… *Le rat*, comme elles avaient surnommé le caniche, aboyait à longueur de journée et méritait une bonne leçon. Des années plus tard, Vivianne détestait encore les chiens en raison de leur aboiement et s'était juré de ne jamais s'en procurer un, surtout pas un caniche!

L'automne avait toujours été la saison préférée de Vivianne, probablement parce que l'hiver s'installait tranquillement, couvrant toute trace de vie au sol, pour le temps de quelques mois. Contrairement au printemps, l'automne avait un impact souvent négatif sur le moral des Nord-Américains. Entre décembre et mars, le Québec et la Nouvelle-Angleterre recevaient plusieurs centimètres, parfois plusieurs mètres de neige, transformant certaines personnes en individus renfrognés et déplaisants par moments, surtout ceux qui ne profitaient pas des sports d'hiver. Ce n'était pas le cas de Vivianne, qui appréciait cette saison. Pour elle, s'emmitoufler dans une couverture de laine devant un feu de foyer tout en écoutant de la musique et en buvant un chocolat chaud était le summum, surtout si elle pouvait en même temps avoir une conversation intelligente avec un homme intéressant. Elle ne se souvint pas d'avoir déjà eu cette occasion, mais prit note de la mettre sur sa liste «à faire un de ces jours».

De se remémorer ses souvenirs d'automne lui rappela la fois où elle était tombée des barres horizontales, au parc, la journée de ses six ans, le 11 octobre, et où Suzie l'avait gardée dans ses bras pendant trois heures en attendant de voir le médecin à l'urgence pour son poignet cassé. Elle avait fait la promesse de ne plus retourner au parc, mais, dès qu'on lui avait enlevé le plâtre six semaines plus tard, elle s'y était rendue sans tarder! Elle adorait mettre sa sœur en colère, surtout pour avoir un peu d'attention. *Quels beaux moments…* Rien à voir avec aujourd'hui. Pourquoi ressassait-elle tous ces souvenirs? Elle observa les feuilles valser au rythme du vent en gardant en tête tous les sacrifices que Suzie avait faits pour elle au cours des quatorze dernières années.

Un daim tenta de traverser l'autoroute sous le regard effrayé de Vivianne, qui écrasa la pédale de frein d'un coup sec. «Attention!» cria-t-elle à l'animal. Beaucoup d'orignaux et d'autres cervidés se faisaient frapper en s'aventurant sur une route ou une autoroute. Vivianne avait déjà lu un article présentant des statistiques sur le nombre d'animaux qui mouraient après être entrés en collision avec une voiture, surtout l'automne. Et, souvent, l'accident tuait également les passagers.

Ses pensées dévièrent vers la vie et la mort. Pourquoi certaines personnes se suicidaient-elles, alors que d'autres se battaient pour survivre à un accident de voiture? La vie était injuste. Elle le savait, car la vie était injuste à son égard depuis la mort de sa mère, il y avait déjà quatorze ans. Christina répétait souvent que tout arrivait pour une raison dans la vie. «Tu ne comprends pas pourquoi au début, mais, avec le recul, c'est toujours pour le mieux.» En quoi perdre sa mère à six ans pouvait-il être préférable à vivre une enfance normale? Vivianne avait de la difficulté à se l'expliquer. *Tout arrive pour une raison…*

Suzie avait pris sa petite sœur en charge dès leur départ de la maison d'accueil de Mme Jackie, où elles avaient séjourné pendant cinq ans.

Autant elles adoraient Mme Jackie, autant elles détestaient vivre dans sa maison, et Suzie avait promis de trouver un moyen pour les en sortir le plus vite possible. Mais il lui fallait un plan, et ce n'est que lorsqu'elle souffla ses seize bougies qu'elle trouva un emploi au casse-croûte du coin et décida qu'il était temps pour elle et Vivianne de voler de leurs propres ailes.

Les sœurs McKinnon avaient rencontré Angela, une serveuse frisant la quarantaine, quelques mois plus tôt. Mère monoparentale d'un garçon de dix-sept ans, Billy, Angela s'était attachée aux filles dès leur première rencontre. C'est elle qui avait convaincu Mme Jackie de la laisser les héberger. La vieille dame les aimait beaucoup, mais leur intégration aux autres enfants avait été difficile, voire impossible, et tout le monde bénéficierait de les voir partir s'installer avec Angela et Billy.

Suzie et Vivianne ne s'entendaient pas du tout avec les autres filles hébergées par Mme Jackie et se retrouvaient toujours dans des situations fâcheuses, au grand désespoir de leur hôtesse. La majorité des enfants étaient orphelins ou avaient été maltraités et rêvaient d'une famille parfaite. Les sœurs McKinnon n'avaient peut-être pas eu l'enfance la plus heureuse, mais avaient connu la mère idéale. Christina avait été présente dans leurs vies assez longtemps pour qu'elles s'en ennuient, et les autres enfants les jalousaient pour cela.

Parce qu'Angela travaillait de longues heures au restaurant, Suzie l'aidait à la maison en préparant le souper et en s'adonnant aux tâches ménagères avec Billy, qui s'occupait aussi du lavage et de sortir les vidanges.

Vivianne s'était, quant à elle, réfugiée dans les livres pour contrer sa douleur et sa peine. Convaincue que tout arrive certainement pour une raison, elle trouva dans la lecture le moyen de s'éduquer du mieux qu'elle le pouvait. Ainsi avait-elle espoir de s'offrir un jour une vie adéquate, dans un meilleur environnement. Elle dévorait des milliers de pages par mois, peu importe leur sujet. Biographies, romans, ouvrages de géographie, de biologie ou de politique, tout y passait. Ses professeurs n'avaient jamais vu une enfant avec le nez plongé dans les livres aussi souvent. Par contre, elle restait distante envers ses camarades de classe et n'avait pas d'amis. Vivianne n'avait qu'un seul et unique but : se doter d'une éducation hors pair pour vivre la meilleure vie possible. L'éducation : la clé de la réussite pour dénicher un bon emploi. C'était tout ce qui importait pour elle : avoir une belle situation, celle que sa mère n'avait jamais eue, ce pour quoi elle avait dû marier le premier venu qui l'avait mise enceinte. Un ivrogne. Un ivrogne à l'odeur répugnante, qui l'avait frappée une fois de trop en cette fin de matinée du mois d'août, changeant la vie de ses filles à tout jamais.

Petites, elles adoraient passer des heures devant la télévision. De plus, en montant le volume, elles s'évitaient d'entendre Christina supplier Jeffrey d'arrêter de la frapper. Chaque fois qu'il rentrait bredouille d'une soirée de poker, elles savaient se tenir loin de lui, car son insuccès aux jeux de hasard avait des répercussions terribles. Suzie n'avait jamais réalisé à quel point sa petite sœur était affectée par ce qui se passait dans la maison et ne lui en parlait jamais de peur de la traumatiser encore plus. Vivianne ne comprenait peut-être pas tout, mais elle s'était très vite rendu compte à quel point la situation était malsaine. Les ecchymoses sur le visage de sa mère lui disaient ce qu'on lui taisait.

Quelques mois après le décès de Christina, Vivianne avait vu un documentaire sur ces vieilles universités prestigieuses de l'est des États-Unis, surnommées *Ivy League*. Il y en avait huit : Harvard, Cornell, Dartmouth, Columbia, Pennsylvanie, Brown, Princeton et Yale. Le surnom de ces fameuses universités venait de leurs magnifiques bâtiments recouverts de lierre. Non seulement ces établissements étaient admirables, mais le prestige qui leur était associé était indéniable. C'est à l'écoute de ce documentaire que Vivianne s'était promis d'appartenir un jour au cercle privilégié des diplômés de ces universités, sans en connaître les coûts, de loin plus élevés que ceux de leurs pendants canadiens ou québécois.

Roulant toujours sur l'autoroute, elle se souvint de sa joie immense quand, quelques années plus tard, elle avait ouvert l'enveloppe confirmant son acceptation à l'École de droit de Harvard et l'obtention d'une bourse d'études. Elle revit aussi la fierté dans le regard de sa sœur à l'annonce de la bonne nouvelle. Elles avaient célébré l'événement avec une bouteille de vin mousseux que Vivianne n'aurait alors jamais pu concevoir qu'elles aient pu acheter, tant elles étaient restreintes financièrement. Harvard : son rêve ultime. Être acceptée en droit à ce prestigieux établissement signifiait pour elle commencer une nouvelle phase de sa vie, une meilleure phase. Et surtout délaisser un passé tumultueux, dont le souvenir la blessait. Elle amorçait un nouveau chapitre de sa vie. Elle deviendrait avocate, quelqu'un d'important et de respecté. Une diplômée de Harvard.

Entrer à Harvard signifiait également quitter le Québec, déménager à Cambridge et délaisser Suzie, dont elle était si proche. Ce déplacement à plus de quatre cents kilomètres avait nécessité un ajustement majeur pour les deux sœurs, qui n'avaient jamais été séparées plus d'une journée de toute leur vie. Elles se verraient beaucoup moins et, surtout, Vivianne s'ennuierait de son filleul Benjamin, né deux ans plus tôt. C'est ce qui fut le plus difficile lorsqu'elle quitta son village natal pour s'installer aux États-Unis.

Avant son départ, elle promit à sa sœur aînée de la visiter tous les trois ou quatre mois et tint parole, du moins durant les dix-huit premiers mois.

Son acceptation à Harvard avait été pour elle source d'espoir. Ses études lui permettraient d'en connaître plus que tout le monde, et rien ne l'empêcherait d'arriver à ses fins. Elle deviendrait avocate et défendrait des femmes maltraitées ou agressées, ainsi que leurs enfants.

Elle aspirait à devenir la meilleure dans son domaine, une avocate intelligente, avec une garde-robe digne d'une vedette et des souliers portant la griffe des meilleurs couturiers. Bientôt, elle côtoierait des gens influents dans les restaurants les plus prisés de la ville. Elle y était presque, étant déjà en deuxième année. Bien qu'étant la plus jeune de sa classe, elle prenait ses études avec sérieux et tout allait comme prévu. Son cercle d'amis était très limité : les rapports humains n'étaient ni sa spécialité ni sa priorité. Mais elle aurait amplement le temps de se faire des amis dans quelques années. De nature plutôt solitaire, elle n'avait de toute façon jamais été proche de personne, excepté de Suzie. En dehors des cours, elle travaillait à temps partiel à la bibliothèque du département de droit et consacrait ses temps libres à la lecture.

Le bruit de la pluie torrentielle sur le pare-brise la sortit de sa rêverie. De gros nuages gris s'étaient amassés et menaçaient la vallée entière. Elle prit la sortie habituelle en direction de chez sa sœur, mais, cette fois-ci, elle ne se rendait pas chez Suzie et Billy.

2

La pluie s'était transformée en grêle lorsque la voiture de Vivianne entra dans le stationnement de l'hôpital. En sortant de l'auto, sa conductrice se rua vers l'entrée afin d'éviter le plus possible les grêlons qui tombaient du ciel, mais dut secouer son manteau avant de prendre l'ascenseur. En appuyant sur le bouton du troisième étage, tentant encore d'enlever les dernières gouttes sur ses épaules, elle fit rejouer dans sa tête sa conversation téléphonique de la veille avec Victoria, la meilleure amie de Suzie. Jamais Victoria n'avait eu de raison de l'appeler dans le passé, c'est pourquoi Vivianne sut que quelque chose de grave était arrivé dès la seconde qu'elle entendit sa voix à l'autre bout du fil.

« Vivianne, je... je suis terriblement désolée...

— Que se passe-t-il ? »

Elle n'aimait pas du tout le tremblement dans la voix de Victoria.

« Je ne sais pas comment t'annoncer cette terrible nouvelle.

— Vicky, parle-moi. »

La pause sembla interminable.

« Suzie, Billy et Ben ont eu un accident de la route hier soir. »

Vivianne ferma lentement les yeux, ne voulant pas entendre la suite.

« Est-ce grave ? demanda-t-elle, les yeux toujours fermés.

— Eh bien... Billy n'a pas survécu... »

Bien que la nouvelle l'attristât grandement, ce qui importait le plus dans les circonstances, c'était sa sœur.

«Et… Suzie? dit Vivianne en sentant un frisson glacial lui descendre le long de la colonne vertébrale.

— Elle est à l'hôpital… Elle est… assez amochée.»

Au moins elle n'est pas morte.

«Est-ce grave? s'entendit-elle demander à voix haute.

— Hémorragie au cerveau. Elle est dans le coma.»

Victoria prit une pause pour laisser Vivianne encaisser le coup. Au bout du fil, elle crut que son interlocutrice allait s'effondrer sur le sol, mais la cadette des McKinnon prit une grande respiration et parvint à maîtriser ses émotions.

«Tu dois revenir à la maison, lui dit Victoria.

— Où est Ben?

— Avec nous. Il s'en est tiré avec un bras cassé et quelques égratignures.»

C'est tout ce qui compte, pensa Vivianne en se dirigeant vers sa chambre pour préparer une valise et partir s'occuper de son filleul.

«Je prendrai soin de lui en attendant que Suzie se réveille, renchérit-elle, le téléphone toujours en main.

— Viv, tu dois comprendre que… Eh bien, il se peut que… qu'elle ne se réveille jamais. C'est pour cela que tu dois venir. Les médecins ne veulent parler qu'à sa famille immédiate… au cas… en fait… tu dois venir.»

Cette dernière phrase avait été plantée comme un couteau en plein cœur de Vivianne. En vérité, les médecins avaient besoin de sa permission pour débrancher Suzie du respirateur artificiel. Ce n'était donc pas de bonnes nouvelles.

Les mots de Victoria résonnèrent dans sa tête durant quelques minutes encore alors qu'elle tentait de reprendre ses esprits, bouleversée par ce qu'elle venait d'apprendre. Il lui fallait se ressaisir : elle allait devoir monter dans sa voiture et affronter la route pendant quatre heures.

«Je partirai tôt demain matin.

— Sois prudente.»

Tout s'était passé si vite. La veille encore, Vivianne parlait avec Suzie et déjà la sonnerie de l'ascenseur de l'hôpital retentissait, et les portes s'ouvraient au troisième étage. Vivianne y fut accueillie par le Dr Gauthier, qui l'attendait afin de discuter de l'état de sa sœur.

«Je suis vraiment désolé… avait dit d'emblée le docteur, quelques minutes plus tard, en s'assoyant à son bureau face à Vivianne. Mais nous doutons que votre sœur se remette de cet accident. Son état s'est détérioré dans les vingt-quatre dernières heures, et nous ne pouvons rien faire.»

Mort cérébrale. C'était le terme vulgarisé employé pour qualifier l'état de santé de Suzie. Non seulement Vivianne ne pourrait plus jamais parler à sa sœur, mais on lui demandait de signer des papiers de libération pour la débrancher du respirateur artificiel. On lui expliqua également qu'il y avait un très faible pourcentage de chances qu'elle se réveille un jour, mais l'impact avait été tellement violent qu'elle en resterait probablement marquée à vie si jamais elle rouvrait les yeux. *Si* et *probablement.* Deux mots couramment utilisés dans la langue française, mais qui prenaient dans ce cas-ci une ampleur tellement différente. Ils signifiaient une chance infime, mais une chance quand même, de réveil pour Suzie. Et il ne fallait pas oublier Ben. Il n'avait qu'un bras cassé, mais venait de perdre son père, et Vivianne devait décider s'il serait également privé de sa mère. Il n'avait que cinq ans… Presque son âge à la mort de sa mère. L'histoire semblait se répéter, mais Vivianne évitait d'y penser. Elle devait réfléchir sérieusement à la situation et considérer toutes les options avant de prendre une décision irréversible.

«Vivianne, j'aimerais vous parler de quelque chose, renchérit le docteur d'un ton aimable qui le rendait sympathique à son interlocutrice. De quelque chose qui pourrait vous faire sentir moins coupable. »

Enfin, une bonne nouvelle. Elle était à l'écoute.

« Une patiente dans cet hôpital attend une transplantation du cœur, et elle est compatible avec votre sœur ».

Le regard de Vivianne croisa celui du médecin de cinquante ans et son visage pâlit. Elle ne pouvait en croire ses oreilles. « Riez-vous de moi, docteur ? » Elle ne savait que dire d'autre.

« Vous voulez mon accord pour charcuter ma sœur alors qu'elle est encore en vie ?

— Mademoiselle McKinnon, je comprends votre frustration, mais laissez-moi vous expliquer »

Vivianne se leva d'un trait avant même que le médecin ne termine sa phrase. « Elle a une chance de se réveiller ! Êtes-vous fou ? » s'écria-t-elle.

Le Dr Gauthier ne baissa pas les yeux et regarda Vivianne quitter la pièce. Il n'en était pas à sa première conversation du genre avec les proches d'un patient, qui réagissaient souvent de la même manière à une telle proposition. Il fallait alors leur laisser du temps, laisser retomber la poussière pour qu'ils puissent prendre une décision réfléchie. Avant que Vivianne ne franchisse la porte, le neurologue se permit un commentaire : « Cette adolescente de quinze ans, au cinquième, attend un cœur depuis presque un an. Elle est encore vivante… Votre sœur lui sauverait la vie… »

Vivianne déserta la pièce sans se retourner.

La cafétéria de l'hôpital était presque vide lorsqu'elle paya pour son double espresso. Les dernières paroles du Dr Gauthier rejouaient dans sa tête et la tracassaient à un tel point qu'elle se rendit au cinquième étage pour en avoir le cœur net. Elle n'eut pas à chercher longtemps pour trouver la jeune demoiselle, dont les yeux verts et le sourire à faire craquer n'importe qui la charmèrent immédiatement.

La malade avait l'air si minuscule dans son grand lit d'hôpital que le cœur de Vivianne se serra lorsqu'elle entra dans la chambre et remarqua tous les tubes rattachés à elle. Cette jeune fille, pas bien plus jeune que Vivianne et avec toute la vie devant elle, avait passé la dernière année clouée à ce lit métallique. Le cœur de Vivianne battit la chamade quand elle s'avança vers l'adolescente qui la fixait curieusement.

«Bonjour! Êtes-vous nouvelle? demanda la jeune fille d'une petite voix chaleureuse.

— Euh… non, je… je ne travaille pas ici», lui répondit Vivianne, complètement déstabilisée.

Des pas se firent entendre. Une femme frisant la quarantaine entra, quelques magazines de mode sous le bras.

«Oh! On ne se connaît pas, je crois?» demanda la dame tout en regardant Vivianne, un large sourire aux lèvres.

Vivianne ne put répondre et se contenta d'un hochement de tête. La situation la rendait mal à l'aise malgré l'amabilité des deux femmes.

«Non, maman! Elle ne travaille pas ici!

— Oh! Désolée. Je peux vous aider? dit la mère en se penchant vers sa fille pour lui tendre les revues. Tiens, ma chérie, ce sont les nouvelles parutions du mois.

— Merci!»

Vivianne s'avança. «Elle attend un… cœur?

— Oui, depuis treize mois, répondit la mère en prenant la main de sa fille. Il s'en vient, je le sais, je le sens, n'est-ce pas, ma chérie?» Mais le ton de la dame était plus inquiet que confiant.

La malade tenta de répondre, mais eut soudain de la difficulté à respirer. Vivianne réagit, se demandant que faire, mais la dame la rassura. «Ça va, dit-elle calmement à Vivianne, qui se sentait de trop. Ça lui arrive lorsqu'elle devient émotive. Tout va bien.» L'arrivée d'une infirmière brisa l'inconfort de Vivianne, qui en profita pour filer à l'anglaise.

Après avoir demandé de prendre la nuit pour réfléchir, elle quitta l'hôpital pour retrouver son neveu chez Victoria.

« Mademoiselle McKinnon, beaucoup de vies seraient sauvées… » s'était contenté de dire le Dr Gauthier avant son départ.

Vrai. Suzie pourrait faire don de son cœur, de son foie, de ses reins et de ses yeux, pour commencer. Plusieurs vies seraient sauvées, certes, mais au coût de la sienne.

❧

Le visage de Ben s'illumina lorsque, trente minutes plus tard, il vit sa marraine franchir le seuil de la porte. Les quatre garçons de Victoria se tenaient derrière elle, fixant Vivianne, qui ne les avait pas vus depuis quelque temps. Elle remarqua immédiatement le plâtre que Ben avait au bras gauche ainsi que ses ecchymoses au visage. Mais ses blessures n'empêchèrent pas son neveu de lui sauter au cou comme chaque fois qu'il ne l'avait pas vue depuis longtemps. En effet, Vivianne n'avait pas rendu visite à sa famille récemment. Harvard lui demandait beaucoup et, avec en plus son copain David, avec qui elle était depuis dix-huit mois, et son travail à la bibliothèque, elle n'avait plus assez de temps pour faire les huit heures de route aller-retour que chaque visite lui demandait. Bien que Suzie et elle se parlaient presque tous les jours grâce à la technologie Skype, elle ne réalisait que maintenant l'effort qu'elle aurait dû faire pour les visiter plus souvent.

Facile à dire, après ce qui s'est passé.

Victoria avait offert à Vivianne de garder Ben le lendemain afin qu'elle puisse retourner à l'hôpital sans souci. « Je suis tellement désolée pour tout, avait-elle répété. Que puis-je faire pour t'aider ?

— Tu en fais déjà assez. »

L'émoi de Victoria était palpable, et Vivianne s'en aperçut rapidement. Victoria et Suzie étaient meilleures amies depuis plusieurs années, et le deuil était également lourd à porter pour elle. Vivianne se pencha pour l'embrasser.

Les deux meilleures amies s'étaient rencontrées le jour de l'emménagement des sœurs McKinnon chez Angela et Billy. Victoria était mariée à Barry, un homme avec un sens de l'humour capable de captiver tout un auditoire, et ils avaient quatre enfants. Quatre garçons : l'un de cinq ans, l'autre de trois et des jumeaux d'un an. Barry était courtier d'assurances et tout le monde l'adorait, non seulement pour son côté comique, mais aussi pour son dévouement envers sa femme et ses enfants. Mais les vingt-quatre dernières heures avaient été pénibles pour lui, puisqu'il avait été appelé par la police à deux heures du matin, étant la personne contact de Billy en cas d'accident. L'ironie du sort voulait que les deux familles aient passé la soirée ensemble à célébrer l'anniversaire de naissance de Barry. Ils avaient bu une bouteille de vin à quatre, ainsi qu'une bière chacun, mais l'hypothèse que le drame soit dû à l'alcool avait été écartée dès le début. Les causes de l'accident étaient donc inconnues. La police ne comprenait pas ce qui avait pu se passer, mais, d'après les traces de freinage sur la route, il était clair que Billy avait donné un coup de volant assez brusque pour les faire foncer sur un arbre.

« Je dois me rendre à la morgue et identifier Bil... Euh... le corps, bégaya Vivianne. Puis, j'irai à l'hôpital... Mon Dieu, Vicky, pourquoi eux ? Pourquoi elle ? » ajouta-t-elle en tentant en vain de ne pas éclater en sanglots.

« Je te jure qu'il n'était pas en état d'ébriété, sinon on ne l'aurait jamais laissé partir.

— Je sais, je sais. Je ne vous ai jamais connus irresponsables, Barry et toi... Mais pourquoi elle ? » La douleur dans le regard de Vivianne était comme un dard planté dans le cœur de Victoria.

« Va-t-elle mieux au moins ? »

Vivianne fit non de la tête : « C'est fini. Les médecins me réclament ses organes vitaux pendant qu'il est encore temps. Ils veulent mon accord pour mettre un terme à… Enfin… Ils ont besoin de mon accord avant d'agir.

— Elle n'a aucune chance de s'en sortir ? »

Vivianne hocha la tête de nouveau. « Pas sans conséquences. Elle a de graves blessures à la tête et il y a beaucoup de dommages… là-dedans… dit-elle en posant le doigt sur sa tempe.

— Et tu acceptes ça ? Ne veux-tu pas un deuxième avis ? »

Vivianne regarda en direction de Ben, qui jouait avec les garçons dans le salon. Elle souhaitait qu'il ne soit pas trop affecté par la tragédie, probablement parce qu'elle n'en avait elle-même pas toujours pleinement conscience. Elle devrait prendre d'importantes décisions dans les prochaines heures et les prochaines semaines, et elle voulait se donner du temps pour délibérer le plus calmement possible.

« Je ne crois pas avoir le choix.

— Mais… si jamais ? demanda Victoria.

— C'est pour cela que j'ai demandé la nuit pour réfléchir. Elle n'a presque aucune chance de s'en sortir. »

Encore ce mot : *presque*. Pas très convaincant pour Vivianne, ni pour Victoria, qui prit la sœur de sa meilleure amie par la taille et la serra contre elle en lui souhaitant de passer une bonne nuit malgré tout. Il paraît que « la nuit porte conseil », et Vivianne espérait y trouver une réponse à ses tourments. Victoria déplia une feuille de papier sur la table et la lui remit.

« Qu'est-ce que c'est ?

— Une liste de familles d'accueil… » Elle dut s'éclaircir la gorge avant de continuer : « … de la DPJ. » Vivianne se figea soudain, comme gelée, mais Victoria enchaîna : « La travailleuse sociale me l'a remise hier soir lors de sa visite. Je sais que tu vis des moments difficiles, mais tu devras y penser... »

Vivianne était tellement sous le choc d'avoir appris la mort de Billy et de devoir prendre une décision au sujet de Suzie qu'elle en avait presque oublié Ben. Il lui fallait penser sérieusement à l'avenir de son neveu.

Mille questions surgirent en même temps en elle, et elle secoua rapidement la tête afin de les chasser temporairement. Ce n'était pas le moment d'y penser. Elle devait avant tout décider du sort de sa sœur, mais accepta tout de même le papier de la main tremblante de Victoria et le replia lentement avant de le glisser dans la poche arrière de son pantalon. Sans mot, elle feignit un sourire avant d'ouvrir la porte d'entrée. Ben arriva à ce moment.

« Tante Vivianne, où est maman ? » demanda-t-il après avoir salué les garçons. Vivianne et Victoria échangèrent un regard.

« Je m'en occupe, dit la première, tout en empoignant le manteau de Ben.

— Ramène-le à n'importe quelle heure demain matin.

— Je viendrai le plus tôt possible, si ça ne te dérange pas. J'aimerais me débarrasser de la morgue rapidement. » Victoria approuva d'un signe de tête : « Quand tu veux. Nous sommes debout tôt le matin. » La chaleur de son sourire encouragea Vivianne au moment de son départ, Ben à ses côtés.

Le jeune garçon ouvrit la portière arrière de la voiture, mais grimaça en voyant la banquette.

« Où est mon siège ? » demanda-t-il à Vivianne. Celle-ci hocha la tête.

Évidemment qu'il a besoin d'un siège d'appoint.

Elle courut chez Victoria pour en emprunter un.

« Tu peux le garder. »

Puis, elle retourna à la voiture et plaça le siège sur la banquette arrière. Ben s'assit et boucla la ceinture de sécurité.

« Comment te sens-tu ? demanda-t-elle au petit garçon.

— Je veux voir maman. »

Vivianne s'assit à ses côtés.

« Moi aussi, j'aimerais la voir, répondit-elle. Ben, tu as eu un gros accident. Tu t'en souviens ? » Ben acquiesça en silence. « Tu as été très brave. J'aurais eu tellement peur. » Elle tentait de rester calme.

« Oh ! J'avais très peur ! J'ai entendu un gros BOOM ! » dit-il en jouant nerveusement avec son plâtre. Elle se rapprocha et examina le petit bras fragilisé.

« Tu sais, moi aussi, j'ai eu un plâtre à ton âge.

— Pour de vrai ? »

Vivianne acquiesça de la tête avant de continuer : « À l'époque, nos amis et famille signaient dessus. C'est bien dommage qu'on ne puisse plus faire ça aujourd'hui. C'était la seule raison "cool" d'avoir un plâtre. »

Elle s'arrêta quelques instants et prit une grande respiration avant de poursuivre : « Tu sais que je t'aime plus que tout au monde. » Le sourire de Ben se fendit jusqu'aux oreilles. « Quoi qu'il arrive, tante Vivianne sera toujours là pour toi. D'accord ? » Le petit approuva de la tête. « Oh ! Maman va être contente que tu reviennes habiter avec nous ! » Soudainement, Vivianne se rendit compte que Ben n'avait que cinq ans et qu'elle devrait utiliser une autre tactique pour lui faire comprendre la situation.

« Que dirais-tu de revenir avec moi à Harvard ? Tu te souviens de quand tu es venu l'an dernier ? » Le visage de Ben s'assombrit. « Sans papa et maman ? » demanda-t-il d'une voix tremblotante.

« Ben, mon petit lapin… » Elle tentait tant bien que mal de contenir ses larmes. « Tu sais ce que Victoria t'a dit ?

Que papa était au ciel?» Ben fit «oui» de la tête, mais Vivianne doutait qu'il comprît vraiment la signification de ses paroles. Elle poursuivit quand même: «Eh bien... malheureusement... maman le rejoindra demain...» Se sentant comme une ultime source de réconfort, un des derniers éléments rassurants dans le petit monde de Ben, Vivianne refoula ses larmes et se mordit l'intérieur des joues afin de ne pas éclater en sanglots en s'entendant parler.

«Peut-on aller les rejoindre, tante Vivianne?

— J'ai bien peur que non, mon trésor.

— Pourquoi pas?

— Parce que ce n'est pas notre décision.

— Mais je veux y aller!» s'écria Ben en frappant le siège avant avec son pied. Il éclata en sanglots et hurla sa peine et son désespoir jusqu'à ce que sa voix abdique. Vivianne pleurait également tout en le serrant fort dans ses bras. Ils restèrent ainsi pendant près d'une heure.

Elle le prendrait avec elle. Il serait comme son enfant. Vivianne ne le devait-elle pas à sa sœur, qui en avait tant fait pour elle? N'importe quelle autre option aurait été la bienvenue, mais, encore une fois, les dés étaient jetés, et le destin semblait en avoir contre elle. Un destin maudit. Une vie maudite. Mais, cette fois, les conséquences de sa décision de garder son neveu auraient un impact majeur sur le reste de sa vie personnelle et professionnelle. Elle n'était qu'à mi-chemin dans ses études en droit et travaillait à temps partiel dans une bibliothèque. Même avec une bourse d'études, l'université restait très dispendieuse, et Suzie et Billy soutenaient Vivianne financièrement en l'aidant chaque mois à payer son loyer. Non seulement elle ne profiterait plus de l'aide de sa sœur, mais elle aurait une deuxième bouche à nourrir et devrait lui payer une éducation... et une vie.

C'était tant de choses à penser, mais il lui fallait d'abord s'occuper du sort de sa sœur et organiser des funérailles pour elle et son mari, si tôt emportés dans la mort… Victoria avait offert de recevoir leurs amis chez elle après les funérailles, qui auraient probablement lieu près de chez Suzie, à l'église du père Patrick, un ami de la famille.

En quittant le siège arrière de la voiture pour s'installer au volant, elle remarqua Victoria, qui l'observait de la fenêtre du deuxième étage. Elle la salua de la main en forçant un sourire. En s'assoyant, un papier dans sa poche arrière la gêna et elle le sortit : la liste des familles d'accueil. Vivianne n'avait d'autre choix que de considérer cette option, puisqu'elle venait de promettre à Victoria de le faire, mais sa décision était bel et bien prise. Jamais elle n'accepterait de laisser son neveu entre des mains étrangères. Elle le garderait avec elle et ferait face aux conséquences quand le temps viendrait. Auparavant, elle devait régler d'autres détails plus urgents et les chasser de sa tête pour mieux faire un choix éclairé. Elle penserait plus concrètement à l'avenir de Ben seulement après les funérailles, se disait-elle, mais elle ne pouvait tout à fait s'empêcher d'y penser. Elle voulait l'emmener à Cambridge, quand les choses seraient réglées ici. Elle lui dénicherait une bonne école et prendrait des décisions au fur et à mesure, vivant au jour le jour au lieu de s'énerver, dépassée par l'ampleur de la situation.

Je m'arrangerai, se répétait-elle. Elle l'avait toujours fait dans le passé.

Lorsqu'elle posa sa tête sur l'oreiller ce soir-là, ses idées s'affolèrent, et elle tenta en vain de ne penser ni au lendemain ni aux décisions déchirantes qu'elle avait à prendre. Une petite voix résonnait dans sa tête : devait-elle ou non donner les organes vitaux de sa sœur adorée ? Il lui fallait aussi penser aux arrangements funéraires. Parce que leur mère reposait loin de là et qu'elles ne savaient rien du destin de leur père, pas même s'il était mort ou vivant, elle et sa sœur s'étaient entendues pour être enterrées à côté de la mère de Billy, Angela, devenue leur seule famille durant les onze dernières années et décédée deux ans auparavant.

✑

Dès son entrée à la morgue le lendemain matin, Vivianne sentit son cœur battre plus vite que jamais, et ses mains devinrent moites en une fraction de seconde. Après qu'elle eut signé le registre à la réception, on lui remit un badge de visiteur, puis elle suivit un homme vêtu d'un sarrau blanc.

La morgue était exactement comme elle l'avait si souvent vue dans les films : de longs corridors blancs éclairés par des néons jaunes. Mais ce qui attira le plus son attention fut l'odeur qui vint lui piquer le nez. La puanteur distincte d'un produit de conservation qui lui montait rapidement aux narines, lui rappelant l'époque où elle disséquait des rats à l'école secondaire. Une odeur de propreté, mais à la fois de mort. Elle ne pouvait se souvenir du nom du produit utilisé et en était grandement embêtée. Il lui traversa l'esprit de le demander à l'homme devant elle, mais le moment était quelque peu inapproprié. Elle tenta de chasser l'odeur en reniflant le parfum dans son col de chemise, mais en vain.

Quand ils arrivèrent au « numéro » de Billy, l'homme au sarrau tira le tiroir encastré dans le mur. *Quel est le nom de ce produit qui me dégoûte tant?* se demandait Vivianne en silence. Elle prit une grande respiration lorsque l'homme retira la couverture métallique recouvrant le corps. Bien qu'il n'y ait aucun doute possible quant à l'identité du défunt, il lui fallut quelques secondes pour reconnaître son beau-frère, défiguré. Le choc, lorsque sa voiture avait heurté un arbre, avait dû être d'une rare violence. Cela ne faisait que deux jours que Vivianne avait appris la triste nouvelle de l'accident, mais elle ne s'apercevait que maintenant de l'ampleur de la tragédie. Billy était *vraiment* mort. Pas qu'elle en eut

39

douté, mais le fait de le voir en personne apportait une nouvelle dimension à sa conversation téléphonique avec Victoria, quarante-huit heures plus tôt. Elle paniqua et se mit sérieusement à penser à toutes les conséquences de ce qu'il venait de se produire. Il était *vraiment* mort, et Suzie allait être *vraiment* morte dans quelques heures. Et elle, Vivianne, devrait *vraiment* s'occuper de son neveu, à moins d'en décider autrement. Elle fut instantanément prise d'un haut-le-cœur et dut se ressaisir pour ne pas vomir.

Elle tenta d'agir normalement, mais les émotions prirent le dessus et quelques larmes coulèrent le long de ses joues quand elle confirma l'identité de Billy Pendergast.

Elle avait rencontré Billy dix ans auparavant, au restaurant du village où elle et sa sœur aimaient aller manger à l'occasion. La mère de Billy, Angela, les y servait chaque fois qu'elles s'y trouvaient. Suzie et Billy étaient tombés amoureux dès leur première rencontre, et Angela avait accueilli les sœurs McKinnon chez elle deux ans plus tard, après avoir appris leur tragique histoire. Mère monoparentale, elle avait ouvert ses bras aux sœurs McKinnon, comme si elles avaient été ses propres enfants. Le deuil de Suzie et de Vivianne fut sincère, neuf ans plus tard, lorsqu'Angela succomba à un foudroyant cancer des poumons.

Billy avait été comme un grand frère pour Vivianne, qui savait que son amour pour sa sœur était sincère. Et tous trois, ils planifiaient leur avenir ensemble. Bien que Ben soit arrivé plus tôt que prévu, la joie qu'il avait apportée dans la maison était incomparable, comme un beau rayon de soleil dans leurs vies. À sa surprise, les nouveaux parents avaient demandé à Vivianne d'en être la marraine, ce qu'elle ne pouvait évidemment refuser et, parce qu'elle était célibataire, aucun parrain n'avait été choisi. Même si elle n'avait que seize ans à l'époque, elle prit son nouveau rôle très au sérieux et promit à Suzie de s'occuper de Ben jusqu'à sa mort, s'il advenait qu'un accident emporte ses deux parents. Non seulement elle se retrouvait aujourd'hui devant cette fâcheuse conjoncture, mais elle comptait bien respecter sa promesse. Par contre, élever un enfant de cinq ans à l'âge de vingt ans lorsqu'on étudie en droit à Harvard avec un emploi à temps partiel n'était pas chose facile. C'était un pur suicide.

Vivianne savait trop bien qu'elle foulait les couloirs de Harvard grâce à sa sœur, qui avait fait maints sacrifices pour pouvoir lui offrir cette chance unique. Après leur enfance si difficile, Suzie avait réussi à éviter à Vivianne de se trouver un emploi pour la laisser se concentrer sur ses études et devenir avocate. Ses résultats scolaires remarquables avaient attiré l'attention de plusieurs universités prestigieuses, lui permettant ainsi d'obtenir une bourse d'études. Son choix s'était arrêté sur Harvard pour des raisons évidentes et, même si la bourse ne couvrait pas toutes ses dépenses, Suzie avait convaincu sa sœur qu'elles se débrouilleraient. De toute façon, Vivianne aurait un emploi très lucratif après l'obtention de son diplôme et rembourserait ses dettes scolaires en quelques années.

Elle venait de quitter la morgue en ce beau matin de septembre et sentait un nuage noir au-dessus de sa tête. Le destin la frappait encore une fois, chambardant sa vie, et elle n'avait d'autre choix que de faire face à la situation, comme souvent auparavant, mais, cette fois-ci, Suzie n'était pas là pour la guider ni pour la soutenir.

En route vers l'hôpital, elle tenta désespérément de s'enlever l'image de Billy de la tête. Vivianne devait maintenant penser à Suzie. Elle avait cru sa décision prise à son sujet, mais se surprenait encore à douter.

Le Dr Gauthier l'attendait avec un chirurgien cardiaque lorsqu'elle arriva au troisième étage. *Formol.* Le mot surgit soudainement dans sa tête. Elle s'avança vers le médecin tout en respirant profondément afin de conserver son calme.

Il entama la conversation: «Bon matin, Vivianne.» Parce qu'elle ne savait trop quoi répondre, elle se contenta de le saluer d'un signe de tête. Elle continuait à se répéter le même mot dans sa tête: *formol*. Elle faillit vomir à l'idée de l'odeur du produit, qui lui remonta au nez. Le médecin prit gentiment son bras pour l'inviter à le suivre à son bureau. «Je sais que c'est un choix difficile, mais…

— J'ai peine à croire que c'est la seule solution! N'y a-t-il vraiment aucune autre option?

— Je suis sincèrement désolé, mais votre sœur est gravement blessée et son cerveau ne fonctionnera plus jamais normalement.

— Mais il doit y avoir *quelque chose* à faire! Elle est encore en vie!

— Je comprends, mais c'est peine perdue. La tête de votre sœur a été heurtée violemment, et son cerveau ne répond plus à rien.

— Il *doit* y avoir *quelque chose*… une solution… insistait-elle, désespérée.

— Je comprends votre dilemme, mademoiselle McKinnon, et, croyez-moi, si je pouvais faire quoi que ce soit, je le ferais, mais j'ai eu cette fâcheuse conversation trop souvent dans ma carrière. Il n'est jamais facile d'aborder le sujet, mais, si je peux soulager votre conscience, Suzie est en moins bon état qu'hier.»

Ce n'est pas une consolation.

Le Dr Gauthier ne faisait que son travail. On sauve un patient une journée pour en perdre un autre le lendemain. C'était probablement la première leçon enseignée aux futurs médecins à l'université. Aujourd'hui, malgré toute sa bonne volonté, le Dr Gauthier allait perdre une patiente. Et son nom était Suzie McKinnon.

«Vivianne, enchaîna-t-il, si vous décidez de donner les organes, il faudra agir vite si nous voulons sauver l'adolescente.

— Cassandre? demanda-t-elle, à la surprise du sympathique médecin.

— Oui, Cassandre Rouleau. Elle ne survivra pas sans transplantation dans les prochaines vingt-quatre heures. »

Bien qu'il fût interdit à Vivianne de discuter de transplantation avec la famille de Cassandre, puisque les dons d'organes doivent rester anonymes, le Dr Gauthier ne lui tenait pas rigueur de l'avoir rencontrée. Il jouait toutes ses cartes en même temps, prêt à tout pour convaincre Vivianne de sauver la jeune cardiaque. Suzie avait été une femme débordante de santé, et ses organes changeraient des vies. Vivianne ne pouvait pas ne pas considérer cette possibilité. Le regard vert profond de Vivianne rencontra celui, brun foncé, du médecin. L'image de Cassandre dans son lit d'hôpital lui apparut dès que Vivianne ferma les yeux pendant que le spécialiste retenait son souffle dans l'attente du verdict final.

Seul le bip du moniteur cardiaque résonnait dans la pièce quand Vivianne s'avança dans la chambre où reposait sa sœur. Son cœur se serra lorsqu'elle remarqua le teint pâle de Suzie, qui avait toujours resplendi de santé dans le passé. Elle s'assit près du lit en prenant sa main.

« Suzie, je ne pourrai traverser cette tempête... pas sans toi... dit-elle en pleurant. Pourquoi? Pourquoi toi? »

Elle posa sa tête sur la main de sa sœur, pour un temps qui lui sembla durer une éternité, sans bouger. « Quoi qu'il arrive, je m'occuperai toujours, toujours, de Ben et en prendrai soin comme de mon propre fils. Je te le promets. Repose en paix, grande sœur chérie. Ben est entre bonnes mains. Tu m'as menée sur le droit chemin, et je ferai tout pour le guider aussi justement que tu l'aurais fait. Tu es une héroïne, grande sœur… Tu pars pour sauver la vie d'une jeune fille de quinze ans… »

Une infirmière s'éclaircit la gorge, faisant comprendre à Vivianne que la fin était venue, et la cadette des McKinnon embrassa sa sœur sur le front pour une dernière fois. « Merci… pour tout ce que tu as fait pour moi… Je t'aime… »

Elle se leva enfin et sortit de la chambre sans regarder derrière elle. L'infirmière, suivie de deux internes, se précipita vers le lit pour le rouler en dehors de la chambre. Vivianne suivit cet étrange cortège durant quelques secondes et entendit un résident appeler la salle d'opération pour aviser les chirurgiens que le « cœur » était en route.

Elle ferma les yeux en prenant une grande respiration. Elle se souvint d'avoir déjà ressenti ce vide autour d'elle, mais, cette fois, elle était seule. Plus de grande sœur. Plus personne. À tout jamais.

3

Le soleil était de plomb en cette journée de funérailles, mais Vivianne était trop émotionnellement épuisée pour s'en apercevoir. Quand le père Patrick fit le dernier signe de croix au-dessus des deux cercueils, Vivianne sentit la petite main de Ben s'agripper très fort à la sienne.

Des cauchemars affolants la hantaient depuis quelque temps, la réveillant brusquement, dans des draps détrempés, au milieu de la nuit. Afin de se rendormir, elle se remémorait des périodes plus heureuses de sa vie, telles la célébration de son acceptation à Harvard, ses randonnées dans le bois avec sa sœur, ou encore la première fois où elle avait pris Ben dans ses bras. Mais, malheureusement, le visage tuméfié de Billy ressurgissait toujours de nulle part, habitant sans cesse ses rêves. Pauvre Billy… Elle tentait par tous les moyens de chasser d'elle l'image horrifiante de son défunt beau-frère.

Vivianne s'accota contre la colonne de la galerie extérieure de la maison de Victoria où elle regarda Ben jouer avec David et les quatre garçons. David et elle formaient un couple depuis un an et demi. Ils s'étaient rencontrés lors de la première session de Vivianne à l'université, au moment où elle tentait désespérément de trouver les bureaux de la comptabilité. Non seulement il l'avait guidée, mais il l'avait également accompagnée en échange de son numéro de téléphone. Son attitude un peu macho et son sourire tout en dents ne lui avaient pas plu au début, mais elle s'était laissé charmer et avait finalement accepté de lui donner ses coordonnées après avoir pris un verre en sa compagnie.

Leur première soirée ensemble avait presque tourné au désastre. Vivianne avait glissé sur le trottoir et avait été admise à l'urgence pour une cheville foulée. David l'avait accompagnée et ils étaient tombés amoureux dans la salle d'attente de l'hôpital. Mais, maintenant, elle se demandait comment il réagirait à l'annonce de sa décision de garder Ben. Elle était folle de son neveu et ne pouvait imaginer sa vie sans le revoir. Le laisser à la DPJ était hors de question, surtout après la promesse faite à sa sœur. « Comment vas-tu ? lui demanda David en arrivant derrière elle pour lui masser les épaules.

— J'ai eu de meilleurs jours », lui répondit sèchement Vivianne. Il passa son bras autour d'elle et sa tête se logea dans le creux de son cou. Vivianne s'était déjà sentie beaucoup plus en sécurité dans ses bras, mais, cette fois, des papillons envahirent son estomac et elle dut s'asseoir. Victoria vint la retrouver avec un verre d'eau fraîche, quelques minutes plus tard, après que David fut retourné jouer avec les garçons.

« J'aimerais tellement pouvoir t'aider. Mais avec quatre enfants…

— Victoria, s'il te plaît. Tu en fais déjà assez. Je mettrai la maison en vente et vivrai un jour à la fois, lui répondit Vivianne, tout en pensant à son avenir.

— Je sais que tu t'en sortiras. » Victoria était une amie extraordinaire. « Et tu peux compter sur moi pour beaucoup. » Vivianne le savait. Elle se tourna vers la meilleure amie de sa sœur : « Je sais… et j'ai pris une décision, ajouta-t-elle. Je vais garder Ben. »

Parce qu'elle connaissait Vivianne depuis tellement d'années, Victoria savait ce que cette décision représentait pour elle et fronça les sourcils : « En es-tu certaine ? »

Le silence de Vivianne était éloquent, et Victoria crut bon de briser l'inconfort : « Penses-y bien avant de prendre une si grosse décision. Tu es encore sous le choc. Peut-être es-tu trop émotive ? Donne-toi du temps pour raisonner froidement.

— Je garde Ben. Point final. » Une seconde pause s'imposa et Vivianne observa Ben jouer avec les garçons. « Je ne me pardonnerais jamais de l'avoir laissé aux mains d'étrangers.

— Viv, de très bonnes familles rêveraient d'élever un petit garçon comme lui, l'aimeraient et en prendraient soin comme de leur propre fils. » Le silence de Vivianne força Victoria à continuer : « Tu as de la difficulté à arrondir tes fins de mois avec ton travail et tes études. Te pardonnerais-tu de devoir le priver de, de…

— De quoi ? De nourriture ? D'amour ? De quoi ? Parce qu'outre cela, je ne vois pas ce qu'il y a de plus important. Je l'adore. Il est de mon sang !

— Je comprends, mais… tu ne l'abandonnerais pas complètement…

—- Merde, vas-tu comprendre ! Je le garde et je ne veux plus en entendre parler ! » Vivianne hésita avant de continuer : « Et de tout le monde ici, tu devrais être la plus compréhensive. »

Vivianne misait juste. Victoria et Suzie se fréquentaient depuis si longtemps que la première savait par où les sœurs McKinnon étaient passées dans leur jeunesse. Victoria contempla la sœur de sa meilleure amie en passant doucement sa main dans ses cheveux. La conversation était close et elle n'insisterait pas. Rien ne pouvait être ajouté pour convaincre Vivianne d'y penser encore un peu. Elle comprenait que celle-ci tournait une autre douloureuse page de sa vie, mais n'interviendrait pas, par respect. Pouvait-elle la blâmer de vouloir garder le petit ? La majorité des gens dans sa situation aurait agi de la sorte. Victoria n'aurait jamais, elle non plus, laissé un enfant de cinq ans entre les mains d'inconnus. La planète était peuplée de millions de gens extraordinaires, mais les journaux et la télé rapportaient tellement d'histoires d'horreur sur le traitement infligé à certains enfants qu'il était impossible de ne pas en tenir compte.

Vivianne passa les nuits qui suivirent à se retourner dans son lit et dut avaler les pilules que le Dr Gauthier lui avait prescrites afin de l'aider à s'endormir. Elle revoyait constamment le visage tuméfié de Billy et ne pouvait s'empêcher de penser à sa sœur charcutée vivante, ou encore à ce qu'elle ferait de sa vie avec un enfant de cinq ans, et c'est surtout cette nouvelle réalité qui la rendait nauséeuse. Comment gérerait-elle le tout sans compromettre son avenir ? Maintenant que Ben habiterait avec elle à temps plein, il lui faudrait trouver un appartement, elle qui vivait alors dans un dortoir. Même le plus petit logement de Cambridge coûtait une fortune, et elle doutait d'y arriver financièrement. L'idée de déménager en banlieue lui traversa l'esprit, mais les allers et retours seraient trop laborieux, surtout avec un emploi à quelques pas de l'école. Il était primordial qu'elle trouve un logement aux alentours. Elle s'arrangerait avec le loyer.

L'argent avait été un sujet délicat toute sa vie, mais, maintenant qu'elle avait une autre bouche à nourrir, elle ne pouvait plus simplement sauter des repas pour économiser quelques dollars. Ben devait s'alimenter trois fois par jour, et la seule personne pouvant lui procurer ses repas était Vivianne. Chaque fois qu'elle pensait aux difficultés à venir pour boucler ses fins de mois, des gouttelettes de sueur perlaient sur ses mains et son rythme cardiaque s'accélérait. Après la vente de la maison de Billy et de Suzie, elle aurait une réserve pour louer un appartement adéquat et garderait le reste pour payer les frais de scolarité de Ben et pour une gardienne lui permettant de se concentrer sur ses études quelques heures d'affilée. Plus que jamais, il lui fallait terminer l'université et entreprendre cette carrière fructueuse qui lui avait été promise. Obtenir des résultats dignes de mention était un honneur, spécialement à Harvard, et les portes de l'élite s'ouvriraient à elle, mais il lui fallait d'abord terminer ses études. Il lui restait deux années à compléter, et elle priait Dieu de l'aider à traverser cette épreuve.

4

Vivianne était déterminée à réussir et, après quatre tentatives, elle avait enfin trouvé une école appropriée pour son neveu. La directrice avait été plus que compréhensive quant à la raison d'une entrée tardive, et l'école se situait à quelques pas de Memorial Hall. Vivianne aurait pu difficilement rêver mieux.

La tragédie avait fait le tour du campus, et les professeurs se montraient compréhensifs à l'égard de Vivianne et de sa nouvelle vie. Ben, de son côté, avait toutefois du mal à s'adapter à son nouvel environnement, et sa tante se précipitait à son chevet chaque nuit pour le calmer et chasser ses craintes.

Elle n'avait pas pensé qu'un accident de la route comme celui qu'il avait vécu pouvait laisser de graves séquelles psychologiques chez un enfant, et elle tentait par tous les moyens de remédier aux angoisses de Ben, mais le bruit du métal se tordant lors de l'accident le hantait tous les soirs. Sa vie ne tournait qu'autour de la catastrophe et il ne parlait que de cela. Elle appela une psychologue pour avoir son avis et celle-ci insista pour recevoir Ben en consultation si les troubles persistaient. Elle craignait qu'une certaine négligence à régler le problème efficacement ait des répercussions néfastes sur le reste de la vie de l'enfant. Toutefois, comme dépenser une fortune en thérapie ne faisait pas partie de sa planification financière, Vivianne se croisait les doigts pour que les angoisses nocturnes de Ben ne soient que passagères.

Quand son neveu se réveilla à 2 h 30 la nuit suivante, Vivianne s'empressa une fois de plus de le retrouver dans sa chambre où elle s'assit sur le lit. «Tante Vivianne? demanda-t-il d'une petite voix.

— Oui, mon cœur.

— C'est vrai que papa et maman habitent dans les nuages?

— Qui t'a dit ça?

— Mon professeur.»

Vivianne s'approcha pour prendre sa petite main. Les rideaux avaient été laissés ouverts et la pleine lune se reflétait dans toute la pièce.

«C'est une façon de voir les choses, je suppose.

— Mais comment se fait-il qu'ils ne tombent pas par terre?» demanda-t-il innocemment.

Elle ressentit un creux au fond de son estomac, mais remarqua une lueur d'espoir dans les yeux de Ben, qui ne demandait qu'à être rassuré par une simple précision. Il était insensé de raconter un tel mensonge, mais elle devait trouver une réponse ou une explication rapidement.

«Eh bien, c'est… qu'ils sont devenus des anges.»

Le visage de Ben s'illumina en un instant.

«Des vrais anges?» Vivianne approuva fièrement. «Avec des ailes?» Elle acquiesça de nouveau. «Oh! C'est pour cela qu'ils ne tombent pas! *Là*, je comprends!»

Fiou…

Quand Ben était heureux, il dormait mieux. Il était presque trois heures du matin et, bien qu'elle l'aimât plus que tout au monde, elle ne songeait qu'à renouer avec son oreiller et à dormir un peu. «Et c'est pour ça qu'ils peuvent toujours te voir! conclut-elle.

— Je m'ennuie d'eux, dit-il, les yeux pleins d'eau.

— Moi aussi. Mais sache qu'ils te voient en tout temps.

— Quand pourrons-nous les voir?»

S'il te plaît, Ben, j'ai besoin de dormir.

«Si tu fermes les yeux, tu les verras dans tes rêves.

— Mais je veux les voir *pour de vrai*! Pourquoi ne m'ont-ils pas emmené avec eux? demanda-t-il, presque fâché contre elle.

— Parce qu'il te reste tant de choses à faire ici! On est mieux sur terre que dans les nuages.» Elle essayait de donner un sens logique à son explication.

«Pourquoi?»

Vivianne réfléchit quelques secondes: «Eh bien, sur terre tu peux jouer au soccer.»

Le visage de Ben s'égaya de nouveau.

Dieu merci!

«Tu peux aussi aller à vélo, te balader dans les parcs, te baigner…»

Il plissa les sourcils.

«Mais je veux aller les rejoindre!

— Moi aussi, mon cœur, je voudrais bien, mais sais-tu quoi? Tu ne peux pas manger de crème glacée dans les nuages!

— Jamais?»

Vivianne hocha la tête. Ben réfléchit quelques secondes pendant qu'elle retenait un bâillement. «C'est mieux ici, affirma-t-il finalement.

— Oui, mais maintenant tu dois dormir, car le réveil sera difficile demain matin.»

Pour moi aussi…

«Tante Vivianne?» Elle le regarda d'un air doux. «Peux-tu rester avec moi s'il te plaît?»

Non! J'ai besoin de sommeil!

Elle respira profondément: «Bien sûr.

— Peux-tu rester avec moi pour toute la vie?

— Oui.

— Promesse p'tit doigt?» demanda-t-il tout en levant son auriculaire pour que Vivianne s'en empare avec le sien. Si elle avait encore eu quelque doute à l'idée de le garder, il était maintenant trop tard. Ils avaient un jour fait un pacte – le même que Vivianne avait fait avec Suzie, du temps où elles jouaient dans le bois derrière leur roulotte : lorsqu'ils faisaient une « promesse p'tit doigt », ils devaient la respecter. Il resterait avec elle pour toute la vie, à n'importe quel prix. Elle agrippa le petit doigt de Ben et répéta : « Promesse p'tit doigt. » Le soulagement dans le regard de Ben fut instantané, il laissa tomber sa tête sur l'oreiller et s'endormit aussitôt. Elle le regarda quelques instants, puis s'allongea près de lui. Même s'il dormait, elle savait qu'il se réveillerait si elle quittait maintenant la pièce, comme elle l'avait essayé à quelques reprises les nuits précédentes.

La journée suivante était plus tranquille qu'à l'habitude au travail. La majorité des étudiants retournaient visiter leur famille durant ce week-end de l'Action de grâce américaine pendant que Vivianne, n'ayant nulle part où aller, restait en ville. La bibliothèque fonctionnait alors à équipe réduite et la tante de Ben comptait en profiter pour passer du temps avec lui et David, qu'elle n'avait pas beaucoup vu depuis quelques semaines. Ils se disputaient souvent depuis les funérailles, David étant contrarié que Vivianne ait trop de décisions importantes à prendre rapidement et qu'elle ait toujours la tête ailleurs. Ils passeraient du temps ensemble dans les prochains jours et elle lui expliquerait sa vision de leur avenir.

Ils avaient rendez-vous au parc Fenway, et la nervosité de Vivianne était quasi insoutenable. L'annonce de sa décision de garder Ben se faisait aujourd'hui et elle ne pouvait anticiper la réaction de David. Ils se querelleraient certainement, mais elle espérait qu'il prendrait ensuite le temps de réfléchir et qu'il la rappellerait pour appuyer sa décision.

Elle s'engagea dans le parc, suivie de Ben. Le soleil était de plomb, fait rare en cette période de l'année où l'eau gelée sur les bords de l'étang rappelait que l'hiver arrivait à grands

53

pas. Les arbres étaient pour la plupart dénudés, et la venue de la saison froide semblait inévitable. Ben ramassa une branche morte traînant sur le chemin et se dirigea vers l'eau pour tenter de briser la fine couche de glace formée à sa surface. David et Vivianne s'assirent sur un banc à quelques mètres de là.

« Je t'avoue que je suis un peu surpris de le voir ici, lui, commenta David d'un ton sec. Quand tu m'as promis qu'on passerait du temps ensemble, je ne croyais pas que tu parlais de passer du temps avec *lui*. Ne devais-tu pas rencontrer une famille hier ?

— Non, je… Eh bien… »

La réaction de Vivianne fit tout de suite comprendre à David qu'elle n'était pas allée à son rendez-vous et sa mâchoire se décrocha.

« Ne me dis pas que tu as changé d'idée ? demanda-t-il d'un ton beaucoup plus chargé de reproches que d'interrogations.

— Non, je n'ai pas changé d'idée. »

Le soulagement dans le regard de David était comme un couteau en plein dans le cœur de Vivianne, car il lui faisait entrevoir la suite des choses. « Je n'ai pas changé mon idée de le garder, continua-t-elle malgré tout.

— Tu rigoles ? » dit-il en riant nerveusement.

Elle se retourna et le fixa droit dans les yeux : « Non.

— Vivianne, c'est pas comme si tu ne pourrais pas lui rendre visite !

— Ma décision est prise… et finale.

— Tu veux que je devienne père ? J'ai seulement vingt et un ans !

— Tu n'as pas à devenir ce que tu ne veux pas être.

— T'es folle ? Je ne te laisserai pas faire ! cria-t-il, furieux.

— Pardon ? Tu ne me dicteras pas ce que je peux faire ou ne pas faire ! Maudit, David, on parle d'un enfant, pas d'un chien !

— Tu ne peux pas faire ça!» Le visage de David était maintenant pourpre tellement il était en colère. «C'est fou! Tu ne seras jamais capable de subvenir à vos besoins avec un emploi à temps partiel!

— Je travaillerai à temps plein, répondit-elle calmement.

— Tu vas lâcher l'université?

— David, s'il te plaît. J'ai besoin de soutien. Je ne peux pas abandonner Ben.

— Désolé, Vivianne, mais je ne seconde pas ta décision.

— T'es fâché, et je comprends pourquoi. Mais on va passer à travers, trouver des solutions. On s'aime, on va s'en sortir.

— Non, Vivianne, on ne s'en sortira pas.

— Qu'est-ce que tu veux dire?

— Ne compte plus sur moi s'il reste.»

Vivianne prit quelques secondes pour encaisser le coup. «Tu me demandes de choisir?»

Le silence de David confirma sa réponse. Il la sommait de choisir entre garder Ben ou sauver leur relation. Le regard de Vivianne oscilla à quelques reprises entre David et Ben. Elle sentit ses joues s'empourprer.

Pour toujours, et à n'importe quel prix.

Elle se leva en silence, ramassa une branche morte qui traînait à ses pieds, puis se dirigea vers son neveu sans se retourner. Elle imita Ben en brisant la glace. Ses yeux se fermèrent lentement lorsqu'elle sentit David approcher. Il lui chuchota à l'oreille: «Dans quelques années, lorsqu'on se croisera et que je serai un avocat renommé au volant d'une voiture de cent mille dollars, et que tu ne seras que caissière dans un dépanneur, pense à aujourd'hui.»

Vivianne se retourna vers lui en lançant: «On n'a pas réussi sa vie seulement parce qu'on conduit une voiture de cent mille dollars, tu sais!

— Tu me le répéteras dans quelques années», renchérit-il sarcastiquement avant de partir.

David avait toujours accordé beaucoup d'importance à l'argent et au rang social. Elle aussi, un peu, mais la condescendance de David envers la classe moyenne l'avait toujours énervée, d'autant plus qu'il faisait partie de cette classe. Mais un avocat était pris au sérieux, et c'est ainsi que Vivianne voulait qu'on la considère. En cela, ils se retrouvaient. Par contre, à ce moment, elle détestait les conceptions de la vie qu'elle avait pu partager avec David et ne pouvait admettre qu'elle s'était laissé influencer à ce point.

Quelle décision David aurait-il prise s'il avait été dans les souliers de Vivianne? Lorsqu'elle se rendit à l'évidence qu'il aurait laissé tomber son neveu, elle comprit qu'il ne valait pas une peine d'amour.

Elle rouvrit les yeux, mais ne se retourna pas. David était parti, et elle espérait ne jamais lui donner raison. Elle essuya une petite larme de fierté coulant sur sa joue gauche et continua de briser la glace avec Ben, qui était trop concentré sur son jeu pour réaliser ce qui venait de se passer.

Vivianne pensa tout de même à David dans les jours qui suivirent, mais Ben était tellement demandant qu'il l'aida malgré lui à passer ce dur moment. Elle avait grandement besoin de sommeil, ce qui n'aidait pas, mais, à part cela, Ben était un enfant adorable, et il s'intégrait de mieux en mieux à sa nouvelle école. Il avait maintenant des amis et participait aux activités de sa classe. Il adorait faire des dessins et les rapporter à la maison. Mais, tous les soirs, c'était les mêmes dessins d'anges et de nuages qu'il montrait à Vivianne, inquiète. Elle appela la professeure de Ben, Mme Julia, pour en discuter avec elle.

« Après tout ce que Ben a vécu, c'est normal qu'il l'interprète dans ses dessins, dit l'institutrice, en tentant de la rassurer lors de leur rencontre quelques jours plus tard.

— Je comprends, mais il reproduit toujours la même chose. Est-ce normal?

— On peut s'attendre à une telle réaction dans son cas. Mais vous devriez engager la conversation et lui demander directement : "Ben, explique-moi ton dessin. Qu'as-tu dessiné exactement ?" De ce que je comprends, et ne le prenez pas mal, vous ne discutez peut-être pas assez avec lui ? Il ne vous dira pas comment il se sent si vous ne le lui demandez pas. Ceci est sa façon de vous passer des messages, poursuivit-elle en pointant les dessins. C'est la réaction normale d'un enfant.

— Je vois. Je ne m'étais pas rendu compte que je devais lui parler. Je veux dire, il me semble qu'il bavarde tout le temps.

— Comme tous les enfants ! ajouta Julia. Il doit vous raconter sa journée dans les moindres détails : ce qu'il a fait, avec qui il joue, quels jeux il préfère, mais vous devez savoir comment il se sent et ce qu'il ressent. Si vous ne le lui demandez pas, il ne vous le dira pas. Et vous aurez du mal à le guider correctement dans le futur. »

Mme Julia remarqua le découragement dans le regard de Vivianne.

« Vous êtes une femme intelligente, Vivianne, vous y arriverez. Et vous trouverez des trucs pour lui parler et le comprendre. Ne vous inquiétez pas.

— Merci énormément. Vous m'encouragez.

— Tant mieux. Et si vous avez besoin d'un avis professionnel, je peux vous conseiller d'excellentes personnes. »

Non merci.

« C'est gentil d'avoir pris le temps de me rencontrer. J'ai beaucoup à apprendre.

— Si je peux faire quoi que ce soit, n'hésitez surtout pas. Nous sommes là pour vous. »

Une poignée de main plus tard, Vivianne quitta l'école. Elle venait poliment de se faire dire qu'elle manquait de tact avec son neveu, pensa-t-elle en marchant jusqu'à la maison.

En arrivant, elle s'assit aux côtés de Ben et lui demanda carrément ce que représentaient ses dessins.

« Explique-moi tes dessins.

— Vivianne, tu le sais ! s'exclama le jeune enfant.

— Non, je ne le sais pas. Peux-tu me les expliquer comme il faut s'il te plaît ?

— Pourquoi ?

— Parce que je ne suis pas très futée, et j'aimerais que tu me donnes ton point de vue. Peux-tu me rendre ce service ? »

C'est à ce moment que Ben prit un dessin et le montra à sa tante. La maman ange et le papa ange étaient dans les nuages et, là, c'était Angela.

Oh. Le troisième ange est sa grand-mère.

Puis, il pointa le soleil et la terre. C'était là que Vivianne apparaissait. S'y trouvaient également un ballon de soccer et une bicyclette.

« Et quand tu regardes ton dessin, comment te sens-tu ? »

Elle trouvait étrange de poser ce genre de question, mais c'était ce qu'il fallait faire.

« Je m'ennuie de maman et de papa et j'ai beaucoup de peine de ne plus les voir. »

Oh. Comment gérer cela ?

« Tu devrais faire des dessins de tes activités à l'école et les leur montrer !

— On peut aller leur montrer ? »

Mauvais choix de mots.

« Quand tu vas au lit le soir, tu peux leur raconter ta journée et ce que tu fais avec tes amis. Je suis certaine que maman aimerait bien le savoir.

— Moi aussi.

— Et quand quelque chose ne va pas, tu peux m'en parler directement et je t'aiderai, puisque je suis avec toi.

— J'ai peur dans ta voiture », dit-il tout bonnement.

Vivianne se figea et prit quelques secondes pour répondre : « OK. »

Elle avait remarqué la réticence, aux raisons évidentes, de Ben chaque fois qu'il montait dans la voiture, mais ne s'en était jamais vraiment préoccupée. Comment gérer la situation maintenant ?

« Trouves-tu que je conduis mal ? » était tout ce qu'elle avait pensé à dire.

« Non, j'ai peur d'avoir un autre accident et que tu ailles rejoindre maman au ciel. Qui s'occuperait de moi ? »

Oh…

De toutes les questions possibles, Vivianne n'avait pas anticipé celle-là du tout. Elle se sentit comme une gazelle blessée dans le Serengeti.

« Et si je te promets que ça n'arrivera pas ? »

Ben hocha négativement la tête. Suzie lui avait aussi promis d'être toujours avec lui…

« J'ai une idée. Je te jure que je n'aurai jamais d'accident ?

— Comment ? demanda-t-il naïvement.

— En restant concentrée sur la route en tout temps.

— Tu ne joueras pas sur la radio ?

— D'accord, je ne changerai jamais la musique en conduisant.

— Parce que sinon tu manqueras le bambi qui traverse la route et tu fonceras dans un arbre. »

Oh…

Voilà les raisons de l'accident. Elle lui avait posé la question à plusieurs reprises et il n'avait jamais voulu y répondre, mais, ce soir-là, il s'exprimait avec une ouverture désarmante. Un animal était sorti du bois et, parce que Billy avait eu ne serait-ce qu'une fraction de seconde d'inattention, il ne l'avait vu qu'à la dernière minute et avait heurté un arbre en tentant de l'éviter.

«Ben, se risqua Vivianne, qu'as-tu fait après que la voiture fut rentrée dans l'arbre?

— J'ai crié parce que papa saignait tellement.»

L'image de la tête de Billy et l'odeur du formol revinrent à l'esprit de Vivianne, qui eut un haut-le-cœur. L'accident avait sûrement été traumatisant pour cet enfant de cinq ans. Elle en savait quelque chose, elle qui avait perdu sa mère à peu près au même âge.

«Mais maman m'a calmé», ajouta Ben.

Maman? Suzie était consciente?

Son visage devint livide et un frisson glacial remonta le long de sa colonne vertébrale.

«Ma… man? bégaya Vivianne, en tentant d'essuyer la moiteur de ses mains.

— Elle m'a dit que tout irait bien, alors j'ai arrêté de crier. Et plus tard l'ambulance est arrivée.

— Ma… man t'a parlé? répéta Vivianne, en pleine hyperventilation.

— Oui. Et elle m'a dit qu'elle m'aimait à la grande folie d'amour et elle s'est endormie.»

Vivianne ne pouvait en croire ses oreilles. Suzie était consciente après l'accident? Elle avait assez d'énergie et de maîtrise de soi pour rassurer son fils en état de panique. Elle savait sûrement que Billy était mort. C'est ce qu'une mère fait devant son enfant apeuré, elle le rassure du mieux qu'elle le peut, quelles que soient les circonstances. Une mère pense avant tout à son enfant, même mourante.

Vivianne se promit de faire tout ce qui était en son pouvoir, à partir de ce jour, pour voir Ben heureux et le sécuriser dans tous les aspects de sa vie. Suzie avait été consciente pendant au moins quelques minutes après l'accident. De l'apprendre rappela à Vivianne deux mots prononcés par le Dr Gauthier: *si* et *probablement*.

Mon Dieu! J'ai tué ma sœur!

Vivianne manqua d'air tellement elle paniquait en cherchant la carte du Dr Gauthier.

« Docteur Gauthier ? demanda-t-elle le lendemain matin en sentant son cœur se serrer dans sa poitrine. Je dois vous parler. »

Effectivement, certaines victimes d'un traumatisme crânien pouvaient être conscientes quelques minutes après l'accident, mais le flux sanguin se rendait alors rapidement au cerveau et le blessé tombait dans le coma. Les patients ne s'en sortaient pas pour autant chaque fois. Et l'arrivée tardive de l'ambulance avait diminué les chances de Suzie. La conversation de Vivianne avec le Dr Gauthier ne calma que quelque peu ses états d'âme et, même si Ben s'était endormi, rassuré, après s'être confié à elle, elle eut du mal à être en paix les jours qui suivirent. Les seules répercussions positives de l'événement étaient que le sympathique médecin avait confirmé à Vivianne que Cassandre Rouleau venait de souffler ses seize chandelles et profitait pleinement d'une vie normale.

Ben et Vivianne marchèrent le long de la rivière Charles, puis traversèrent Harvard Square, non loin du département de droit. En cette veille de Noël, Vivianne montrait à Ben les décorations du quartier. Elle lui montra également ses typiques immeubles rouges, connus mondialement, mais, quand elle s'aperçut que tout cela laissait son neveu indifférent, ils se rendirent au parc. Ben y passa l'après-midi sur la balançoire et sauta de joie lorsque Vivianne annonça l'heure de la crème glacée.

Ben adorait les glaces, même en plein hiver, et en redemandait toujours. Mais, de retour à l'appartement, il était déjà l'heure de souper et il n'avait plus faim, s'étant gavé de crème glacée. Ils allumèrent le petit arbre de Noël, qui reposait sur la table. Vivianne l'avait déniché dans un magasin d'occasion pour seulement onze dollars, mais s'était juré de s'en procurer un vrai l'année suivante.

«Aujourd'hui, j'ai fait une exception pour Noël, mais plus de crème glacée après quatorze heures. Tu n'as jamais faim!» insista Vivianne. Trois mois étaient passés depuis l'accident, et il était temps, pour Vivianne, de mettre son pied à terre et d'établir des règles dans la maison. Elle devait reprendre le contrôle de la situation. Ainsi, Ben devrait goûter un nouveau fruit ou un nouveau légume chaque semaine et en manger deux différents à chaque repas.

L'heure du coucher serait fixée à dix-neuf heures les soirs de semaine et à vingt heures les fins de semaine. Il se plaindrait de ces nouveaux règlements, mais elle ne broncherait pas. C'est seulement ainsi qu'elle garderait un certain contrôle sur la situation et, surtout, assoirait son autorité sur son neveu. Elle se promit également de souper avec lui tous les soirs pour discuter de ses moments préférés de sa journée et de ceux à oublier. C'est ce que faisaient les bons parents, et c'est ce qu'elle commencerait à faire dès ce jour-là.

Après le souper, Vivianne offrit son cadeau de Noël à Ben. Un jouet Transformers avec lequel il s'amusa toute la soirée dans le salon pendant que sa marraine tentait de trouver des solutions à ses problèmes financiers. Ben voyait un psychologue depuis trois semaines à raison de deux fois par semaine et continuerait de le faire pendant quelques semaines encore, au moins jusqu'à ce qu'il soit libéré de ses cauchemars. Il se réveillait en sueur toutes les nuits en hurlant de peur, et Vivianne mettait parfois plus d'une heure à tenter de le calmer. À cent trente-cinq dollars la visite, ses économies avaient fondu à vue d'œil. Elle avait déjà dépensé près de mille dollars en thérapie, et ce n'était qu'un début. La bonne nouvelle était que la démarche semblait porter ses fruits, puisque Ben se réveillait moins fréquemment. Malgré une facture difficile à digérer, Vivianne y trouvait son compte lorsqu'elle avait droit à quelques heures de sommeil d'affilée. Avec les nouveaux «règlements», Ben se sentait mieux encadré et donc plus en sécurité. Sa marraine suivait les conseils de la psychologue et de Julia, et tout avait l'air de fonctionner, au détriment de ses études, malheureusement négligées depuis trois mois.

Elle refit ses calculs quelques semaines plus tard, mais arriva toujours au même résultat. Il lui fallait absolument trouver une solution pour ne pas perdre son appartement. Elle lança son crayon sur la table en soupirant. Parce que lâcher l'école était sa dernière option, elle consulta les offres d'emploi sur le Web. Peut-être pourrait-elle trouver un emploi intéressant les fins de semaine? Malheureusement, si servir aux tables dans un restaurant aurait pu être lucratif, elle aurait alors dû repayer une partie de ce salaire en frais de gardiennage, et cela n'en valait donc pas la peine. Son acharnement à trouver une solution fut interrompu par la sonnerie du téléphone. C'était Marie de Broux, l'agente immobilière chargée de la vente de la maison de Suzie. «Mademoiselle McKinnon? Désolée de vous déranger si tard, mais nous avons un acheteur pour la maison.»

Vivianne sentit ses épaules plus légères et un soulagement profond l'envahit immédiatement en écoutant Mme de Broux enchaîner: «C'est en deçà de votre prix, mais je pense que, compte tenu des circonstances…» Vivianne l'interrompit poliment et accepta de vendre sans connaître le montant de l'offre. À court terme, c'était la seule façon de rester aux études tout en payant l'école de Ben, l'appartement et la nourriture.

L'offre d'achat étant beaucoup plus basse que prévu, après le paiement de la commission de l'agent et la balance de l'hypothèque, il ne restait plus grand-chose. Billy avait dû signer une deuxième hypothèque quelques années plus tôt pour assumer les frais médicaux de sa mère à la suite d'un diagnostic de cancer au poumon. Malgré le décès rapide de celle-ci, les montants des factures avaient grimpé rapidement, et c'est Vivianne qui en subissait aujourd'hui les conséquences. Après l'acquittement de toutes ces dettes, le loyer de son appartement serait couvert pour six ou sept mois, et elle devrait trouver une solution pour l'année suivante. Son emploi honorait les dépenses de nourriture, ainsi que l'école de Ben. Ses problèmes financiers étaient donc temporairement résolus, et elle pouvait enfin se concentrer sur ses études. Non seulement elle les avait délaissées au cours des derniers mois, mais elle avait manqué trop de cours et appréhendait ses prochains examens.

Elle déposait Ben à 7 h 45 le matin et arrivait à l'université autour de 8 h 15, parfois 8 h 30, tandis que ses cours débutaient à huit heures. Elle manquait en moyenne vingt minutes de cours quotidiennement depuis presque trois mois, sans compter les deux semaines qu'elle avait passées à l'extérieur à organiser les funérailles. C'est pourquoi le professeur Truman lui demanda de rester après la classe pour discuter de sa situation personnelle.

« Mademoiselle McKinnon, vous savez que vous êtes ma meilleure étudiante et que je vous respecte pour votre intelligence, mais je ne crois pas qu'arriver en retard tous les matins soit la meilleure façon de rester première de classe.

— Je sais, professeur, je suis désolée. »

Mais je n'ai pas le choix, aurait-elle voulu ajouter.

« Vos histoires ne me concernent pas, je le sais, mais je dois m'assurer que vous gardiez le cap sur votre but de devenir la meilleure avocate qui soit.

— Oui, monsieur.

— Est-ce que quelque chose vous tracasse encore ? »

Parce qu'elle ne voulait pas être prise en pitié en parlant de sa vie personnelle, elle se contenta de répondre : « Non, monsieur. »

Le professeur Truman était au courant de l'accident de Suzie, dont la nouvelle s'était diffusée très vite sur le campus, en particulier par l'entremise de David. Il était encore fâché d'avoir été abandonné comme un mouchoir usagé et salissait Vivianne chaque fois qu'il en avait l'occasion. « Je sais que je ne peux pas faire grand-chose, mais, si je peux t'aider, n'hésite pas à me le demander », sa collègue Sandra avait gentiment offert à Vivianne.

Personne ne pouvait l'aider, sinon en gardant Ben pour lui assurer quelques heures d'étude. Mais Vivianne ne le demanderait pas, sachant que Sandra avait elle aussi besoin de tout son temps pour étudier.

Les prochaines semaines s'annonçaient difficiles à l'approche des examens, et Vivianne prendrait le taureau par les cornes. Il lui fallait à tout prix mettre les bouchées doubles dans ses études.

5

La bibliothèque était bondée d'étudiants bien intentionnés. Après avoir relu la même ligne pour la troisième fois sans en comprendre le sens, Vivianne se demanda comment elle réussirait à traverser sa période d'examens, alors que le café extra-fort qu'elle venait de boire ne parvenait même plus à combattre sa fatigue. Son regard croisa l'horloge murale et elle sursauta : 5 h 59. *Merde.* Elle devait passer prendre Ben avant six heures.

En courant vers sa voiture, elle se demanda quelle excuse la sortirait du pétrin cette fois-ci. C'était la troisième fois en deux semaines qu'elle « oubliait » Ben et elle avait déjà reçu un avis de l'école à ce sujet.

Elle entra en trombe dans l'établissement scolaire au moment où Julia fermait les dernières lumières. Sa montre indiquait 6 h 19. Ben l'aperçut et s'écria : « Vivianne ! »

L'éducatrice jeta un coup d'œil rapide à sa montre : « C'est la troisième fois en deux semaines, dit-elle gentiment.

— Je sais. Je suis désolée.

— Vivianne, je sympathise vraiment avec tout ce qui se passe dans votre vie, mais j'ai bien peur que, si ça continue…

— Ça n'arrivera plus.

— C'est juste que, si je fais une exception pour vous…

— Je comprends. Merci. »

Elle comprenait, vraiment. Julia était une professeure extraordinaire, avec de belles valeurs, mais elle n'était pas à l'aise à l'idée de défier les règlements de l'école si souvent. Elle l'avait fait à quelques reprises, mais Vivianne devait se rendre compte qu'elle ne pouvait abuser de sa générosité. Elle lui sourit chaleureusement.

« À demain, alors. »

Vivianne et Ben marchèrent main dans la main vers l'extérieur du bel édifice en brique rouge.

Ça ne peut plus arriver. Jamais.

Sinon, elle serait tenue de trouver une nouvelle école, Ben devrait se faire de nouveaux amis – ce qui ne saurait être facile – et ses cauchemars recommenceraient. Elle ne pouvait pas se le permettre. Ni financièrement ni psychologiquement. Elle craquerait. Sa plus grosse évaluation de la session approchait et y échouer lui ferait perdre 60 % de sa note finale.

Bien que sa vie fût maintenant mieux organisée et sécurisante, son neveu choisit la veille de l'examen pour demander à Vivianne de rester dans sa chambre une partie de la nuit. Elle ne s'était pas préparée autant qu'elle l'aurait voulu pour son évaluation et avait prévu étudier cette soirée-là, mais Ben comptait plus que tout, et elle accepta sans hésitation. Les dernières nuits avaient été difficiles et ses projets d'étudier tous les soirs étaient tombés à l'eau.

À une heure du matin, elle se versa un café et se rendit au salon pour étudier. Malgré l'effet stimulant du breuvage chaud, elle s'endormit sur son livre une heure plus tard, se réveillant juste à temps pour conduire Ben à l'école.

Elle n'aima pas la façon dont elle se sentit en traversant à la course les pelouses manucurées de la faculté pour se rendre à son examen, et n'appréciait assurément pas les magnifiques fleurs qui commençaient à pointer le nez un peu partout, annonçant enfin l'arrivée du printemps.

Son cœur battait à grands coups alors qu'elle fixait le professeur Truman, qui montait et descendait les allées de la classe pour remettre les cahiers bleus d'examen à ses étudiants. Malgré son habituelle maîtrise de soi, Vivianne ne pouvait se défaire de tous les papillons qui avaient littéralement envahi son estomac lorsque le cahier avait atterri sur sa table. Elle prit nerveusement son stylo et attendit le signal de la cloche avant de briser le sceau du cahier.

Après la lecture de la première question, elle regarda autour d'elle. Tous s'étaient déjà mis au travail. Son regard croisa celui de David, qui lui envoya un sourire d'une arrogance inqualifiable. Comment avait-elle bien pu l'aimer? Elle tenta de garder la tête haute, mais, lorsqu'elle lut la deuxième question et ne sut comment y répondre, elle comprit que son rêve s'achevait. Elle tenta malgré tout de raisonner du mieux qu'elle le pouvait afin d'obtenir une note passable, mais elle savait très bien que ses efforts ne suffiraient pas. Manquer vingt à trente minutes de cours quotidiennement pendant des mois ne l'avait pas aidée, et l'évaluation aurait été en chinois qu'elle n'aurait pu faire pire.

Les trois heures qui suivirent furent de l'ordre de la torture. Elle tentait de vaincre la fatigue tout en essayant de donner un sens à ses réponses. Le sourire fier du professeur s'estompa rapidement lorsqu'il remarqua le visage pâle de son étudiante préférée à la remise de l'examen.

Quelques jours plus tard, elle cognait à la porte du bureau du professeur Truman.

«Je suis vraiment désolée de vous décevoir, monsieur, mais ma vie n'a tellement pas de sens en ce moment.»

M. Truman était un homme remarquable. Il avait émigré d'Angleterre avec son épouse treize ans auparavant pour enseigner à la Faculté de droit de Harvard. C'était un homme aimable – pas comme d'autres professeurs du département –, qui avait enseigné dans les plus grandes universités du monde. Il parlait six langues, savait toujours maintenir l'attention de sa classe et avait une élégance toute britannique, bien qu'il portât toujours le même veston brun en velours côtelé. Vivianne n'avait jamais rencontré un homme si passionnant.

« Qu'est-il arrivé ? » demanda-t-il, le visage confus. Non seulement un piètre résultat était inhabituel pour Vivianne, mais elle avait carrément échoué à l'examen. « Vous êtes ma meilleure étudiante !

— Monsieur Truman, je sais que vous savez… pour ma situation. » Son expression n'avouait pas le contraire et Vivianne enchaîna : « J'essaie de faire du mieux que je le peux avec tout ce qui se passe dans ma vie, et je commence à peine à me remettre du choc que j'ai vécu et à m'adapter aux changements radicaux dans mon quotidien. Je n'ai même pas le temps de vivre le deuil de ma sœur que je dois tout savoir sur la maternité. Je n'ai eu aucune bonne nuit de sommeil dans les cinq derniers mois, je suis en retard tous les matins pour mes cours, et tous les soirs pour prendre mon neveu à l'école, j'ai l'impression de courir après ma vie et je suis essoufflée, épuisée. Je n'ai pas d'excuses, car je suis consciente des choix que j'ai faits, mais vous n'avez aucune idée d'à quel point c'est difficile de se concentrer quand un bonhomme de cinq ans crie à l'aide parce que sa mère lui manque, ou parce qu'il est terrorisé de revivre l'accident de voiture qui a coûté la vie à ses parents, et que je dois le réconforter et lui dire que tout ira bien, alors que je n'ai aucune idée de comment m'en sortir. J'essaie tant bien que mal de passer par-dessus tout ce qui est arrivé, et j'ai tout fait pour y parvenir, mais malheureusement, je comprends que ce n'est pas assez. »

En l'écoutant parler ainsi, M. Truman réalisa à quel point elle avait traversé de dures épreuves ces derniers temps. L'expression du visage du professeur changea. Il était bouleversé, en état de choc. Une longue pause s'installa. Vivianne ne savait plus quoi ajouter. Elle regarda M. Truman nettoyer une marque de doigt sur ses lunettes, tout en appréhendant sa réaction.

« Mademoiselle McKinnon, débuta-t-il, vous êtes sur la liste du doyen depuis votre entrée à Harvard. Vous êtes une étudiante exemplaire, tout le monde le sait. Cet examen n'est pas à l'image de votre intelligence, et mes collègues et moi sommes d'accord pour vous donner une deuxième chance. »

Vivianne n'en croyait pas ses oreilles, et son visage se détendit instantanément, mais M. Truman intervint rapidement : « Ne vous excitez pas trop vite. Ça serait injuste pour les autres de vous faire reprendre l'examen à zéro. Vous ferez un autre test – différent du précédent –, j'additionnerai les deux notes et en ferai la moyenne pour la note finale. Ce n'est pas un cadeau gratuit, car vous devrez travailler fort, mais nous tenons à donner une chance à une excellente étudiante qui traverse une mauvaise phase de sa vie. »

On lui donnait une deuxième chance !

Merci, mon Dieu !

Elle accepta d'emblée, promettant de se surpasser pour ne pas décevoir. Bonne première de classe, elle savait faire bonne figure malgré le stress et se remettrait de sa fatigue après sa reprise de l'examen.

Une seconde chance lui serait donnée la semaine suivante, le mardi matin à 8 h 30. Elle déposerait Ben à 7 h 45 pour être à l'école vers 8 h 15, 8 h 20 au plus tard. La vie lui donnait une deuxième chance et elle comptait bien la prendre. Jamais une telle dérogation n'avait été proposée dans le passé, mais sa situation était particulière. On lui offrait ce privilège sur un plateau d'argent et elle comptait bien en profiter.

Elle planifia stratégiquement sa semaine et prit un congé au travail afin de se concentrer sur ses livres. Ce qui importait à court terme, c'était la reprise de son examen et, en ce vendredi, il ne lui restait que quelques jours pour se préparer.

Ben et elle jouèrent au parc le samedi en matinée et, en échange d'une « méga crème glacée », Vivianne s'était négocié quelques heures d'étude en après-midi. Elle s'assit devant ses livres vers 13 h 30, mais, dès 14 h 30, Ben s'ennuyait à mourir et l'entente ne tenait plus. Ils retournèrent donc au parc jusqu'au souper, et elle le mit au lit plus tôt que d'habitude pour avoir sa soirée d'étude.

Le lendemain, il fut plus compréhensif et lui permit d'étudier convenablement quelques heures d'affilée. Il se coucha encore tôt ce soir-là, et Vivianne se sentit déjà d'attaque pour son nouvel examen. Elle se sentait en confiance et mieux préparée, et aurait encore toute la journée de lundi pour réviser.

Le lundi matin, Ben se leva du mauvais pied et ne put s'empêcher de se plaindre pour un rien tout au long du petit déjeuner. Vivianne ne prêta pas attention à ses caprices et le força à monter dans la voiture afin d'éviter un nouveau billet de retard. Elle le laissa à l'école, puis se rendit directement à la bibliothèque pour y passer la journée. Elle étudierait sans arrêt et irait chercher son neveu vers 17 h 30 – à l'avance ! Ils mangeraient ensemble, puis elle réviserait durant la soirée.

Lorsqu'elle vit le numéro de téléphone de l'école, à quatorze heures, sur son afficheur de cellulaire, son cœur arrêta de battre. *Jamais* l'école n'appelait, à moins d'une urgence. Ben était de mauvais poil, et Julia demanda à Vivianne de le ramener plus tôt à la maison. Il semblait un peu pâle, et il était préférable qu'il rentre se reposer.

De toutes les journées…

Elle dut se donner un coup de pied au derrière pour se lever et courir prendre Ben à l'école, mais, sur place, elle remarqua effectivement quelque chose de différent dans l'attitude de son neveu. Comme ce devait être dû à la fatigue – ses nuits blanches le rattrapaient –, elle le coucherait en après-midi, puis il prendrait un bon repas et retournerait au lit de bonne heure.

Elle prépara le souper, mais il n'avait pas d'appétit. Puis, elle lui fit couler un bain et, vers 18 h 30, le mit au lit malgré sa résistance. Pour la première fois depuis la mort de Suzie, elle leva le ton et se fâcha, à la grande surprise de l'enfant. Il se coucherait maintenant et c'était non négociable. Elle devait étudier encore quelques heures, et il pouvait jouer dans son lit s'il le voulait, mais resterait dans sa chambre sans dire un mot, qu'il le veuille ou non. Les cris et les pleurs de son neveu ne la feraient pas broncher. L'examen du lendemain matin comptait plus que tout. Elle se coucha comme prévu vers vingt-deux heures, mais sans avoir eu le temps de réviser autant qu'escompté.

Quelques heures plus tard, un cri aigu retentit dans la chambre de Ben et effraya Vivianne à un tel point qu'elle crut à un accident. Elle courut vers la chambre pour trouver son neveu dans un état pitoyable. Il était complètement mouillé, brûlant de fièvre et le visage méconnaissable. Elle regarda dans sa pharmacie pour de l'ibuprofène, mais n'avait de médicaments que pour les adultes. Rien pour les enfants. De peur de lui administrer une dose excessive, elle appela le 9-1-1 pour demander conseil, mais la personne chargée de l'aide médicale insista pour qu'elle emmène Ben à l'hôpital immédiatement. Cette idée lui fit rouler des yeux, mais l'état de son neveu ne lui laissait pas le choix. Il était 2 h 48, et Vivianne doutait déjà de pouvoir dormir avant le lendemain.

À leur arrivée à l'hôpital trente minutes plus tard, l'infirmière donna à Ben de l'acétaminophène pour faire diminuer sa fièvre, qui était si élevée que même la professionnelle en fut apeurée. Une heure plus tard, l'urgentologue entra dans le cubicule et remarqua tout de suite le mince écart d'âge entre Ben et Vivianne.

« Êtes-vous la mère ? demanda-t-il.

— Ses parents sont... morts, s'entendit-elle répondre à voix haute. Je suis sa gardienne légale.

— D'accord. Pouvez-vous me dire ce que vous avez remarqué de différent depuis quelques jours?

— Différent... dans quel sens? demanda Vivianne en fronçant les sourcils.

— Quelque chose pouvant justifier la fièvre... Un changement dans son attitude, son appétit. A-t-il déjà eu la varicelle? Y en a-t-il à son école?

— La varicelle?»

Vivianne était blême et ce n'était pas à cause de l'heure tardive.

«Comment... comment je pourrais le savoir?

— Généralement, l'école envoie une note ou certains professeurs appellent les parents pour leur faire savoir qu'il y a des cas de varicelle. Il s'agit d'une maladie contagieuse, même avant la sortie des boutons. La période d'incubation est de quarante-huit heures. »

Mon Dieu...

La vérité était que Vivianne n'avait prêté attention à rien d'autre que sa reprise d'examen au cours de la dernière semaine. Le jeune médecin perçut de la panique sur le visage de Vivianne et s'en approcha gentiment.

«Ne vous inquiétez pas, mademoiselle, ce n'est pas dangereux en ce moment. Si c'est la varicelle comme je crois, vous n'aurez qu'à lui donner de l'acétaminophène ou de l'ibuprofène aux quatre à six heures. »

Vivianne sourit, soulagée.

Par chance...

«Il devra par contre se reposer à la maison dans les prochains jours... »

C'est à cet instant que Vivianne arrêta d'écouter.

Les prochains jours?

Mais elle avait une reprise d'examen dans moins de – elle regarda l'horloge au mur derrière le docteur – quatre heures ! Un examen en droit à Harvard. Sa deuxième chance. La seule, peut-être, de vivre son plus grand rêve. Si elle y échouait, elle devrait renoncer à ses études. Elle tenta de rester calme en respirant profondément. Une liste de gardiennes d'urgence lui avait été remise par l'école. Elle en appellerait une dès son retour à la maison. Elle remercia le médecin, qui lui avait répété de ne surtout pas s'inquiéter, et prit Ben dans ses bras pour le ramener chez eux. Il se sentait mieux, maintenant que la fièvre était tombée, mais ses yeux avaient du mal à rester ouverts. L'horloge affichait cinq heures lorsqu'ils franchirent le seuil de l'appartement. Elle consulta la liste de gardiennes après avoir couché son neveu et décida de s'étendre une heure sur le sofa avant d'appeler, puisqu'il était encore un peu tôt. Elle appellerait Mme Balkan vers sept heures, ce qui lui semblait plus respectueux que cinq heures du matin.

De toute manière, non seulement cette visite à l'hôpital l'avait stressée au plus haut point, mais elle était épuisée. Il ne lui était jamais passé par la tête que, comme n'importe quel autre enfant de son âge, Ben pouvait tomber malade, et elle se promit d'acheter des provisions de médicaments pour enfants, en prévision. S'il était bien aux prises avec la varicelle, le médecin avait suggéré de le mettre dans un bain d'avoine pour calmer ses démangeaisons. La lotion calamine fonctionnait également, mais ne donnait pas d'aussi bons résultats. Elle ferait donc d'abord le plein d'avoine.

Quand elle ouvrit les yeux après sa sieste, elle sentit la panique l'envahir dans tout le corps. Il faisait beaucoup trop clair au salon pour qu'il soit tôt le matin. Sa vision se brouilla quand elle aperçut l'heure sur l'horloge du four : 8 h 28. Elle dut s'agripper à sa chaise pour ne pas s'effondrer. Non seulement elle serait en retard pour l'examen – il commençait exactement deux minutes plus tard –, mais elle n'avait pas encore de gardienne. Elle appela Mme Balkan, qui arriva vingt minutes plus tard. Vivianne se précipita à l'extérieur dès l'instant où la dame franchit le seuil de sa porte.

En arrivant au local prédéterminé peu après neuf heures, elle se battit contre la poignée de la porte afin de l'ouvrir. Il était trop tard. Le surveillant l'avait attendue, mais, voyant qu'elle ne se présentait pas même après une demi-heure, il avait quitté les lieux. Elle tenta de forcer la porte encore quelques instants pour s'assurer qu'il n'y avait *vraiment* plus personne, mais en vain. Elle y resta collée quelques minutes, puis sortit y inspirer de l'air frais afin d'éviter de s'évanouir. Il était hors de question de s'expliquer au professeur Truman. Il avait été clair quant aux termes de la reprise, et elle le connaissait assez pour ne pas abuser de sa générosité. Ben aurait pu avoir la varicelle douze heures plus tard, évitant ainsi le pire, mais non. Sa vie prenait encore une fois un tournant inattendu, ne lui laissant d'autre choix que de s'ajuster en conséquence. Ben aurait pu tomber malade une autre journée, mais non. La varicelle l'avait frappé la veille de l'examen et pas à un autre moment. Elle éclata d'un rire exaspéré en entendant les mots de sa mère résonner dans ses oreilles : «Tout arrive pour une raison dans la vie... Tu ne comprends pas nécessairement pourquoi au début, mais, un jour, tout se place pour le mieux.» Ce matin-là, Vivianne ne vit rien de positif dans ce qui lui arrivait et ne put croire que l'échec de ses plus grandes ambitions annonçait des jours meilleurs.

Son monde s'était complètement effondré, et elle dut prendre tout ce qu'il lui restait de courage pour se diriger vers chez elle. Ne pouvant penser à autre chose qu'à ce qu'elle venait de vivre, elle éclata en sanglots. Elle pleura et pleura pendant des heures. Non seulement elle déplorait ce qui lui arrivait, mais elle se donnait enfin le droit de pleurer la mort de sa sœur. Suzie était partie à tout jamais, et Vivianne venait vraiment de comprendre qu'elle ne l'entendrait plus jamais rire.

Après avoir épuisé toutes les larmes de son corps, elle se leva du gazon où elle s'était écroulée et, la tête haute, retourna chez elle pour retrouver son neveu. Trop fière pour lui montrer ses états d'esprit, elle se leva toutes les nuits pendant un mois pour sangloter encore et encore, pleurant tous les malheurs de sa vie, ses espoirs brisés, la perte de tant d'êtres aimés. Sa sœur lui manquait plus que tout, et elle ne pouvait s'imaginer continuer de vivre sans personne pour la soutenir. Elle s'était promis de ne jamais faire part de son désarroi à Ben. Il méritait une vie heureuse, et elle lui en assurerait une. Elle le lui avait promis. « Promesse p'tit doigt », l'entendait-elle encore dire de sa petite voix d'enfant.

Le professeur Truman lui téléphona quelques jours plus tard pour lui demander une explication. Elle ne dit que la vérité, mais ne fut pas surprise de sa réponse: « Je suis vraiment désolé, mais je ne peux rien faire. J'ai fait ce que j'ai pu, et… » Elle l'avait interrompu avant la fin de sa phrase. Harvard, pour elle, était maintenant chose du passé. Elle devait se trouver un emploi à temps plein et reprendre le contrôle de sa vie. Elle mettrait des années à s'en remettre, si seulement elle pouvait y parvenir. Se sentant déchue, impuissante et complètement épuisée, elle resta au lit pendant quatre jours, ne se levant que pour s'occuper de Ben.

Combien de fois se réveilla-t-elle en panique au milieu de la nuit en prenant conscience des conséquences de sa décision? L'accident, la mort de Billy et de Suzie, son choix de garder Ben, son déménagement, la fin abrupte de son rêve professionnel, tout venait de la frapper en même temps comme un dix-huit roues en plein visage. Elle devait trouver une solution pour échapper à sa peine et à son découragement sans devoir consulter un spécialiste. Il était hors de question de se payer l'aide professionnelle d'un psychologue, même au risque de finir à la rue.

Le corps de Ben était couvert de boutons, et il se grattait constamment, au grand découragement de Vivianne qui lui faisait couler deux à trois bains par jour. Elle resta à ses côtés la première nuit, tentant de le calmer, car il ne pouvait plus tolérer ses démangeaisons et s'énervait pour un rien. Il avait mal, elle aussi, et ils s'entraidaient dans leurs douleurs et leurs peines respectives. Sa vie avait pris une tournure inopportune, et elle devait s'y conformer malgré elle. En observant le petit s'endormir, elle réalisa qu'ils étaient seuls au monde. Vivianne n'avait personne à qui se confier, et personne pour l'aider à s'occuper de Ben pendant qu'elle récupérait les heures de sommeil perdues. Son manque de repos avait pris le dessus sur sa vie, et elle devait trouver une solution pour s'en remettre et repartir sur une meilleure voie. Elle élevait seule un enfant de cinq ans et n'en avait que vingt, presque vingt et un, et…

Zut.

L'anniversaire de Ben! Il avait eu six ans la semaine dernière. Le 10 avril.

Double merde.

Comment avait-elle pu ne pas souligner l'anniversaire de son neveu adoré? Ben étant jeune, il l'avait probablement oublié lui aussi, mais pourquoi Mme Julia ne lui en avait-elle pas fait mention? Les choses allaient tellement vite depuis sept mois qu'elle n'avait même pas eu le temps d'y penser. Ben avait eu six ans sans fanfare ni chandelles – même si elle n'aurait pu lui payer grand-chose –, sans cadeau et, surtout, sans gâteau d'anniversaire. *Pauvre Ben…* Elle se rachèterait.

C'était le sujet de la note, se rendit-elle compte quelques jours plus tard, en dépliant un papier qui lui avait été remis par l'école, mais qu'elle n'avait même pas pris le temps de lire tant elle était débordée. Les professeurs avaient organisé une petite fête en l'honneur de Ben et voulaient que Vivianne prépare un gâteau pour la classe.

Il sait que j'ai oublié son anniversaire.

Elle se sentit encore plus mal. Mais pourquoi ne lui en avait-il pas parlé? Pour des raisons évidentes, elle ne pouvait pas acheter le Nintendo DS qu'il espérait, mais elle lui offrirait des petites voitures et l'emmènerait festoyer au McDonald's.

«Ben, dit-elle quelques jours plus tard à la fin de leur repas. J'ai oublié ta fête la semaine dernière, n'est-ce pas?» Ben fixa le sol. Il le savait très bien.

«Pourquoi ne me l'as-tu pas dit?

— Es-tu fâchée contre moi?»

Vivianne prit une voix douce.

«Mais non, voyons! Au contraire, c'est contre moi que je suis fâchée. Oublier quelque chose de si important! Pourquoi ne m'en as-tu pas parlé?»

Il haussa les épaules sans dire un mot, mais cela ne la satisfit pas.

«Regarde-moi dans les yeux.»

Leurs regards se croisèrent.

«Tu savais que j'avais oublié. Je dois comprendre pourquoi tu ne m'en as pas parlé. S'il te plaît. Dis-moi pourquoi.»

Mais Ben fixait le plancher sans dire un mot. Elle s'assit à côté de lui. «Je ne serai pas fâchée si tu me le dis.

— Tu pleures toujours, je ne voulais pas te déranger.»

Le visage de Vivianne blanchit.

Il m'entend pleurer la nuit?

Un enfant de six ans qui ne veut pas ennuyer sa tante avec sa fête.

Ça n'a aucun sens! C'est le monde à l'envers, Vivianne, ça ne doit plus jamais arriver. Reprends le contrôle sur toi, pour l'amour de Dieu!

« Je m'excuse de pleurer. Je vais beaucoup mieux maintenant. Je te le jure. Le seul problème que j'ai, c'est d'avoir raté tes six ans. Je t'achèterai un cadeau et on ira chez McDonald's. Qu'en penses-tu ? »

Son enthousiasme parla pour lui-même : Ben sauta de joie. « Mais tu dois me promettre quelque chose en échange. À partir de maintenant, tu dois me dire tout… et je te dirai tout aussi. Nous devons être complices, toi et moi, tu comprends ? » Il approuva d'un signe de tête. C'était la seule façon de s'en sortir. « Je dois toujours savoir comment tu te sens afin de te rendre heureux. Tu ne peux pas te soucier de moi. Laisse-moi me soucier de toi, d'accord ?

— D'accord.

— Nous sommes seuls au monde, mon trésor. Il n'y a que nous deux maintenant. Il faut qu'on se tienne. Tous les deux. Pour toujours.

Ben acquiesça de nouveau. « Promesse p'tit doigt ? » Elle leva son petit doigt dans les airs. Il tendit également le sien et leurs petits doigts s'enlacèrent. « Promesse p'tit doigt ! »

6

Cinquante et un jours après la fin abrupte de ses études, Vivianne décida qu'elle avait besoin de changement. Pas d'un nouvel emploi ou d'une nouvelle coupe de cheveux. Non, d'une nouvelle ville. D'une nouvelle vie. D'un nouveau départ. Officiellement mère monoparentale, elle devait se reprendre en main. Elle n'avait pu dénicher de travail dans un bureau d'avocat comme elle l'aurait souhaité, et il lui fallait maintenant agir. Elle se rendit dans la cuisine et y trouva Ben jouant avec les trois voitures reçues pour son anniversaire. Ben leva les yeux en remarquant sa présence : « Bon matin, tante Vivianne !

— C'est effectivement un très bon matin, dit-elle en se penchant pour lui embrasser le front avant de s'asseoir à côté de lui sur le plancher, armée d'un atlas géographique.

— J'ai eu une idée de génie ! » Les yeux bleus de Ben s'écarquillèrent. Sa curiosité était piquée. « On a besoin de changement. Que dirais-tu de déménager dans une autre ville ? enchaîna Vivianne avec enthousiasme.

— Mais où ?

— Veux-tu jouer à un jeu ? »

Ben accepta avec joie. Elle ouvrit le livre à une page qui présentait la région dans laquelle ils habitaient, dans un rayon de cinq cents kilomètres autour de Cambridge. Elle banda les yeux de son neveu avec un foulard et annonça qu'ils déménageraient où le petit doigt du garçon se poserait sur la carte. Elle avait tenté de trouver un endroit propice à leur bonheur, mais hésitait entre cinq villes. Certaines étaient trop grandes, d'autres trop petites ; elle croyait pouvoir trouver un bon emploi dans certaines, mais les loyers y étaient élevés, alors que dans d'autres la vie serait moins chère, mais les salaires en conséquence. Puisque, née sous le signe de la Balance, elle ne parvenait pas souvent à prendre de décision, elle avait choisi de laisser le destin décider à sa place. Après tout, il avait guidé la majeure partie de sa vie.

Le doigt de Ben hésita un moment au-dessus de la carte, avant de finalement y atterrir. Nerveuse à l'idée de connaître l'endroit où elle allait se retrouver, Vivianne sentit son estomac se resserrer. Puis, se penchant au-dessus du livre, elle vit le doigt de Ben posé sur une ville : Éden.

Ironique, pensa Vivianne. Mais les dés étaient jetés : Éden serait leur domicile.

Elle chercha sur Internet un emploi à Éden, mais, parce que les postes les plus intéressants sont souvent difficiles à décrocher à distance, elle décida d'en trouver un sur place et de se concentrer d'abord sur la recherche d'un appartement.

Elle en dénicha un qui semblait parfait pour leurs besoins, et c'est seulement après avoir raccroché avec la sympathique propriétaire du logement qu'elle réalisa l'ampleur de sa décision de déménager dans une nouvelle ville.

⁓

« Es-tu tombée sur la tête ? »

Vivianne avait prédit la réaction défavorable de Victoria.

« Déjà que tu as lâché l'école, démissionné de ton travail et cassé avec David.

— *Il* a cassé avec moi, ce n'est pas pareil », l'interrompit Vivianne, amère.

Victoria resta muette quelques instants, puis enchaîna :

« Qu'es-tu en train de faire, Vivianne ?

81

— J'essaie de reprendre le dessus sur ma vie. Je suis en train de mourir à petit feu. À la maison, à l'épicerie, au restaurant, je pense à ma sœur, à David ou à mes cours. Je pense même parfois à ma mère. Tout ici me rappelle ce que je n'ai plus. Je déteste Cambridge. Sans compter que j'ai toujours peur de tomber sur d'anciens collègues de classe. Je ne me sens plus chez moi. Je n'ai pas d'amis ici de toute manière : tu es tout de même à quatre cents kilomètres. On a besoin d'un nouveau départ. Pas seulement pour le bien de Ben ; surtout pour le mien. »

Vivianne était tellement convaincante et convaincue que Victoria n'eut d'autre choix que de l'encourager. C'était vrai : Vivianne n'avait pas de cercle d'amis. Elle craignait les rapprochements, de peur d'être déçue. Elle était si effrayée de s'attacher à quelqu'un que Suzie avait été franchement étonnée d'apprendre que sa sœur fréquentait David sérieusement.

Victoria était toutefois attristée de ce nouveau départ, car elle craignait ne plus jamais avoir de nouvelles de Vivianne. Ou peut-être seulement une fois par année, à Noël, avec un peu de chance… C'est pourquoi elle lui fit promettre de garder le contact, en l'appelant au moins tous les six mois. Elles se verraient dans quelques semaines, lorsque Vivianne reviendrait régler les dernières questions liées à la succession et fermer les comptes de banque de Suzie et de son mari. La maison était vendue, mais il lui fallait passer chez le notaire, et les papiers légaux concernant Ben devaient être signés sur des copies originales. Ensuite, elle logerait quelques jours chez Victoria, question de lui faire ses adieux ou, du moins, ses au revoir. Elle partait pour Éden, fébrile à l'idée de la nouvelle vie qui l'attendait.

Jamais elle n'oublierait la générosité et le dévouement de Victoria et de Barry, et elle garderait contact avec eux, tout d'abord en les appelant dès son arrivée à Éden, ne serait-ce que pour leur donner ses nouvelles coordonnées afin qu'ils sachent où la joindre.

Éden était une ville de grosseur moyenne, peuplée de 83 000 habitants, et qui se situait au sud du Québec. C'était un endroit calme où, à la grande satisfaction de Ben, les espaces verts l'emportaient sur les tours de bureaux. L'appartement que Vivianne avait trouvé sur le Web semblait parfait. La propriétaire, Mme White, avec qui elle avait discuté au téléphone, paraissait sympathique et accueillante. Les deux femmes avaient convenu que Vivianne signerait le bail à la seule condition que l'appartement soit identique aux photos affichées sur Internet, et aussi propre et lumineux que le déclarait sa propriétaire. Parce que le prix convenait à son budget, Vivianne se croisait les doigts pour que l'appartement réponde à ses attentes, afin de pouvoir ensuite se concentrer sur la recherche d'un nouvel emploi. Elle avait envoyé son curriculum vitæ à quelques endroits, mais n'avait jamais été rappelée. La majorité des compagnies affichaient leurs emplois publiquement, mais dans presque tous les cas favorisaient quelqu'un à l'interne. Sans compter que de trouver un emploi à des centaines de kilomètres était chose difficile, voire impossible. Elle ne pouvait se rendre à destination en quelques heures pour une entrevue de dernière minute!

Deux semaines plus tard, Vivianne referma le coffre de son automobile, pleine à craquer de vêtements et de quelques souvenirs, et partit pour sa nouvelle vie. Malgré son excitation palpable, ses amis papillons étaient de retour dans son estomac, mais tout irait pour le mieux, elle en avait le pressentiment.

7

Un large sourire se dessina sur le visage de Vivianne quand elle lut la pancarte : « Bienvenue à Éden, le paradis sur terre ! » Elle se sentait exactement comme dans la chanson *Higher* du groupe Creed qui jouait sur son iPod. Plus vivante. Plus heureuse. Et la chanson convenait parfaitement au paysage de rêve qui s'ouvrait à elle. Si elle avait réalisé le film de sa vie, c'est exactement cette pièce qu'elle aurait fait jouer au moment de son arrivée à Éden.

Elle roula en ville et vit de jeunes mères se saluer tout en guidant les poussettes de leur nouveau-né, et des pères encourager leur garçon sur le terrain de soccer. Elle aperçut un bambin de trois ou quatre ans pleurer, avec sa maman qui s'agenouillait pour le consoler. Une ambiance particulière régnait à Éden, et Vivianne était convaincue de pouvoir s'intégrer parfaitement au sein de cette communauté de quatre-vingt-trois mille âmes.

À première vue, la ville dégageait une perfection invitante, avec ses magnifiques parcs manucurés et ses terrassements tirés directement d'une prestigieuse revue de jardinage. Les fleurs abondaient, exhalant en tous lieux une odeur fruitée et agréable. Elle voulut sortir de sa voiture et chanter dans la rue tellement le bonheur émanait de tout. Devant la mairie, une cérémonie avait lieu et une photo officielle était prise dans les escaliers. Le maire – ou un autre politicien – serrait des mains tout en souriant largement. Elle se demanda si Éden n'était pas le lieu du tournage du film *The Truman*

Show, avec l'acteur Jim Carrey, dans lequel rien ne clochait et tout était parfait.

Quelques rues plus loin, Mme White apparut comme prévu sur le perron de son immeuble blanc de trois étages lorsque Vivianne gara la voiture près du trottoir. La femme d'une soixantaine d'années s'avança vers la voiture au moment où Vivianne en éteignait le moteur. « Bonjour, Vivianne! s'exclama-t-elle avec un enthousiasme contagieux. Je suis Blanche. Bienvenue dans votre nouveau quartier!» *Comique.* Sa propriétaire s'appelait Blanche White, comme «Blanche Blanc». *Très bizarre.* Surtout que la dame était complètement vêtue de vêtements blancs, qui s'agençaient avec sa chevelure... blanche!

Lorsque Vivianne présenta Ben à Mme White, elle ne put s'empêcher de sentir les bonnes vibrations provenant de cette dame pleine de joie de vivre. La remarque qu'elle lui fit quant à sa différence d'âge avec le petit ne la dérangea même pas.

« Bonjour, toi! dit la propriétaire à Ben, mais ce dernier disparut derrière Vivianne.

— Il est un peu gêné avec les gens qu'il ne connaît pas », chuchota sa marraine.

Mme White se pencha et passa sa main derrière la tête du petit. Elle sortit une sucette de l'oreille de Ben. « Oh! dit-elle avec de grands yeux. Mais qu'est-ce que c'est ça?» Le visage de Ben s'illumina en apercevant le bonbon dans la main de la dame.

« Ah! Mais comment?...

— Le veux-tu?»

Ben se retourna vers Vivianne pour obtenir son approbation avant de l'accepter. Il remercia Mme White dès l'instant où sa tante lui donna son accord d'un signe de tête.

« Dis donc, tu es très poli!» Elle se retourna vers Vivianne : « Félicitations, jeune fille!»

— Je fais ce que je peux… » Et elle faisait vraiment de son mieux quant à l'éducation de son neveu. Elle répétait *tout le temps* à Ben de ne pas oublier de dire « s'il vous plaît » ou « merci ». C'est pourquoi elle recevait les compliments de Mme White avec fierté.

Un sentiment de sécurité et de bien-être l'envahit lorsque la porte de l'appartement s'ouvrit devant elle et qu'elle vit les rayons de soleil inondant la pièce principale. Malgré la fine couche de poussière qui recouvrait le plancher et les meubles, l'endroit était parfait. Au-delà de ses espérances. *Fiou…*

En voyant le parc depuis la fenêtre, Ben sauta de joie et voulut s'y rendre *immédiatement*, à l'amusement des deux femmes, et Vivianne se crut vraiment *au paradis*. Elle ne put s'empêcher d'afficher un large sourire. La propriétaire lui remit les clés de l'appartement, s'assura que tout était en ordre et partit. Elle avait mentionné à Vivianne que, malgré son très jeune âge, celle-ci devait s'estimer heureuse d'avoir un beau petit garçon comme Ben et que, si elle pouvait l'aider d'une façon ou d'une autre, elle en serait flattée, ayant beaucoup de temps libre.

Le fils unique de Mme White avait marié une Brésilienne et déménagé à Rio de Janeiro sept ans plus tôt. Son mari avait quant à lui succombé à une crise cardiaque quatre ans auparavant, la laissant seule à Éden. L'immeuble lui appartenait, et elle adorait l'entretenir et discuter avec les locataires pour passer le temps.

Il fallut quelques jours aux nouveaux résidants pour s'installer et se familiariser avec le quartier. Ils visitèrent le parc trois jours après leur arrivée, et le petit y joua pendant plus de deux heures. Il faisait frais, même si juin approchait, et Vivianne avait hâte à l'été. Elle observait les gens promener leur chien, sourire ou rigoler avec des amis, et des enfants jouer au ballon avec leurs parents ou tout simplement profiter de la belle température. Elle se sentait plus légère, confiante que sa vie se plaçait enfin peu à peu.

Mais, la première fois qu'elle déposa Ben à sa nouvelle école, la réalité la frappa en plein visage. Il éclata de colère, hurlant comme jamais auparavant et, si ce n'avait été de Mme Marlène qui avait repris le contrôle de la situation, elle n'aurait pu la gérer. Ils venaient de passer plusieurs semaines ensemble jour et nuit, et Ben craignait de se retrouver avec des étrangers.

Après l'école, elle se rendit directement à la bibliothèque municipale, non seulement pour voir si elle pourrait y trouver du travail, mais pour y rechercher un livre sur l'éducation des enfants. Rappeler à un enfant de dire « s'il vous plaît » et « merci » était une chose, mais lui imposer une discipline en était une autre, et il devait exister de meilleures façons de faire que les siennes. Quand elle trouva le livre *52 trucs pour s'occuper de son enfant de 6 ans*, elle sut qu'elle venait de gagner le gros lot. Elle se rendit au kiosque de journaux près de chez elle et acheta un quotidien pour y consulter la section « Carrières et offres d'emploi ». Un autre coup dur lui fut porté quand elle apprit que tous les postes annoncés avaient été comblés. Elle sillonna alors les rues de différents quartiers pour y trouver un travail comme commis, secrétaire juridique ou n'importe quoi d'autre.

Vingt-huit jours après avoir mis les pieds au *paradis* d'Éden, elle n'avait toujours pas trouvé d'emploi et, comme elle devait urgemment travailler, elle était prête à accepter n'importe quoi. L'idée lui traversa l'esprit qu'Éden n'était peut-être pas aussi paradisiaque que son nom l'indiquait, et elle douta d'avoir pris la bonne décision en s'y établissant.

À son retour vers son appartement quelques jours plus tard, elle s'écarta de son chemin habituel, choisissant de s'aventurer en terrain inconnu. Elle adorait découvrir de nouveaux cafés, bistros ou d'autres endroits typiques des lieux qu'elle habitait. Au moment où elle tourna le coin des rues Fleur et Cook, elle remarqua un écriteau « Personnel demandé » dans la fenêtre d'une boulangerie. Elle lut le nom de l'endroit : *Chez Joséphine*. Une boulangerie française.

Ça ne peut pas être si pire…

S'étant promis de prendre le premier emploi qui lui tomberait sous la main, elle s'aventura à l'intérieur sans hésiter.

Un tintement se fit entendre lorsqu'elle poussa la porte d'entrée. Elle leva les yeux et remarqua une petite cloche rouillée suspendue à un fil. *Bizarre*, pensa-t-elle en constatant que la boulangerie était déserte.

Un lumineux rayon de soleil traversa la fenêtre pour venir éclairer le plancher de *Chez Joséphine*, et une odeur de pain chaud envahit les narines de Vivianne, qui prit quelques instants pour inspirer profondément et profiter du moment. Fermant les yeux et humant l'odeur enivrante de la boulangerie, elle se sentit envahie d'une douce sensation de bonheur. Mais le fracas d'une tôle à biscuits tombant au sol la sortit de sa rêverie, et elle sursauta en entendant un cri perçant venant de l'arrière-boutique :

« Oh putain ! Quelle merde, ce truc ! »

Vivianne s'avança lentement vers le comptoir, et une femme bien arrondie d'une soixantaine d'années apparut, comme venue de nulle part. « Que veux-tu ? » dit-elle avec un accent français très prononcé, tout en fronçant les sourcils. Vivianne recula d'un pas avant de s'aventurer. « J'ai vu que vous cherchiez quelqu'un ? » dit-elle d'une petite voix. L'expression de la dame changea du tout au tout, et elle s'avança vers Vivianne.

« Quelle expérience as-tu ?

— Je… je n'en ai pas vraiment, admit-elle, m… mais j'apprends vite. » Vivianne baissa la tête. « Je suis prête à tout », ajouta-t-elle, presque honteuse. Elle détestait quémander, mais elle était au fond du baril et devait se trouver un emploi à tout prix. « Quel est ton nom ? demanda la dame, les sourcils toujours plissés.

— Vivianne McKinnon.

— Quand peux-tu commencer ? » Vivianne se figea sur place et dut prendre quelques secondes pour recouvrer ses esprits.

« Maintenant.

— Parfait ! Je suis Joséphine Leblanc. Le salaire est de huit dollars l'heure. Dans trois mois, tu auras cinquante sous de plus l'heure. »

Désolée, mais je ne serai plus ici dans trois mois. C'est juste temporaire. Mais merci de l'offre.

« Ton horaire sera de 7 h 30 à 17 h 30. »

Joséphine remarqua tout de suite la grimace au visage de Vivianne. « Avons-nous un problème ? demanda-t-elle.

— Eh bien, je… est-ce que je pourrais commencer à 7 h 45 ? Je finirais quinze minutes plus tard.

— Pourquoi 7 h 45 ? »

Vraiment, ce n'est pas de vos affaires…

« J'ai… une obligation le matin qui m'empêche d'arriver ici avant 7 h 45.

— Et tu ne me diras pas c'est quoi, car ce n'est pas de mes affaires. »

Exactement.

« Quoique… Je suis ta patronne maintenant, alors qu'est-ce que c'est ? »

Zut.

« Je dois déposer mon… fils à l'école. »

Mon fils ?

Vivianne se surprit elle-même en entendant ce mot. Elle ignorait pourquoi elle venait pour la première fois d'appeler Ben « son fils » et ne pouvait pas s'expliquer comment ce mot était sorti de sa bouche. Était-ce parce que la femme en face d'elle était trop intimidante, ou parce que Vivianne jouait la carte de la pitié pour obtenir l'emploi?

D'un autre côté, Ben était comme son *vrai* garçon maintenant, alors elle ne mentait pas *vraiment*. Elle avait tout de même un peu honte d'utiliser son neveu pour obtenir une certaine sympathie, et son estomac se resserra et ses mains se mouillèrent.

Joséphine lui lança un regard noir. *Comment cette enfant peut-elle déjà avoir un enfant?* pensa-t-elle.

«Quel âge a ton fils? demanda la dame, en se mettant les mains sur les hanches.

— Six ans.

— Quel âge as-tu?

— Vingt-deux.»

Vrai. Son anniversaire était dans moins de trois mois.

Ses chances d'obtenir l'emploi diminuaient à vue d'œil, et elle ne savait plus comment se comporter ni quoi dire. Depuis que Ben vivait sous sa garde, les gens la regardaient souvent de travers en les voyant ensemble. Ils inclinaient la tête, comme s'ils avaient pitié de la voir élever un enfant à son âge. Elle n'avait d'explications à donner à personne, mais de devoir livrer des détails intimes, et encore émouvants, à une étrangère dans le but d'obtenir cet emploi l'agaçait grandement. Sans être elle-même exempte d'idées reçues, elle détestait les préjugés portés sur les mères célibataires et avait convenu que personne ne connaîtrait l'histoire de sa sœur tant qu'elle ne serait pas prête à en parler. Cette femme, qui semblait vouloir porter des jugements hâtifs, attendrait son tour elle aussi, si seulement Vivianne acceptait de partager son histoire. Elle se moquait bien de ce que les gens pensaient d'elle et ne se souciait plus depuis longtemps de sa mince différence d'âge avec Ben. Il n'en serait pas différemment de Joséphine, mais, parce qu'elle semblait devoir rapidement se forger une opinion à son sujet,

Vivianne était quand même tentée de s'asseoir pour lui raconter toute l'histoire.

Je ne suis pas une dévergondée, si c'est ce que vous pensez…

Joséphine la fixait toujours d'un regard désapprobateur. «Où est le père?» enquêta-t-elle en croisant ses bras. Mais, en voyant le malaise de Vivianne, la Française prit conscience de son faux pas et ajouta: «J'espère que tu me diras que ce n'est pas de mes affaires car, franchement, ce n'est pas de mes affaires. Et, cette fois, tu n'as pas à me répondre.

— Il est mort», répondit calmement Vivianne. Ce fut au tour de Joséphine de se figer sur place, et son attitude changea brusquement. «7h45, c'est parfait. Prends note que nous sommes fermés les lundis.» Tout en remettant un tablier à Vivianne, elle ajouta: «Je préférerais que tu attaches tes cheveux lorsque tu travailles, c'est plus hygiénique. Viens avec moi à l'arrière.»

Vivianne ne put retenir un large sourire.

«La première chose qu'une boulangère doit faire en arrivant dans son magasin – après avoir lavé ses mains, évidemment! –, c'est d'allumer les fours. N'oublie *jamais* les fours. C'est très important!»

Me prenez-vous pour une imbécile?

«C'est un peu évident, il me semble, non?» demanda Vivianne tout en la suivant.

«Pas pour tout le monde.» Vivianne roula un peu des yeux derrière sa nouvelle patronne. «Je t'ai vue. Ne le refais plus, compris? lança Joséphine, irritée.

— Désolée.

— Quand tu oublies les fours, tu es retardée d'au moins quatorze minutes et, après, c'est la merde.

— C'est sûr.» La réplique était sarcastique.

Seuls les idiots oublient d'allumer les fours». Je n'en ai peut-être pas l'air, mais je suis très intelligente!

« Mais tu n'auras pas à t'en soucier, car je suis là avant toi et c'est moi qui les allume tous les matins. »

Alors pourquoi m'en parler ? Vivianne feignit un sourire.

Mettre les pieds dans la cuisine, c'était comme marcher sur une autre planète. Les lumières étaient tamisées pour rendre l'atmosphère plus chaleureuse et de la musique française jouait sur une vieille radio recouverte d'une sorte de croûte de pâte à pain asséchée et de farine. Un énorme comptoir de marbre blanc trônait en plein centre de la pièce, et Joséphine s'assoyait sur un tabouret rond en cuir brun pour pétrir la pâte à pain et préparer les autres viennoiseries. Dix énormes bols de céramique recouverts de linges humides étaient également posés sur le comptoir.

S'il vous plaît, laissez-moi le bénéfice du doute ! aurait voulu s'écrier Vivianne lorsque Joséphine lui ordonna de ne pas toucher aux bols sans sa permission. C'est dans ceux-ci que la pâte de l'après-midi fermentait, et il ne fallait pas la « déranger », expliqua Joséphine à Vivianne. L'attention de la boulangère à l'égard de sa pâte était presque maniaque.

« Comme Antoine Augustin le disait si bien : "La fermentation de la pâte n'est jamais à son avantage si elle est interrompue, précipitée ou trop rapide. Elle doit être faite étape par étape, degré par degré, lentement, doucement, pour que toutes les parties fassent un tout. Elles doivent s'unir pour obtenir une consistance parfaite, dont résultera une miche parfaite." »

Mon Dieu, parle-t-elle de pain ou de sexe ? Vivianne devint confuse, et son expression faciale la trahit. « C'est *Le parfait boulanger.* »

Cette enfant ne connaît rien, pensa Joséphine.

« Ah, laisse faire », ajouta la boulangère, contrariée, avant de continuer la visite.

Les fours se trouvaient derrière le comptoir, au fond de la pièce. Quelque chose devait hors de tout doute dorer à l'intérieur parce que l'odeur en était si invitante que Vivianne aurait voulu s'y glisser pour s'empiffrer du contenu.

L'arrière du magasin, où se trouvait la cuisine, était beaucoup plus petit que Vivianne ne l'aurait cru. Sur la droite, des étagères de bois, qui soutenaient des poches de différentes sortes de farines, du beurre, du sucre, de la poudre de chocolat, et bien d'autres choses encore, avaient été fixées au mur. Sur la gauche étaient installées une toute petite table et une chaise. Sur l'autre mur, un gigantesque réfrigérateur. Vivianne remarqua aussi deux chaises empilées derrière une patère de l'autre côté, puis rien d'autre. Pas même une sortie de secours. Joséphine présenta le tout à Vivianne en lui donnant quelques consignes.

L'emploi n'était pas très payant, mais conviendrait à Vivianne pour l'instant, et elle continuerait à chercher du travail dans le monde du droit, où elle rêvait de trouver sa place. Elle avait un urgent besoin d'argent, et huit dollars l'heure lui suffiraient à court terme.

Joséphine Leblanc était célibataire et avait émigré de la France quelque quarante années auparavant pour une raison que Vivianne ignorait. Elle avait ouvert sa boulangerie dans les années 1970 et ses clients formaient à ses yeux une grande famille. Tout le monde connaissait Joséphine – et son tempérament! Elle était le portrait caricatural de la femme française: sèche, arrogante, et pas très sympathique. Mais ce que Vivianne remarqua rapidement chez sa patronne, ce fut sa vaillance, et personne ne pouvait lui enlever cette qualité.

La routine de Joséphine consistait à arriver au travail à 5 h 30 tous les matins pour allumer les fours; ainsi commençait la journée! Premièrement, elle pétrissait la pâte à baguettes. Puis, elle alignait les croissants sur les tôles et les enfournait pendant trente minutes. Elle en préparait plusieurs sortes: au beurre, au chocolat, aux amandes, aux amandes et chocolat, puis elle cuisait des brioches aux raisins, aux fruits, à la cannelle, quelques-unes avec des pacanes, d'autres sans. Suivaient ensuite les différentes sortes de pains : baguette, pain au levain, Grand Siècle, campaillette, baguette à la farine rouge, et ainsi de suite. Jamais Vivianne n'aurait imaginé qu'il puisse exister autant de sortes de pains. *C'est une vraie boulangerie !* Joséphine gardait les fours occupés à longueur de journée.

Mais sa marque de commerce demeurait ses brownies. Et, la première fois que Vivianne s'en mit un sous la dent, elle comprit pourquoi. Joséphine était parfaitement parvenue à allier son savoir culinaire européen à ce dessert américain. Elle en préparait sporadiquement dix sortes différentes : au fromage à la crème, aux pacanes, aux noix mélangées, au caramel, au caramel et noix, au caramel à la fleur de sel, au chocolat au lait, au triple chocolat, à la pâte de noisettes, au chocolat « décadent », et ils étaient tous plus savoureux les uns que les autres.

Dès que les pains doraient – elle en faisait deux fournées par jour, une le matin et une en fin d'après-midi – elle s'attaquait aux brownies. Autour de 11 h 30, il fallait se préparer pour le repas du midi, heure de pointe baptisée *le rush*. Ils offraient toutes sortes de sandwichs et devaient préparer les viandes et les fromages pour que le service soit le plus rapide possible. Mais Vivianne se rendit vite compte de l'inefficacité de leur méthode de travail en voyant la file qui se formait devant elles tous les midis. La période de *rush* durait de 11 h 30 ou 11 h 45 jusqu'à environ 13 h 30. C'était la raison pour laquelle Joséphine avait besoin d'aide. La tempête se calmait en après-midi, et les pâtes du lendemain étaient alors préparées afin qu'elles puissent fermenter toute la nuit. Joséphine ne quittait jamais la boulangerie avant 6 h 30, voire sept heures le soir. Elle répétait cette routine tous les jours, sauf les lundis. La même routine depuis plus de quarante ans. Vivianne admit que gérer une boulangerie était une tâche énorme et espéra du fond d'elle-même ne pas rester trop longtemps *Chez Joséphine*.

Convaincue qu'il s'agissait pour elle d'un travail temporaire, elle n'avait pas nécessairement le goût d'acquérir toutes les qualités indispensables pour devenir une bonne boulangère. Chaque produit était identifié par un petit écriteau. Elle pouvait donc se contenter de servir aux clients ce qu'ils commandaient, et de le faire en souriant. *Pas très compliqué*. Elle n'avait qu'à se présenter à 7 h 45 le matin, à être polie avec les clients, à leur servir sandwich, pain, brownies ou quoi que ce soit d'autre qui puisse faire leur bonheur, et à quitter les lieux à 17 h 45. *Vraiment pas compliqué*. Elle n'avait même pas à se soucier de ce qui se passait à la boulangerie en dehors de ses heures de travail. Joséphine, quant à elle, se levait avant le soleil pour travailler la pâte avec amour, et Vivianne dut lui avouer que c'était le meilleur pain qu'elle avait jamais mangé de toute sa vie. « Mais bien sûr ! » avait rétorqué la Française.

En arrivant au travail, Vivianne mettait environ quinze à vingt minutes pour nettoyer les lieux. Un peu de Windex sur les comptoirs de vitre ainsi qu'un petit coup de balai au plancher et le tour était joué. Joséphine gardait l'endroit « nickel », comme elle disait. Il y avait donc peu de ménage à faire. Elle passait le plus de temps possible dans son « bureau », comme elle appelait la cuisine, à y écouter sa musique préférée : du Bécaud, du Aznavour, du Piaf ou encore du Jœ Dassin.

Elle jouait toute la journée, à en casser les oreilles de Vivianne, qui n'était pas fervente de musique française, mais il était hors de question de la changer. Ironiquement, c'était là la seule chose que Joséphine et elle avaient de prime abord en commun. Vivianne détestait que quiconque touche à son iPod ou à ses albums, déjà qu'elle en possédait peu. Sa musique était sa musique, et personne ne pouvait même s'en approcher !

Tous les jours, à exactement 13 h 05, un grand jeune homme aux cheveux noirs entrait dans la boulangerie. Un BlackBerry dans une main et dix dollars dans l'autre, il portait toujours un habit foncé et parlait la plupart du temps au téléphone pour acheter ou vendre des titres à la Bourse. Bien que le travail de courtier puisse être stressant, il semblait très détendu et souriait toujours à Vivianne en commandant son sandwich jambon-fromage, sans laitue, mais extra tomates. Quand la petite cloche annonçait son arrivée, Vivianne le voyait s'avancer au ralenti comme dans une annonce publicitaire tellement il était parfait. Elle lui envoyait chaque fois son plus beau sourire et préparait son lunch en deux temps, trois mouvements. Avant même qu'il arrive au comptoir, son sandwich était presque prêt.

« T'es vite ! » lui dit-il un jour en empoignant son sandwich sans pour autant l'avoir commandé. « Je m'appelle Marc, ajouta-t-il, avec un sourire gêné, alors que leurs regards se croisaient.

— Vivianne. » Elle rougit.

« Ça me fait plaisir de te rencontrer officiellement.

— Moi aussi. » Mais Joséphine interrompit rapidement leur discussion quand la petite cloche résonna de nouveau.

« Vous vouliez autre chose ? » demanda-t-elle d'un ton sec.

Marc jeta un coup d'œil à Vivianne, visiblement gênée, et paya Joséphine pour le sandwich. « À demain », se contenta-t-il de murmurer avant de partir. Le regard de Vivianne le suivit jusqu'à ce que Joséphine claque ses doigts sous ses yeux afin qu'elle retourne à son poste.

Ce soir-là, elle quitta la boulangerie à 17 h 45 tapant, sans saluer sa patronne. De toute façon, chaque fois qu'elle le faisait, aucune réponse ne se faisait entendre, et elle jugeait que ses attentions n'en valaient pas la peine. Ses journées *Chez Joséphine* étaient comptées. *C'est un emploi temporaire*, se répétait-elle souvent, en attendant de trouver quelque chose de mieux dans le domaine du droit. *Juste tempora*

Vivianne réalisa rapidement que la façon dont l'h̀
de pointe était gérée *Chez Joséphine* n'était pas des plus e̓
caces, surtout parce qu'elle n'avait pas grand-chose à fai̇
entre 9 h 30 et 11 h 30. C'est pourquoi, après un mois et
demi au service de la vieille dame, elle lui offrit de préparer
les sandwichs à l'avance. « Ça ne va pas ou quoi ? cria Joséphine avec son accent français. On ne peut pas faire ça ! Ça
ne sera pas frais !

— Eh bien, se risqua Vivianne, on ne parle que d'une
couple d'heures à l'avance. Je ne pense pas que… »

Mais Vivianne fut interrompue par la menace d'un rouleau à pâte au-dessus de sa tête. « Tu travailles ici depuis six
semaines et tu veux gérer la place ?

— Non, madame Joséphine. Je pensais juste que…

— Eh bien ne pense pas ! Sois à l'heure, c'est tout ce que
je te demande. »

Aucune ressemblance avec le paradis, pensa Vivianne. Cet
endroit était *l'enfer*. Sa patronne était infâme et elle la détestait. Mais l'argent rentrait, et elle en avait grandement besoin.
Elle venait de signer le chèque du deuxième versement pour
l'école de Ben, dont le montant était faramineux, du moins
par rapport à ses moyens. Mais son neveu était heureux. Il
aimait jouer avec ses nouveaux amis, et sa professeure lui
était d'un grand soutien.

À la fin de la journée, Vivianne emporta une baguette,
ainsi que quelques morceaux du brownie *Le décadent*. Elle
n'avait jamais encore rapporté de la nourriture à la maison,
mais Joséphine avait insisté pour que le « fils » de son employée
goûte enfin à ses produits.

Ben sauta de joie lorsqu'il vit les brownies et mangea
tous ses légumes sans dire un mot.

« C'est bien la première fois que tu les dévores sans te
plaindre !

— Je veux des brownies ! s'exclama-t-il en regardant le gros morceau qui trônait en face de lui. J'adore aussi le pain ! »

Le pain de Joséphine était en effet le meilleur *au monde*. Il fondait dans la bouche comme un morceau de chocolat. Vivianne demanda à Ben de lui raconter sa journée, ce qu'il fit sans oublier le moindre détail. Non seulement elle apprit que Mme Marlène avait une nouvelle coupe de cheveux, mais Ben lui raconta qui avait été à la toilette et à quelle heure. Elle ne l'avait pas vu aussi heureux depuis que Suzie les avait quittés, neuf mois plus tôt. Il semblait enfin en paix avec la vie, et Mme Marlène mentionnait souvent qu'il était le garçon le plus populaire de sa classe, à la grande fierté de sa tante. Sa période d'ajustement achevait, et Vivianne et lui amorçaient tranquillement une vie normale.

Le déménagement a été bon pour Ben… C'est au moins ça…

Vivianne était encore énervée par sa conversation de la veille et, pour garder sa bonne humeur, elle dut prendre une grande respiration avant de remettre les pieds dans la boulangerie. La petite cloche annonça son arrivée lorsqu'elle ouvrit la porte, et Joséphine surgit immédiatement de l'arrière, un balai en main. « Quand tu auras terminé avec le plancher, tu viendras me voir à la cuisine pour remplir les paniers. Les croissants au beurre et les chocolatines sont presque prêts.

— Bonjour à vous aussi, madame Joséphine », lui répondit Vivianne, d'un ton un peu ironique. Elle faisait peu de cas de cette dame et n'espérait pas de réponse. Elle avait passé une entrevue quelques jours plus tôt et s'attendait à une réponse positive. Enfin une vraie carrière ! La personne qui l'avait reçue avait été impressionnée par son curriculum vitæ et appréciait l'énergie que Vivianne dégageait. Puisqu'ils requéraient leur nouvel employé dès le lundi suivant, elle s'attendait, en ce mercredi, à un appel dans les prochaines heures.

« Oh! Bonjour, Vivianne. Quand tu auras mis les croissants dans les paniers, tu feras des sandwichs à l'avance afin d'améliorer notre efficacité. Tu sais, pour nous préparer à l'affluence du midi. »

Puis elle disparut à l'arrière. Vivianne ne put s'empêcher de sourire en se disant que Rome ne s'était pas construit en un jour. Joséphine l'avait écoutée après tout. On gagne des guerres une bataille à la fois… Elle balaya le plancher, amusée par la tournure des événements.

Quand les premiers clients entrèrent ce midi-là, ils trouvèrent le duo plus efficace que jamais. Aucune file d'attente ne se forma, et les clients furent servis en un temps record. Même Marc n'aurait pu croire que son sandwich puisse être prêt aussi rapidement. Le seul inconvénient de l'opération fut qu'au lieu de le voir en moyenne trois minutes par jour, Vivianne ne profita plus de son client préféré que quarante-cinq secondes! La majorité des clients remarqua le changement et certains le commentèrent positivement. Joséphine reçut les compliments avec le sourire et s'attribua évidemment tout le mérite de cette amélioration, au mécontentement de Vivianne. *Cette femme est un cauchemar*, pensa Vivianne en empoignant son cellulaire. *Aucun nouveau message*. Elle le remit dans la poche avant de son tablier. Au cas où…

Comme d'habitude, le branle-bas de combat s'apaisa vers 13 h 30. Vivianne replaça les quelques sandwichs qu'il restait dans un seul panier pour laisser la place à une nouvelle fournée de brownies, dont *Le décadent*, le plus populaire de la boulangerie. Elle essuyait le comptoir et Joséphine mélangeait les ingrédients d'une recette de brownies quand la cloche retentit.

Une élégante femme d'une cinquantaine d'années s'avança vers le comptoir et sourit chaleureusement à Vivianne.

«Bonjour, madame, comment puis-je vous aider?» La dame s'approcha et son parfum monta aux narines de Vivianne. Une odeur douce et agréable qui lui fit aimer cette femme sur-le-champ, avant même d'avoir entendu le timbre de sa voix.

«Bonjour, je m'appelle Marcy Pressman. Enchantée de te rencontrer…» dit la dame, en inclinant la tête, comme dans l'attente d'une réponse.

— Vivianne», répondit la nouvelle employée de Joséphine, en serrant la main tendue de Mme Pressman.

Étrange. Une cliente qui se présentait à elle? Vivianne n'avait jamais vu ça, et elle appréciait le geste, surtout venant d'une femme aussi magnifique.

«Enchantée, Vivianne», ajouta la dame, puis elle jeta un regard vers Joséphine qui arrivait de la cuisine. «Vous avez trouvé une nouvelle victime, madame Joséphine?» lança-t-elle à la blague.

Vivianne regarda la dame sans broncher ni parler, et cette dernière sentit l'embarras de l'employée. «Ne t'inquiète pas, Vivianne, Joséphine et moi nous connaissons depuis des décennies!

— En effet. C'est ma plus *vieille* cliente.

— Hé, hé! Un peu de respect, madame! rigola Marcy avant de se tourner vers Vivianne. J'étais l'une de ses *premières* clientes lorsqu'elle a ouvert ses portes il y a très, très longtemps! expliqua-t-elle.

— Comment était ton voyage? demanda poliment Joséphine.

— Extraordinaire! Dommage que tu ne puisses jamais voir la Grèce, ma chère!» répondit Marcy, avant de se tourner vers Vivianne: «Elle ne prend jamais une journée de congé.»

Et, avec son arrogance si caractéristique, Joséphine râla avant d'ajouter: «Ta commande est sous le comptoir. Bonne journée. Oh! Je t'ai mis un morceau de mon nouveau brownie. Tu me diras ce que tu en penses, *ma chère*!

— J'adore quand elle fait ça! avoua Marcy à Vivianne après que la patronne eut presque disparu à l'arrière. Oh! Joséphine? Ça fonctionne toujours pour le mariage, n'est-ce pas?»

Joséphine revint sur ses pas.

«Je ne sais pas.»

Le visage de Marcy tomba d'un coup sec. «Tu ne peux pas me faire ça? Tu m'as promis!

— Je t'ai eue!» répondit Joséphine en souriant. Les yeux de Vivianne sortirent de leurs orbites.

Vient-elle de faire une blague?

«Bien sûr que je m'occupe des hors-d'œuvre.

— Et le gâteau? ajouta Marcy.

— Oui, oui, je t'enverrai un menu pour approbation. Mais pas maintenant. On a amplement le temps, c'est dans un an!

— Onze mois. Ça va aller vite, crois-moi. Et, pour l'approbation, pas besoin, je te fais confiance.

— Pas question! Avec tous les gens importants qui seront présents, je ne me risquerai pas.

— D'accord. À la prochaine. Ça m'a fait plaisir, Vivianne.»

Marcy partit, Vivianne se retourna vers Joséphine: «Je ne savais pas que vous offriez un service de traiteur?»

Joséphine ne le faisait habituellement pas, mais, étant proche de la famille Pressman depuis plus de trente ans, elle avait exceptionnellement accepté de préparer le repas du mariage.

Marcy Pressman, cinquante-quatre ans, avait rencontré son mari Harry trente-cinq ans auparavant quand celui-ci était entré à l'hôpital avec une ouverture d'une dizaine de centimètres à la tête. Elle l'avait recousu de vingt-sept points de suture, et il l'avait courtisée durant toute l'heure qu'ils avaient alors passée ensemble. Une fois le travail terminé, elle avait accepté d'échanger son numéro de téléphone avec lui. Ils s'étaient mariés un an jour pour jour après leur première rencontre. Le père de Harry avait fait fortune dans l'immobilier, faisant construire maisons et immeubles aux quatre coins de la province, et toute la famille avait bonne réputation, entre autres pour sa façon de traiter respectueusement les gens de son entourage professionnel et personnel. Au fil des ans, Harry avait pris la tête de la compagnie familiale, mais ses deux garçons ne comptaient pas continuer dans la même branche, au grand découragement de leur père. Michael, le plus vieux, avait obtenu un diplôme en pédiatrie de l'Université Princeton, et Jimmy, le préféré de Joséphine, terminait un doctorat en architecture à la prestigieuse Université d'Oxford, en Angleterre. Elle ne l'avait pas vu depuis quelques mois, mais il reviendrait sûrement l'été suivant pour le mariage. Michael et Sara s'étaient connus au cégep et avaient su dès leur première rencontre qu'ils voulaient unir leurs destinées et fonder une famille.

Maintenant qu'ils avaient tous deux des carrières solides – Sara possédait un magasin de meubles à l'autre bout de la ville –, ils étaient prêts à passer à la prochaine étape : avoir un enfant.

Marcy avait supplié Joséphine de préparer les hors-d'œuvre et de confectionner le gâteau de mariage, car elle avait confiance en la qualité de son service. En effet, quelques années auparavant, Joséphine lui avait sauvé une réception lorsque le traiteur habituel de Marcy – payé à l'avance ! – ne s'était pas présenté. Paniquée, elle avait appelé la Française pour lui demander de l'aide, et Joséphine avait livré la marchandise en moins de trois heures. Quand Vivianne suggéra que proposer un service de traiteur pouvait être une excellente idée, profitable pour la boulangerie, Joséphine se montra réticente. Elle ne voyait aucun intérêt à agrandir, particulièrement à son âge. Elle prendrait plaisir à préparer le mariage de Michael, mais sans plus.

Jimmy n'était que de dix-neuf mois le cadet de Michael, et les deux frères étaient les meilleurs amis du monde. À écouter Joséphine, il n'était pas seulement beau, grand et fort, avec des cheveux bruns et des yeux vert profond. Il était aussi vif d'esprit avec un beau sens de l'humour, et elle adorait les visites-surprises de ce charmant jeune homme lors de ses passages en ville.

Trop beau pour être vrai.

Avec un peu de chance, il se trouverait un emploi ici, à Éden, mais Joséphine avait bien peur qu'il ne reste en Angleterre, les emplois y étant mieux rémunérés. Selon Marcy, il fréquentait une Anglaise, mais elle ignorait les véritables intentions du jeune homme quant à sa relation. Toute l'histoire des Pressman avait piqué la curiosité de Vivianne, qui voulait en savoir plus sur la famille. « Il n'y a pas grand-chose à ajouter, à part qu'ils s'attendent à des hors-d'œuvre pour cent cinquante personnes dans onze mois ! »

En marchant ce soir-là pour prendre Ben à l'école, Vivianne pensa au mariage de Michael Pressman. Il aurait lieu dans le jardin arrière de la résidence familiale en mai prochain. Un superbe mariage, avec des fleurs magnifiques, des chaises blanches et un pavillon en bois blanc orné de cascades d'orchidées blanches servant d'autel pour l'échange des vœux. Elle soupira à l'idée du mariage parfait avec l'homme idéal. Elle travaillait dans une boulangerie et sa seule excitation était d'obtenir cinquante sous de plus l'heure. Elle y travaillait depuis déjà dix semaines et n'avait pas encore trouvé un *vrai* travail. Mais, mis à part l'entrevue qu'elle avait eue quelques jours auparavant, elle n'avait pas eu le temps de s'informer sur quoi que ce soit. Entre le travail et Ben, il lui restait peu de temps pour s'occuper d'elle. Elle avait congé tous les lundis, mais se les réservait pour faire le ménage, le lavage et les commissions. Bien qu'elle comptât désespérément se trouver un autre emploi, sa priorité était de faire de l'argent pour payer le loyer ; elle n'était donc pas prête à démissionner tout de suite. L'attitude de Joséphine était difficile à gérer, mais les clients l'aimaient et la respectaient, sans compter qu'ils étaient dépendants aux produits de la boulangerie…

Le son d'une musique populaire se fit entendre de la poche avant du veston de Vivianne, qui prit son cellulaire pour répondre au moment où elle entrait dans son appartement, suivie de Ben. Son cœur battit à se rompre quand elle aperçut le numéro de la firme d'avocats dont elle attendait l'appel.

« Madame McKinnon ?

— Elle-même.

— C'est Nathalie, de la firme *Julien, Lacasse et associés*. »

Vivianne voulut s'évanouir avant même de connaître la décision tellement elle était nerveuse.

« Bonjour.

— Bien que nous trouvions votre parcours impression-nant… »

Oh, oh.

« Je suis désolée de vous annoncer que M. Lacasse a décidé d'engager quelqu'un d'autre. Mais nous garderons votre nom dans nos dossiers pour une prochaine fois. »

Sans en dire plus, Vivianne referma le téléphone, les larmes aux yeux. *Prochaine fois.* Vraiment ? Une prochaine fois dans quinze ans à la suite du décès d'un des leurs. Si quelqu'un mourait. Elle tenta d'essuyer ses larmes pour ne pas laisser transparaître sa déception. Mais le petit remarqua rapidement le changement dans l'attitude de sa tante. « Qu'est-ce qu'il y a, tante Vivianne ? »

Elle ne mentirait pas. Elle lui avait promis la vérité. Et Ben était la seule personne, bien que très jeune, à qui elle pouvait se confier.

« Je suis très déçue.

— Pourquoi ?

— Parce que je n'ai pas eu l'emploi dont je t'ai parlé il y a quelques jours. »

En entendant ces paroles, le visage de Ben s'illumina et son sourire se fendit jusqu'aux oreilles. « Fiou ! » s'écria-t-il. Vivianne sursauta. « Je ne l'ai PAS eu, Ben ! insista-t-elle, un peu énervée.

— J'ai compris !

— Pourquoi es-tu heureux ?

— Parce qu'on pourra continuer de manger les meilleurs brownies au monde GRATUITEMENT ! »

Vivianne s'étouffa de rire. Incroyable, la vie du point de vue d'un enfant de six ans. Elle oublia la conversation téléphonique tellement il venait de la mettre de bonne humeur. Elle essayait depuis des mois de lui faire voir le bon côté de la vie et, ce jour-là, il lui servait sa leçon sur un plateau d'argent. Se procurer de la nourriture gratuitement avait ses avantages et, après le souper, ils célébrèrent la vision de la vie de Ben en mangeant, une fois de plus, de bons brownies… gratuits ! *Le décadent* était sans aucun doute le meilleur brownie au monde, mais risquait d'avoir des conséquences néfastes sur la ligne de Vivianne, et elle se résolut donc à n'en manger qu'un seul morceau aux deux jours.

Comme promis, Vivianne obtint une augmentation de cinquante cents l'heure après trois mois de travail.

Moi qui me voyais partie…

Elle tenta de ne pas voir tout ce temps passé à la boulangerie comme un échec. Son heure viendrait. Elle en était convaincue et ferait tout pour atteindre ses objectifs. Ben était heureux comme jamais. Il dormait beaucoup mieux, et elle aussi. Mme Marlène l'avait pris sous son aile et accomplissait des miracles sur sa confiance et son estime de soi… et ne coûtait pas cent trente-cinq dollars l'heure.

Elle dut admettre ne s'être jamais sentie aussi bien. Les choses allaient bon train, et la ville respirait le bonheur. Elle remerciait son ange gardien, sa mère ou sa sœur, de l'avoir aidée à traverser, du moins émotionnellement, les dures épreuves des derniers mois. Généralement, en cette période de l'année, elle traînait toujours de la patte à cause du stress des examens de la mi-session, mais, en ce début d'automne, elle était débordante d'énergie, tout comme Ben. Les clients avec qui elle discutait, même brièvement, la mettaient de bonne humeur.

L'accident était derrière eux depuis un an déjà, en septembre, et Vivianne décida de ne pas le mentionner afin d'éviter de ressasser trop de mauvais souvenirs, mais elle se permit un verre de vin en l'honneur de sa sœur, et les larmes prirent possession de ses joues. Suzie lui manquait terriblement, même si la douleur semblait moins vive qu'avant.

Un mois plus tard, elle dut refaire le calcul à partir de sa date de naissance afin de se souvenir de son âge. Vingt-deux ans. Elle avait eu vingt et un ans sans fêter, puisque son anniversaire avait eu lieu quelques semaines seulement après les funérailles de Suzie et Billy. Elle ne le soulignerait pas encore cette année, car personne ne savait que c'était son anniversaire et elle n'avait pas retrouvé le goût de festoyer outre mesure. Elle ne l'avait jamais grandement célébré de toute manière. L'appel de Victoria la combla, mais elle comprit à quel point leurs vies étaient à des années-lumière l'une de l'autre et resta vague au sujet de ses problèmes.

❧

Elle adorait passer du temps avec son neveu, qui débordait de joie et de bonne humeur. Elle ne regrettait pas d'avoir décidé de le garder, même si c'était encore parfois difficile.

Parce que son budget restait très limité après avoir payé les vêtements d'hiver, l'école, la nourriture, le loyer, ils ne sortaient pas beaucoup, sauf au parc, mais elle se permettait tout de même quelques petits agréments, dont une crème glacée une fois de temps en temps, et elle remettait à Ben une pièce de deux dollars à dépenser dans la machine à surprises au supermarché chaque fois qu'elle le pouvait.

Noël parut arriver plus rapidement cette année-là et, parce qu'elle avait promis à son neveu un plus gros arbre, ils achetèrent un sapin naturel ainsi que quelques lumières de Noël. Le petit avait bricolé des décorations à l'école et se bombait le torse en contemplant son étoile trônant au sommet du sapin. Il était comblé de bonheur et, lorsqu'il ouvrit son cadeau du père Noël et vit les Bakugans, il sauta de joie pendant dix minutes au lieu d'ouvrir la boîte. La boulangerie était fermée le 25 décembre, et Joséphine avait donné la journée du 26 à Vivianne pour lui permettre de passer du temps avec Ben.

Parce qu'une bordée de neige avait pris les rues d'assaut, ils restèrent à l'intérieur une partie de la journée à jouer avec les Bakugans.

Le matin de son retour au travail fut l'un des plus intéressants de sa courte carrière. Lorsque la petite cloche sonna vers 10 h 25, Vivianne se retourna et vit un visage qu'elle ne reconnut pas. Elle travaillait *Chez Joséphine* depuis près de sept mois et connaissait tout le monde, puisque les mêmes clients revenaient pour la plupart de semaine en semaine. Un homme d'environ soixante-dix ans, sosie presque parfait du comédien Jack Lemmon dans ses dernières années, s'avança lentement vers le comptoir derrière lequel elle se trouvait. Lorsqu'il fut assez proche, elle remarqua sa prothèse auditive et l'aborda en parlant un peu plus fort qu'à l'habitude.

« Bonjour, monsieur, que puis-je faire pour vous ? »

L'homme enleva son chapeau d'une façon un brin cavalière. « Allllooooo, princesse », dit-il presque en chantonnant.

Vivianne s'étonna de cette introduction peu habituelle. « Bonjour. Que puis-je faire pour vous ?

— Ah ! Tu es nouvelle, toi ! Et très polie ! Je ne sais pas ce que Joséphine t'a fait ! »

Vivianne recula d'un pas sans dire un mot. « J'aimerais un croissant amandes-chocolat. » Elle se pencha pour en prendre un dans le comptoir, mais en remarqua la pénurie.

« Désolée, monsieur, on les a tous vendus ! Mais j'en ai des réguliers. »

Elle n'eut pas le temps de finir sa phrase que le vieil homme la coupa en criant : « Comment ça, y en a plus ? Quel genre d'endroit est-ce, ici ? »

Vivianne regarda l'homme en espérant que la larme lui brûlant l'œil droit ne coulerait pas en sa présence.

Mais Joséphine vint à sa rescousse. « Ne lui parle pas comme ça ! cracha-t-elle au visage du vieillard, au grand étonnement de Vivianne. Tu te pointes après sept mois d'absence en pensant te procurer ce que tu veux ? Reviens demain ! Et surveille ton langage envers mon employée ! » Vivianne était maintenant sous le choc d'être secondée par sa patronne.

« J'étais à l'hôpital ! À quoi tu t'attends ?

— Tu aurais pu appeler pour me le faire savoir, dit Joséphine d'un ton qui semblait affligé et, l'espace d'un instant, Vivianne eut pitié de la Française.

— T'étais inquiète ? répondit l'homme d'une voix plus douce.

— Mais non ! Sors d'ici et reviens demain… ou bien prends-toi un brownie ! » Chassez le naturel, et il revient au galop.

Joséphine retourna à l'arrière sans dire un mot. L'homme la suivit des yeux le plus longtemps possible et, quand la propriétaire fut hors de vue, il poussa un long soupir.

« N'est-elle pas merveilleuse ? » dit-il en hochant la tête, incrédule.

Les yeux de Vivianne sortirent de leurs orbites. Elle regarda l'homme, confuse. Il se pencha vers elle et lui offrit sa main. «Ça me fait plaisir de te rencontrer, mademoiselle, euh…

— Vivianne, dit-elle, encore sous le choc de ce qui venait de se passer. Moi aussi, monsieur?…» ajouta-t-elle, en lui offrant sa main à serrer. Mais il la prit et l'embrassa gentiment.

«Casanova. Mes amis m'appellent ainsi.» Il lui fit un clin d'œil et elle dut se mordre l'intérieur des joues pour ne pas éclater de rire.

«Tu as avantage à me reconnaître demain, car je me pointe tous les matins! Et je prends toujours un croissant aux amandes et chocolat. À demain, princesse.» Après un clin d'œil charmeur, il se dirigea vers la porte.

«J'ai bien hâte», se dit Vivianne en entendant la petite cloche résonner à la sortie de Casanova. Non seulement il était un gentil monsieur, mais il était l'homme parfait pour Joséphine, selon Vivianne. En y réfléchissant, elle se demanda si celle-ci avait déjà été amoureuse. Selon les clients avec qui elle avait eu la chance de discuter, sa patronne n'avait jamais eu d'amants. Mais de là à passer sa vie célibataire? Vivianne avait du mal à se l'imaginer. Dans ce cas, c'était bien triste, car, au fond – au plus profond d'elle-même, peut-être! –, Joséphine était sûrement une femme aimable, même si Vivianne pensait souvent le contraire. Elle se demanda si, de son côté, son âme sœur frapperait un jour à sa porte, après tout ce qui s'était produit. Trouver un homme serait plus difficile avec un enfant de sept ans dans son bagage.

Elle songea à David en se demandant s'il était heureux, s'il avait une nouvelle femme dans sa vie – probablement – et quelle grosse firme d'avocats payait son salaire. Elle se l'imagina au volant d'une BMW avec une copine mannequin et gagnant un salaire démesuré. Il fréquentait sûrement les restaurants les plus prisés de Boston et voyageait probablement dans le monde entier. Elle analysa son propre parcours de vie : mère monoparentale travaillant pour huit dollars *et cinquante* l'heure dans une boulangerie d'Éden. Quel changement ! Un an plus tôt, elle avait le monde à ses pieds et pouvait faire ce qu'elle voulait. Elle étudiait à Harvard, une des universités les plus prestigieuses du monde… et maintenant… Eh bien… Elle versa quelques larmes sans vraiment savoir pourquoi.

Vivianne ne savait trop que faire avec Ben, sinon passer du temps au parc, alors, pour ses sept ans, elle décida de faire changement en invitant quelques-uns de ses amis pour jouer à la maison et souffler les chandelles. L'événement resterait modeste. Elle inviterait deux ou trois amis et commanderait une pizza. Ben boudait, car il était incapable de choisir seulement trois amis. Il en voulait sept. Mais c'était plus que le budget que Vivianne s'était alloué et, bien qu'elle se sentît mal, elle ne broncherait pas sur le nombre d'amis.

Après l'afflux du lendemain midi, elle parla de l'anniversaire de son… garçon – elle n'était pas encore habituée à ce terme ! – à Joséphine et voulut lui réserver une tarte au sucre. Joséphine fronça des sourcils et lui suggéra de plutôt préparer un gâteau. Elles ne vendaient pas de gâteaux à la boulangerie, seulement des tartes, et pas tous les jours, et, parce que Vivianne avait finalement accepté de recevoir sept amis de Ben, elle ne comptait pas payer le gros prix pour un gâteau. N'étant pas la cuisinière la plus habile qui soit, elle opterait pour une préparation de gâteau Betty Crocker ou Duncan Hines.

« Sacrilège ! Antoine Augustin doit se retourner dans sa tombe de t'entendre parler comme ça ! »

Antoine Augustin. Joséphine faisait souvent référence à cet homme, dont Vivianne ignorait tout. Puisqu'elle détestait ne pas pouvoir suivre une conversation, elle prit note de trouver de l'information à propos de cet Antoine Augustin sur Internet.

Plus tard cette journée-là, elle mentionna également que Ben l'embêtait pour avoir un jouet de Spiderman, son héros préféré, mais que, même si elle lui avait déjà acheté un vélo – usagé –, elle se sentait mal de ne pas lui offrir les deux. Joséphine lut entre les lignes que Vivianne n'en avait tout simplement pas les moyens. *Pauvre petite…*

Vivianne demanda la permission de partir plus tôt le lendemain pour organiser la fête. Joséphine accepta, et Vivianne lui offrit de reprendre les heures la semaine suivante pour ne pas se voir couper son salaire hebdomadaire. *Pauvre petite*, se répéta Joséphine.

Ben eut du mal à dormir cette nuit-là, non parce qu'il faisait des cauchemars, mais parce qu'il était trop excité d'avoir une fête en son honneur.

Au cours de la dernière année, Vivianne avait appris qu'un parent devait penser avant tout au bonheur de son enfant. Elle avait l'impression de ne pas l'avoir toujours fait et désirait se reprendre en grand cette année. Comme les autres parents, elle organiserait des fêtes à son petit.

Lorsqu'elle arriva au travail le lendemain, Joséphine l'attendait près de l'entrée. Elle la salua plaisamment en l'aidant à enlever son manteau, au grand étonnement de son employée. Il faisait froid dehors, et Vivianne ne pouvait concevoir qu'il restait encore deux mois avant l'été.

Joséphine est de bonne humeur aujourd'hui…

Sa patronne invita Vivianne à la suivre au « bureau ». Lorsqu'elle entra dans la cuisine suivie de son employée, elle se rendit directement à la chambre froide pour en sortir une boîte, le sourire fendu jusqu'aux oreilles. Vivianne la regarda, intriguée, mais le suspense ne dura que quelques secondes, le temps que Joséphine ouvre la boîte et que Vivianne y découvre le plus merveilleux gâteau Spiderman qu'elle ait pu imaginer, avec les bonnes teintes de rouge et de bleu. Une figurine du super-héros y trônait en plein centre. En voyant la réaction de Vivianne, Joséphine sut qu'elle venait de marquer des points. « Madame Joséphine ! C'est incroyable ! » Vivianne étudia le gâteau sous tous ses angles. Il était parfait.

« Je suis sans mots, enchaîna-t-elle.

— Comme ça, Ben aura le vélo *et* un super-héros », répliqua Joséphine, un large sourire toujours accroché aux lèvres.

Le regard de Vivianne croisa celui de son employeur et, à ce moment, elle réalisa que Joséphine avait sûrement été une très belle femme dans sa jeunesse. Elle avait une peau de porcelaine et des traits doux et fins.

« Je, je ne peux… » Elle se reprit avant de dire : « Je vous ferai des heures en extra pour vous repayer. » Elle ne pouvait s'offrir ce gâteau extravagant, et Joséphine l'avait très bien compris. « C'est mon cadeau de fête pour Ben. Accepte-le, s'il te plaît. Ça me fait plaisir. » C'était une première et Vivianne n'en revenait pas. Il lui avait fallu neuf mois pour enfin voir un bon côté à sa patronne.

Vivianne tenta de cacher ses émotions. C'était très généreux de la part de Joséphine, et le cadeau idéal ! Ce n'était qu'un gâteau, certes, mais Vivianne ne se souvenait pas de la dernière fois où quelqu'un avait posé un geste si attentionné à son égard. Elle remercia Joséphine toute la journée, en répétant à quel point elle appréciait le cadeau et combien c'était gentil de sa part. Joséphine était enchantée d'y avoir pensé à temps. Il était certainement difficile d'élever un enfant toute seule avec un salaire de huit dollars et cinquante l'heure, et elle lui levait son chapeau de ne jamais s'en plaindre.

Et surtout d'avoir gardé son enfant, puisque la majorité des adolescentes se faisaient avorter ou le donnaient en adoption.

Quelques heures plus tard, Vivianne repensa à la générosité de Joséphine. Elle avait du mal à patienter jusqu'au soir, mais la petite cloche la sortit de sa rêverie. Un de ses clients habituels entra. « Bonjour, Vivianne », débuta-t-il poliment. Malgré son habitude de lui servir deux croissants nature, Vivianne se figea en remarquant le logo de Harvard sur le t-shirt bourgogne du client. Elle l'avait servi si souvent qu'elle ne pouvait concevoir qu'il ait étudié à cette université pour elle si familière. « Vivianne, ça va ? » Incapable de sortir un mot de sa bouche, elle se contenta de remplir le sac brun des deux croissants le plus rapidement possible. « Tu sembles troublée. Quelque chose ne va pas ? »

Puisque l'homme d'une quarantaine d'années se faisait insistant, elle ne put que répondre : « Désolée, je remarquais votre chandail.

— Ah ! Oui ! J'aime me pavaner avec les couleurs de mon ancienne école quand je suis en congé ! Je suis encore fier de vanter notre équipe d'aviron. Nous avions gagné plusieurs championnats !

— Félicitations ! Harvard a une excellente réputation dans le monde, s'efforça de mentionner Vivianne en se contraignant à sourire.

— La meilleure ! Allez, bonne journée ! »

Quand le client fut hors de vue, elle se mordit la lèvre inférieure pour ne pas éclater en sanglots. Elle avait elle aussi porté ce t-shirt avec fierté, mais n'aurait pu considérer le faire aujourd'hui. Incapable de retenir ses émotions, elle s'enferma dans les toilettes pour pleurer. Harvard lui manquait, et elle doutait d'avoir fait le bon choix abandonnant.

Elle quitta *Chez Joséphine* à quinze heures, comme prévu, et remercia encore une fois sa patronne pour le merveilleux gâteau. Elle ne cessait par contre de songer à son client diplômé de Harvard, qu'elle enviait et jalousait. Elle aurait également dû obtenir son diplôme. Elle aurait dû elle aussi porter ce chandail avec fierté.

Ben était très excité et sautait partout dans l'appartement en attendant ses sept amis. La fête fut un succès – le gâteau, encore plus! Quand Ben découvrit le Spiderman, il ne put contenir sa joie. Vivianne ne l'avait jamais vu ainsi. Elle dut se retenir pour ne pas verser une larme de joie en pensant à la sensibilité de Joséphine. Elle en parla à Ben, qui dessina une carte de remerciement pour le lendemain. La carte de couleur bleu pâle présentait un dessin de biscuits aux brisures de chocolat, ainsi que Ben tenant une baguette dans une main et le drapeau français dans l'autre. À l'intérieur, il avait écrit à la main: «Merci Joséphine, de Ben xoxoxoxoxoxoxo.» La boulangère en fut très émue et porta le mot près de son cœur après l'avoir lu. Elle promit à Vivianne de le garder pour toujours, mais celle-ci ne sut pas où elle le cacha ensuite.

8

Les semaines qui suivirent, Joséphine s'affaira à préparer le menu pour le mariage de Michael Pressman, qui approchait à grands pas. Au grand plaisir de Vivianne, sa patronne lui fit tester plusieurs recettes passibles de se retrouver au menu. Vivianne aimait donner son avis sur les nouvelles recettes et les nouveaux produits pour la boulangerie. C'était plus tranquille *Chez Joséphine* depuis quelque temps et, quand elle lui demanda pourquoi, sa patronne répondit tout bonnement que certaines périodes de l'année appelaient les gens à moins sortir, soit à cause de la température ou parce qu'ils étaient trop occupés au travail. Comme il avait plu durant tout le mois de mars, les gens, surtout au travail, avaient préféré se faire livrer leur déjeuner plutôt que de sortir.

À la suite de cette conversation, Vivianne eut une idée et, quelques jours plus tard, elle trouva le courage de la partager avec Joséphine.

« Madame Joséphine, je pensais à quelque chose.

— Hmm… fit Joséphine en continuant de pétrir la pâte, mais Vivianne savait qu'elle avait son attention.

— Que diriez-vous si, après avoir préparé les sandwichs, je partais en matinée pour les vendre dans les immeubles autour d'ici ? Une sorte de livraison de sandwichs ? » Elle avait maintenant toute l'attention de Joséphine, qui venait de laisser tomber la pâte.

« Jamais de la vie ! J'ai besoin de toi ici !

— Je sais, mais je ne serais partie que pour une heure. On pourrait essayer et, si ça ne marche pas, eh bien, on laissera tomber, c'est tout. Mais, qui sait, on pourrait gagner des nouveaux clients ?

— On ? » dit Joséphine en la regardant droit dans les yeux. Vivianne sentit une chaleur lui monter dans le cou et recula d'un pas.

« Vous. Je voulais dire *vous*. Je me dis que, si les gens ne viennent pas à vous, vous pourriez aller à eux ?

— C'est la pire idée que j'aie jamais entendue de ma vie. » Il y eut une longue pause.

« Hmm. C'est ce que je pensais aussi… Ça valait quand même la peine de vous en parler. »

Joséphine avait déjà recommencé à pétrir. La conversation était donc terminée. Vivianne resta immobile quelques secondes, puis décida de ne pas insister. Mais en arrivant à la maison ce soir-là, elle fulminait : « C'est une super bonne idée ! Je ne peux pas croire cette salope ! » Ben, assis non loin, demanda naïvement :

« C'est quoi, une salope, tante Vivianne ?

— Oh ! Merde, Ben, ne dis pas ça !

— Merde ?

— Ben, s'il te plaît, ne dis pas ces mauvais mots.

— Mais pourquoi tu les dis ?

— Je ne devrais pas. Je ne le ferai plus. Dès maintenant, plus de mauvais mots dans la maison, d'accord ?

— Est-ce que *mauvais* est un mauvais mot ? »

Vivianne tapota ses lèvres avec son doigt quelques secondes pour réfléchir.

« Hum… Bonne question. Qu'en penses-tu ?

— Je pense qu'il est… mauvais ! » dit-il en riant.

Ils firent une « promesse p'tit doigt » de ne jamais plus utiliser de mauvais mots, excepté le mot *mauvais*, qui, lui, était acceptable. Puis Vivianne s'emporta au sujet de Joséphine :

« Elle peut être tellement arrogante parfois. Exactement à la hauteur du portrait que je me faisais des Français. Je me fends le c... » Elle regarda Ben : « ...popotin pour elle depuis un an, et elle est si cinglante ! Pourtant, elle peut être si agréable parfois. »

Puis, elle imita l'accent de Joséphine : « Tu sais, Ben, tu dois manger du bon pain français parce que c'est le meilleur au monde ! »

Ben pouffait de rire chaque fois qu'elle sortait cet accent français, et Vivianne adorait l'entendre rire de bon cœur. Elle raffolait d'entendre le rire de n'importe quel enfant. Un rire franc et inattendu, qu'elle regrettait que les adultes perdent au fil des ans.

Ils trinquèrent avec leurs verres de lait. Ben grandissait et vieillissait beaucoup plus vite que Vivianne s'y serait attendue. Il mangeait bien et pleurait rarement le soir. Suzie n'était plus depuis presque vingt mois, et Vivianne sentait que la vie leur donnait enfin une chance. Elle prenait plaisir à ce renouveau.

Elle avait lu quelque part que d'instaurer routine et discipline dans la vie d'un enfant était de mise, et tâcherait de le faire de son mieux. Ben s'exprimait davantage, et beaucoup mieux. Il parlait tout le temps de son fameux gâteau d'anniversaire et s'en étonnait toujours : c'était le *meilleur au monde* ! Il avait surtout apprécié le fait que ses amis l'avaient jalousé et en parlaient encore ! Vivianne et lui échangeaient sur ses copains et ce qu'ils faisaient avec leurs parents les fins de semaine ou pendant leurs vacances, ainsi que sur les activités pratiquées avec leurs grands-parents. Elle savait fort bien qu'elle ne pouvait être mère, père, tante, oncle et grand-mère de Ben à la fois, mais se rassurait en pensant que Ben apprécierait un jour les sacrifices qu'elle avait faits pour lui. Du moins, elle l'espérait. Suzie s'était tant dévouée pour elle. Elle voulait en faire autant pour son fils.

Le temps viendrait où elle rencontrerait un homme et se marierait, aurait des enfants, et peut-être Ben se sentirait-il alors moins seul à la maison. Mais, pour l'instant, elle s'activait à la boulangerie et se devait de trouver un autre travail, même si c'était de plus en plus difficile avec déjà un an de passé en dehors du réseau juridique. Chercher du travail était en fait un emploi à temps plein et, chaque fois qu'elle répondait à une offre d'emploi – ce qui ne lui arrivait pas toutes les semaines ! –, on lui répétait la même chose : que le poste avait déjà été comblé, ou qu'elle était trop qualifiée pour les besoins de l'entreprise.

En se rendant à la chambre de Ben comme elle le faisait tous les soirs avant de se coucher, elle le surprit à parler tout haut. Elle recula d'un pas, puis se pencha pour écouter la conversation.

« … J'aimerais devenir un joueur de soccer quand je serai plus grand. Qu'est-ce que tu en penses ? »

Intriguée, Vivianne regarda discrètement dans la pièce. « C'est une bonne idée, je suis d'accord », l'entendit-elle encore dire, en imitant une voix de femme, comme s'il lui faisait la conversation.

Elle entra dans la chambre. « À qui parles-tu, trésor ? »

Surpris, Ben laissa tomber sa tête sur l'oreiller en un temps record. « Personne. Bonne nuit. »

Elle s'assit sur le lit à ses côtés.

« Je ne suis pas fâchée, je suis simplement curieuse de savoir avec qui tu parlais », lui dit-elle calmement pour le rassurer. Il se rassit et prit son temps avant de répondre : « À Maman. »

Le visage de Vivianne se crispa. Aucun livre n'expliquait comment régler ce type de problème, et elle dut penser à quelque chose d'intelligent à dire, et vite. Il la fixait dans l'attente d'une réponse ou d'une réaction quelconque, mais tout ce qui sortit de la bouche de Vivianne fut un « Oh… » très bas. Il brisa le silence quelques secondes plus tard.

« Elle dit que je ferais un excellent joueur de soccer plus tard. » Vivianne s'entendit ravaler sa salive en tentant de garder la face. « Vraiment ? fut tout ce qu'elle trouva à dire.

— Et tu sais quoi d'autre ? »

Vivianne secoua la tête.

« Elle est très heureuse que tu prennes soin de moi. Et je suis très content aussi… parce que je t'aime beaucoup. »

Vivianne dut s'éclaircir la gorge avant de parler tant elle était émue. Bien qu'elle appréciât le compliment, n'importe quelle marque d'affection était encore inhabituelle pour elle. Les adultes sous-estiment malheureusement la capacité des enfants à comprendre ou à apprécier une situation. Ben saisissait ce qui se passait dans sa vie depuis dix-neuf mois et était reconnaissant à sa tante de ce qu'elle avait fait pour lui, malgré ses plaintes de ne *jamais* avoir ce qu'il voulait parce que Vivianne ne pouvait *jamais* rien lui acheter. « Je t'aime aussi, répondit-elle.

— Maman dit que nous pouvons la visiter quand nous voulons. »

Vivianne sourit. *Qu'il est mignon !*

« Quand pourrions-nous aller la voir ? » demanda Ben innocemment.

Pas si mignon.

Elle se sentit coincée de nouveau, ne sachant que lui répondre, mais, cette fois, pensa rapidement. « Eh bien, tu peux la visiter ce soir si tu veux. Dans tes rêves.

— Mais je veux la voir *pour de vrai*. Pas dans mes rêves !

— Ne lui parlais-tu pas pour de vrai il y a quelques minutes ?

— Oui, répondit Ben, les yeux dans l'eau.

— C'est quoi, la différence ? Elle est ici avec toi. Dans ton cœur.

— Dans ton cœur aussi ? demanda-t-il de sa voix douce.

— Dans mon cœur aussi. »

Ben réfléchit, puis lui demanda de rester jusqu'à ce qu'il s'endorme. Elle n'avait pas d'examen, pas de cours, rien de stressant le lendemain. Elle accepta avec joie et s'étendit près de lui, les yeux brumeux à l'idée de visiter sa sœur. La main de Vivianne caressant ses cheveux redonna assez de réconfort à Ben pour qu'il puisse s'endormir en quelques minutes. Elle ne tarda pas à s'endormir également. Elle était sereine et plus en sécurité elle aussi.

Lorsqu'elle arriva à la boulangerie le lendemain matin, Joséphine lui remit un panier à anse. Vivianne la dévisagea, perplexe. « Tu livreras des sandwichs après les avoir préparés. Tu pourrais commencer dans les immeubles du coin. » Joséphine remarqua le sourire de Vivianne. « Ça ne veut pas dire que je trouve l'idée géniale ! Et ne traîne pas avec l'excuse de vouloir tout vendre. J'ai besoin de toi au plus tard à 11 h 30.

— Oh ! Arrêtez de vous plaindre ! Ça m'épuise vraiment. »

Vivianne prit conscience de ce qu'elle venait de dire et se demanda si la main de Joséphine frapperait sa joue gauche ou la droite. Mais celle-ci se retourna et lui répondit : « Désolée, et merci de bien vouloir revenir pour 11 h 30 s'il te plaît, car j'aurai besoin de toi. » Puis elle disparut à la cuisine, laissant Vivianne stupéfaite au milieu de la boulangerie déserte.

Vivianne était prête à partir dès 10 h 30 avec un panier rempli de sandwichs au bras. En tournant le coin vers l'immeuble le plus près, elle fit rejouer sa conversation du matin dans sa tête et pensa que peut-être un jour elle finirait par comprendre l'attitude souvent désagréable de sa patronne.

Le timbre de l'ascenseur sonna au quatrième étage des bureaux de *Lacasse, Julien et Associés,* que Vivianne connaissait déjà pour y avoir passé une entrevue. Elle en sortit et suivit le tapis jusqu'à la réception pour y être accueillie par une employée d'une bonne humeur contagieuse qui lui accorda de visiter les bureaux. Elle se rendit au bureau de Jérémie, un client qu'elle avait vu à plusieurs reprises à la boulangerie. « Bonjour, Vivianne, l'accueillit-il avec un grand sourire.

— Bonjour, Jérémie! J'ignorais que tu étais avocat!

— Est-ce bon ou mauvais? lança-t-il à la blague.

— Pas mauvais, en tout cas! »

Elle lui présenta le panier: « Est-ce que quelque chose te tente?

— Quelle bonne idée! J'ignorais que *Chez Joséphine* livrait!

— Je savais que tu n'avais pas le temps de venir, alors je me suis portée volontaire », répliqua-t-elle en ricanant comme une enfant. Mais elle se mordit la lèvre en se demandant si elle n'avait pas dépassé les bornes. Jérémie le remarqua et en fut amusé.

« Je suis privilégié! ajouta-t-il. Eh bien, j'en prendrais un au jambon et fromage, s'il te plaît. »

Vivianne lui remit le sandwich, prit l'argent – avec pourboire! – et quitta l'endroit, les joues brûlantes. Elle aimait voir Jérémie à la boulangerie. Il restait toujours poli et aimable, et très attrayant, bien qu'un peu maigre. Elle rêvassait, s'imaginant le remplumer à coups de croissants et de brownies si elle en venait à sortir avec lui! Elle soupçonnait Jérémie d'être célibataire. Il ne portait pas d'alliance et n'agissait pas comme un homme dans une relation sérieuse et engagé.

Il avait été impossible pour Vivianne de rencontrer quelqu'un dans la dernière année et demie. Tout d'abord, les hommes changeaient vite d'idée quand elle mentionnait « son » garçon de sept ans et, deuxièmement, trouver une gardienne n'était pas si simple, car elle ne faisait confiance à personne, sans compter son manque d'argent. Mme White lui avait offert à plusieurs reprises de garder Ben, mais Vivianne était trop gênée pour accepter, ou le lui demander. Elle préférait réserver cette option pour les cas d'urgence.

Sa situation financière s'améliorait tranquillement, mais elle ne pouvait pas s'offrir de passer une soirée sans Ben. Son temps viendrait, mais, pour l'instant, la seule façon de ne pas perdre le peu de contrôle qu'elle avait enfin sur son budget était de restreindre ses sorties. Elle louait parfois des films ou commandait de la pizza, mais sans plus.

L'idée de faire de la livraison s'était avérée excellente, et Vivianne avait hâte de retourner au « bureau » pour tout raconter à Joséphine. Mais sa joie s'éteignit dès qu'elle mit le pied dans le bureau de Jennifer Tremblay. La jeune avocate d'une trentaine d'années ne prêta pas attention à Vivianne en payant pour son sandwich au fromage de chèvre et tomates séchées. Vivianne tenta de ne pas s'en faire, sachant fort bien que certains avocats supportent en tout temps une lourde pression sur leurs épaules. Il ne fallait donc pas s'étonner s'ils s'épargnaient une conversation avec un simple livreur. Jamais elle n'agirait de la sorte avec ceux qui passeraient dans son bureau si un jour elle se trouvait elle aussi assise sur une grosse chaise en cuir derrière un énorme bureau d'ébène. Elle avait toujours été gentille avec les gens autour d'elle, quel que soit leur rang social, mais se demanda si Harvard aurait pu la transformer à un tel point qu'elle en aurait oublié ses bonnes manières. Elle se promit de ne jamais être bête avec qui que ce soit lorsqu'elle décrocherait l'emploi de ses rêves dans un *vrai* bureau.

À son retour, elle pensa à ce que sa vie aurait été si elle n'avait pas lâché l'école, et quel gros bureau d'avocats elle aurait défendu si elle avait obtenu son diplôme comme prévu. Elle travaillait hors du milieu depuis quelque temps déjà, et il lui fallait agir rapidement pour ne pas en être exclue à tout jamais.

Il lui serait plus facile de distribuer des curriculum vitæ en faisant la livraison, puisqu'elle en profiterait pour les remettre à des gens qu'elle connaissait déjà. C'était beaucoup mieux que d'appeler des étrangers pour demander de parler aux ressources humaines. Les gens l'appréciaient et, comme les clients chez qui elle livrait la connaissaient, pour la plupart du moins, elle aurait l'avantage du terrain et s'en servirait. Travailler à la boulangerie pour le reste de ses jours était hors de question, que sa relation avec Joséphine se soit améliorée ou non.

Joséphine sortait les brownies du four lorsque la petite cloche annonça l'arrivée d'un client. Elle regarda l'horloge : 11 h 16. *Déjà l'heure du rush ?* « Mon Dieu ! » Elle laissa tomber la tôle sur le comptoir et sortit de la cuisine à la hâte.

Dès qu'elle entra dans la pièce, elle remarqua le panier vide au bras de Vivianne. « Qu'est-il arrivé ? demanda-t-elle, inquiète.

— Tout parti ! »

Joséphine la prit dans ses bras, visiblement énervée.

« Bon Dieu ! Tu t'es fait voler ?

— Mais non, *bon Dieu* ! J'ai tout vendu ! »

La Française se plaça les mains sur les hanches, sceptique.

« Tu rigoles ou quoi ? »

Vivianne secoua la tête et remit l'argent à Joséphine.

« Il y a même cinq dollars de pourboire ! » dit-elle, un sourire triomphant accroché aux lèvres.

Mais, avant que Joséphine ne puisse réagir, la petite cloche retentit. L'heure de pointe. Vivianne se plaça derrière le comptoir pour servir les premiers clients avant même que Joséphine n'ait eu le temps de cligner des yeux. « Je suis vraiment content que vous ayez pensé à préparer les sandwichs à l'avance, dit un client en payant pour son jambon-beurre. Je peux maintenant profiter de mon heure de dîner au complet au lieu d'attendre en ligne !

— C'était notre objectif: plaire aux clients! Bonne journée!» lança Vivianne en lui remettant sa monnaie.

Marc entra à ce moment, et l'attitude de Vivianne changea radicalement lorsqu'elle l'aperçut. Elle se replaça discrètement une mèche de cheveux. «Bonjour, Marc, dit-elle, un peu nerveuse.

— Bonjour, Vivianne.

— Ton jambon-fromage extra tomates est prêt!

— Ah! T'es super, euh, je veux dire, c'est super! ajouta-t-il, gêné. Merci.»

Ils échangèrent un sourire pendant qu'elle lui rendait sa monnaie. Le bureau de Marc était à deux coins de rue. Il venait d'avoir trente ans et dégageait une odeur agréable que Vivianne reconnaissait avant même de l'apercevoir. Elle se doutait qu'il avait un petit béguin pour elle, car il lui faisait des compliments, mais sans jamais trop s'avancer, ce qui lui laissait croire qu'il entretenait probablement déjà une relation, ou qu'il n'était qu'un de ces hommes qui aimait séduire les femmes. Malgré tout, elle savourait leurs petits échanges de sourires quotidiens qui égayaient ses journées.

À la fin de l'après-midi, elle accrocha son tablier sur la patère pendant que Joséphine pétrissait la pâte du lendemain.

«Bonne soirée, madame Joséphine, dit-elle sans s'attendre à une réponse.

— Tu oublies ton argent, lui répondit la dame sans arrêter de pétrir.

— Quel argent?

— Le cinq dollars des livraisons.»

Vivianne plissa les yeux le temps d'une réflexion rapide, avant de comprendre que celle-ci faisait allusion au pourboire.

«En fait, nous devrions le partager.»

Joséphine s'arrêta et se retourna vers son employée.

«Non, *tu* as fait les livraisons.

— Mais *vous* avez aidé à préparer les sandwichs. C'est un travail d'équipe», répliqua Vivianne.

Le cœur de Joséphine fit trois tours. Vivianne était fondamentalement une bonne personne et sa patronne en fut grandement touchée. Ce n'était pas une question d'argent, mais d'amitié. Vivianne empoigna un pot de verre vide et y laissa tomber l'argent: «On mettra tous les pourboires ici et, quand on en aura suffisamment, on se paiera une traite! Bonsoir, madame Joséphine.»

Mais, avant que Vivianne ne parte, la Française se retourna pour la fixer dans les yeux.

«Nous avons vendu trente-cinq sandwichs de plus qu'à l'habitude aujourd'hui.»

Vivianne l'observa. Elle le savait déjà, mais joua l'innocente en se contentant de lever un sourcil. «Ah oui?» Joséphine lut entre les lignes et saisit que le calcul avait déjà été fait.

«À demain», ajouta Vivianne avant de sortir.

Lorsque la petite cloche retentit, annonçant le départ de Vivianne, Joséphine sortit une photo de la pochette avant de son tablier. C'était un portrait d'époque d'un jeune couple dans la vingtaine. La femme tenait un bébé de deux mois dans les bras, un grand sourire au visage. Elle prit la photo et la porta à son cœur pour quelques instants avant de la remettre à sa place.

Alors qu'elle rentrait à la maison, un petit vent froid obligea Vivianne à refermer sa veste. Habituellement, le froid ne se manifestait jamais ainsi en plein milieu de mai, surtout pas après l'apparition des premiers bourgeons dans les arbres.

Autant pour le réchauffement de la planète…

À son réveil le lendemain matin, Vivianne fixa la pile de curriculum vitæ sur le coin de la table de cuisine en se disant qu'elle avait enfin sa chance. Grâce aux livraisons, elle se trouverait un véritable emploi.

C'était un vendredi matin comme les autres, même si Joséphine était tendue depuis quelques jours à cause du mariage de Michael Pressman. L'événement aurait lieu le lendemain en après-midi – enfin, après onze mois! –, mais, derrière le silence de Joséphine, Vivianne la sentait stressée. Il restait encore beaucoup à faire : les feuilletés devaient être fourrés avec de la mousse au crabe, la terrine de foie gras étendue sur de petites baguettes grillées, les quiches lorraines cuites et, le plus important, le gâteau de mariage décoré. Il était entendu que Vivianne ne serait partie que pour une période de quarante-cinq minutes, de 10 h 30 à 11 h 15, puisque Joséphine la voulait seule à l'avant durant le *rush* pour lui permettre d'achever les préparatifs du lendemain. À 10 h 36, Vivianne empoigna le panier ainsi qu'une pile de curriculum vitæ et partit pour sa ronde.

Quelques offres d'emploi étaient affichées dans plusieurs compagnies et firmes d'avocats et son plan était d'y remettre une enveloppe au département des ressources humaines, ou encore en mains propres à ceux qui lui avaient fait part d'un manque de personnel.

Dès son entrée dans un édifice qui se situait à quelques rues de la boulangerie, un sentiment de bien-être s'empara d'elle. Un bon pressentiment la guidait quant à son avenir au sein d'une firme d'avocats. L'édifice Empress regroupait quelques bureaux d'avocats et de comptables, et elle les visita un à un pour vendre ses sandwichs. Après avoir remis la monnaie à un client, elle lui tendait également une enveloppe contenant son curriculum vitæ. Ils répétaient tous sensiblement la même chose : lorsqu'un poste se libérerait, ils entreraient en contact avec elle. Elle connaissait le refrain et ne s'attendait pas à beaucoup plus, même si d'avoir mis un pied dans la porte était un bon début.

Mais, aujourd'hui, son excitation à l'idée de revoir l'avocate Jennifer Tremblay était palpable, puisque celle-ci se cherchait désespérément une adjointe. Ce n'était pas la femme la plus sympathique du monde, mais elle pouvait lui permettre de quitter la boulangerie. Vivianne travaillerait enfin dans un bureau d'avocats. Son rêve suprême. En entrant dans le bureau, elle tendit à Jennifer son habituel sandwich au fromage de chèvre et tomates séchées et prit son argent. La conversation resta polie jusqu'au moment où Vivianne remit l'enveloppe à l'avocate. « Qu'est-ce que c'est ? demanda Jennifer d'un ton sec.

— Mon curriculum vitæ. Je sais que vous cherchez une assistante. »

Jennifer la dévisagea si sévèrement que Vivianne sut d'emblée qu'elle venait de commettre un faux pas. « Vivianne, c'est ton nom, n'est-ce pas ? demanda Jennifer d'une façon si arrogante que Vivianne voulut s'enfoncer dans le plancher. Je suis désolée, mais ceci est un bureau très *sérieux*. On fait des affaires *importantes*. Ça n'a rien à voir avec livrer des sandwichs. Si tu veux me garder comme cliente, ne refais plus *jamais* ça. » La petite pause que prit Jennifer pour appuyer son propos sembla interminable. « Maintenant, retourne à tes *brownies*. Je suis *très* occupée. »

Et je pensais que Joséphine était chiante.

Vivianne prit le peu d'estime qu'il lui restait pour s'éclipser en silence et, quand elle entra dans l'ascenseur et sentit les larmes lui chauffer les yeux, elle espéra ne pas croiser un visage familier. En sortant, elle se contenta d'un signe de la main à l'égard de Francis, le garde de sécurité avec qui elle aimait habituellement discuter, et courut à l'extérieur pour éclater en sanglots.

Sa crise de larmes l'amena à un parc où elle s'assit sur un banc pour pleurer pendant des heures. Elle ne se leva qu'après avoir pleuré toutes les larmes de son corps. Elle repensa à Suzie, à sa mère et à tout ce qui s'était passé au cours des deux dernières années. Plus elle se remémorait tous les moments marquants de sa vie, plus elle recommençait à pleurer, incapable de justifier ses larmes.

Joséphine entendit la petite cloche et regarda l'heure: 11 h 45. Enfin Vivianne revenait de sa ronde. De toutes les journées, pourquoi fallait-elle qu'elle tarde celle-ci? Contrairement à son habitude, Vivianne ne se présenta pas à la porte de la cuisine, c'est pourquoi Joséphine se leva pour aller voir à l'avant en entendant la cloche retentir de nouveau. Deux clients attendaient déjà en ligne, mais aucun signe de Vivianne à l'horizon. Elle grogna en se plaçant derrière le comptoir pour servir le premier venu. Elle ne se souvint pas d'avoir travaillé aussi fort que durant l'heure qui suivit et dut prendre quelques secondes pour tout simplement… respirer.

Quand Vivianne arriva à 14 h 45, Joséphine se leva pour l'engueuler: «Mais où étais-tu passée, bordel?» Son employée la regarda sans dire un mot, panier en main. Joséphine était si fâchée qu'elle ne remarqua pas les yeux boursouflés de la jeune femme. «J'ai dû couvrir l'heure de pointe toute seule, te rends-tu compte?» Vivianne la fixait toujours, muette.

«Réalises-tu à quel point je suis en retard par ta faute? Je ne sais vraiment pas ce que je vais faire avec toi.»

Sans penser, Vivianne s'écria: «Vous n'avez rien à faire. Je démissionne! Je n'en peux plus de vous et de votre attitude! Au diable cette maudite boulangerie! Je ne suis pas une *putain de boulangère*!»

Sur ce, elle lança le panier au plancher et sortit en courant, laissant Joséphine estomaquée en plein milieu du magasin.

Les larmes recommencèrent à inonder son visage alors qu'elle se dirigeait vers la maison. Elle prit Ben au passage, et celui-ci remarqua dès qu'il la vit arriver qu'elle n'allait pas bien. Il n'était pas seul, Mᵐᵉ Marlène l'avait également constaté et offrit son aide. Les deux femmes avaient développé une belle complicité au cours des derniers mois, et la professeure de cinquante ans était la seule à savoir que Ben était le neveu de Vivianne et non son fils biologique.

Vivianne ne s'était jamais étendue sur cette histoire avec personne d'autre. Elle trouvait plus facile de dire que c'était son garçon, parce que les gens lui posaient alors moins de questions auxquelles elle n'aurait pas voulu répondre. Le temps était passé et son malaise quant à sa différence d'âge avec Ben s'était estompé. Après tout, elle n'aurait pas été la première femme, ni la dernière, à avoir eu un enfant à seize ans.

Le silence régna au souper et, juste avant le dessert, Ben craqua sans raison.

« Qu'est-ce qui se passe, mon trésor ?

— Es-tu fâchée contre moi ?

— Non ! Pourquoi penses-tu cela ?

— Parce que tu ne m'as pas dit un mot depuis l'école, et je pense que c'est parce que je me suis chicané avec Raphaël.

— Mais non ! Si j'étais fâchée contre toi, je te le dirais, voyons ! Comme tu me parles quand quelque chose ne va pas de ton côté, n'est-ce pas ? »

Ben acquiesça d'un signe de tête tout en essuyant ses larmes. « Alors pourquoi n'es-tu pas de bonne humeur, tante Vivianne ?

— J'ai eu une mauvaise journée au travail, c'est tout. Ça arrive, ne t'en fais pas.

— Joséphine n'a pas été gentille avec toi ?

— Non, mon trésor ; s'il y a une chose dont je suis sûre, c'est que Joséphine est la seule personne gentille avec moi en ce moment, avec toi mon petit. »

À ces mots, l'idée de savoir Joséphine seule dans la boulangerie la fit soudainement paniquer et elle faillit perdre connaissance. Elle travaillait pour la Française depuis un an et, sans qu'elles soient meilleures amies, Joséphine avait fait preuve de gentillesse à l'égard de Vivianne, et leur relation s'était améliorée. Mais l'image de la boulangère assise seule dans sa cuisine, fourrant des feuilletés de mousse au crabe, fendit le cœur de Vivianne. Ce n'était pas son genre de laisser tomber quelqu'un, et elle se devait de retourner aider sa patronne – plutôt son ancienne patronne – à terminer la préparation des hors-d'œuvre. Elle prit le téléphone et appela Mme White pour lui demander de garder Ben. Celle-ci était tellement contente de pouvoir enfin rendre service à sa jeune voisine qu'elle cogna à la porte avant même que Vivianne n'eût raccroché le récepteur.

Quand Vivianne entra dans la boulangerie peu après dix-neuf heures, Joséphine n'avait toujours pas terminé de fourrer les feuilletés. « Putain de merde, je ne finirai jamais à temps ! » Vivianne, qui se tenait derrière elle, intervint : « Vous devriez surveiller votre langage. »

Les épaules de la vieille dame se haussèrent, mais elle ne dit rien. Elle continuait à fourrer les feuilletés. « Que penses-tu ? Tu m'as laissé tomber comme les vidanges. » L'expression était mal employée, comme souvent par Joséphine. Mais cela faisait partie de son charme et Vivianne ne put s'empêcher de sourire.

« Je sais, et je m'en excuse. » Elle tira une chaise à côté de Joséphine. « Je sais que j'ai perdu mon emploi de toute façon, mais je ne peux pas vous laisser tomber. Je vous aiderai toute la nuit s'il le faut, mais on terminera à temps pour demain. »

Joséphine se tourna vers Vivianne, qui cherchait son pardon du regard. La Française se contenta d'un signe de tête, puis lui tendit la douille pour qu'elle prenne la relève, lui donnant le privilège de créer le gâteau. Joséphine ajouta : « Tu ne peux pas partir ! J'ai besoin de toi ! »

Un long silence plana au-dessus de leurs têtes…

« Au moins jusqu'à ce que je trouve quelqu'un d'autre. »

Mais un petit clin d'œil adressé à Vivianne lui prouva que sa place restait au sein de *Chez Joséphine*.

Elles discutèrent toute la nuit, et Vivianne en apprit un peu plus sur le passé de Joséphine. Elle avait émigré seule de la France à l'âge de vingt-sept ans. Joséphine raconta qu'elle avait déjà été mariée, mais resta vague sur le pourquoi de son célibat actuel. Vivianne ne parla pas de la tragédie qui avait emporté sa sœur et de tout ce qui en avait découlé, mais mentionna qu'elle avait eu une enfance difficile, sans parents, et qu'elle était reconnaissante à sa sœur Suzie pour tout ce qu'elle avait fait pour elle. Elle parla de ses années à Harvard, mais resta évasive sur le réel motif de son départ après seulement deux ans. Joséphine manquait peut-être d'instruction, mais elle sut lire entre les lignes. «Que veux-tu dire par "J'ai *dû* lâcher l'école?" demanda-t-elle en plissant les yeux.

— Ma vie a pris une tournure que je n'avais pas prévue, répondit simplement Vivianne.

— Comment ça?

— Je voulais habiter au paradis!» blagua Vivianne afin de clore la discussion.

Le soleil apparaissait à l'horizon lorsque les deux femmes se levèrent pour s'étirer. Elles avaient terminé tous les hors-d'œuvre, et il ne restait que les touches finales sur le gâteau, déjà monté et couvert de crème. La décoration en serait terminée directement chez les Pressman pour éviter de mauvaises surprises lors du transport. «J'ai peine à croire que nous ayons terminé à temps! dit Joséphine avant d'ajouter: Merci.

— C'est la moindre des choses après vous avoir insultée comme je l'ai fait hier.

— Tu as travaillé fort ces derniers mois. Le métier de boulanger est très exigeant.

— Je n'aurais jamais pensé. Et j'ai négligé Ben ces dernières semaines. La vie passe si vite, c'est incroyable... J'essaie encore de m'ajuster et il trouve ça difficile par moments.»

Joséphine sympathisait. «Je comprends, il ne te voit pas beaucoup… Il s'ennuie de sa maman, dit-elle sans s'attendre à une réponse.

— Je m'ennuie d'elle aussi», répondit Vivianne, piquant ainsi la curiosité de Joséphine. Et puis, pour une raison inexplicable, sauf peut-être par la fatigue, Vivianne déballa sa vie personnelle : sa mère, son père meurtrier, la maison d'accueil, Suzie, Billy et l'accident d'auto. Elle parla même de David. Son père pourrissait en prison, elle ne l'avait jamais revu et ne savait même pas s'il était encore en vie. Elle parla de Mme Jackie, et puis de la rencontre de Billy et d'Angela, et de comment cette femme avait été extraordinaire avec elles jusqu'à sa mort il y a quelques années. Puis vint la naissance de Ben, puis ses notes exceptionnelles à Harvard et, enfin, la tragédie fatale.

Joséphine buvait les paroles de Vivianne sans dire un mot, incrédule. Lorsqu'elle termina son histoire et leva les yeux vers sa patronne, elle vit les fontaines de larmes qui lui coulaient le long des joues. Elles se contemplèrent sans dire un mot pendant au moins cinq minutes. Puis, Joséphine brisa enfin le silence : «Je n'en reviens pas de voir comment tu es brave, dit-elle, encore sous le choc des révélations.

— D'avoir choisi Ben?

— Non, pour tout. Moi, je n'aurais jamais survécu à tout cela.

— Ma mère disait souvent que tout arrive pour une raison dans la vie ; même si au début ça semble négatif, le positif ressort toujours après.

— Qu'y a-t-il de positif dans ce que tu viens de me raconter?

— Eh bien, hésita Vivianne, je vous ai rencontrée!»

Joséphine sourit et elles échangèrent un long et profond regard. À ce moment, le visage rond et sympathique de la Française rappela à son employée celui d'un ange, et une sensation de bien-être envahit son corps. Les yeux bleu foncé en forme d'amandes et le nez très fin de la sexagénaire appelaient à la bonté. Son honnête sourire aux dents parfaitement alignées venait de toucher Vivianne comme une brise au printemps. C'est peut-être *ça* que les gens voyaient en Joséphine et que Vivianne remarquait pour la première fois, et c'est sûrement *pour ça* que ses clients l'adoraient malgré son tempérament.

Un coup franc retentit sur la porte et sortit Vivianne de sa rêverie. «J'y vais», dit-elle à Joséphine en se levant pendant que la dame se rendait à la cuisine pour fermer les dernières boîtes.

Vivianne ouvrit la porte à un homme tout droit sorti d'un magazine de mode. Ce beau trentenaire aux cheveux brun foncé et aux yeux verts lui sourit à pleines dents. Il semblait si parfait que Vivianne jeta un coup d'œil dans la rue pour y trouver le cheval blanc. «Je peux vous aider? demanda-t-elle en se replaçant une mèche de cheveux derrière l'oreille.

— Vous êtes nouvelle? répondit l'homme d'une voix douce.

— Je travaille ici depuis plus d'un an. On ne peut pas dire que je suis nouvelle… surtout ici. Survivre au tempérament de Joséphine Leblanc est un accomplissement en soi», lança-t-elle à la blague. L'homme connaissait sûrement Joséphine, car il éclata de rire.

«Plutôt l'accomplissement d'une vie!»

Ils se comprirent et Vivianne répliqua en premier:

«Je suis désolée, monsieur, mais nous sommes fermés.

— Je sais», répondit-il, avec un sourire nerveux.

La confusion sur le visage de Vivianne amusa Jim Pressman. Joséphine arriva en trombe. «Ah! Jimmy!» s'écriat-elle derrière Vivianne. Elle poussa Vivianne pour embrasser son Pressman favori.

« Comment vas-tu ?

— Bonjour, Joséphine. Je vais très bien. » Il avait un mignon petit accent presque britannique.

« Quand es-tu revenu ?

— Il y a quelques jours. »

OK. C'est assez. Tu es Jimmy Pressman ? Mon Dieu. Voilà une autre chose que Joséphine et moi avons en commun… le goût pour les hommes !

Vivianne les fixait sans dire un mot.

« Ça fait trop longtemps ! Je devrais être fâchée !

— Je sais, mais, la dernière fois que je suis venu, je ne suis resté que trente-six heures ! Tu aurais dû me dire que tu avais une nouvelle employée… dit-il en faisant un signe approbateur de la tête. Je suis encore plus désolé de ne pas être passé. » Joséphine lui tapota gentiment le torse, et Vivianne sentit la température lui monter dans les veines.

« Ça ira pour cette fois… Ne me dis pas que c'est ta mère qui t'envoie ?

— Tu la connais…

— Eh bien, retourne chez toi en panique et dis-lui que nous ne sommes pas prêtes. » Joséphine blaguait visiblement. « Je serai chez vous dans une heure. » Jim regarda Vivianne encore une fois avant de repartir, promettant de faire le message à sa mère. La boulangère remarqua le regard de Vivianne fixant Jim qui entrait dans sa voiture.

« Tu es rouge. Tu l'aimes ?

— Ben non, voyons !

— Tu devrais, il est magnifique… et presque aussi intelligent que toi », dit-elle sans hésitation.

Si elle n'avait pas passé la nuit avec Joséphine, Vivianne n'aurait pas su comment interpréter cette réplique. Mais, maintenant, malgré le ton sérieux de sa patronne, elle savait que la dame plaisantait.

Le chauffeur terminait de charger le camion de livraison. Vivianne offrit à Joséphine de l'accompagner à la résidence Pressman pour l'aider à achever les derniers détails. « Tu es debout depuis vingt-quatre heures, tu dois être morte de fatigue ! dit Joséphine.

— Je suis jeune. *Vous* devez être fatiguée !

— Je suis vieille et chialeuse », blagua-t-elle encore une fois, en mêlant joliment accent français et expression québécoise.

Vivianne percevait Joséphine sous un jour nouveau et appréciait la femme qu'elle découvrait. Une main de fer dans un gant de velours. En chemin pour la maison des Pressman, Joséphine demanda à son employée comment était Ben et quand elle le rencontrerait. Il n'avait effectivement jamais traversé l'esprit de Vivianne de présenter Ben à Joséphine, mais elle promit de l'emmener le dimanche suivant si sa patronne était d'accord. Joséphine en était ravie et offrit de préparer à cette occasion des biscuits aux brisures de chocolat.

La voiture de Vivianne arriva dans l'entrée en demi-lune d'une des plus belles maisons qu'elle avait jamais vues. Non seulement les Pressman avaient beaucoup d'argent, mais ils avaient du goût, ce qui n'allait pas toujours de pair chez les gens riches. La maison n'était pas aussi grandiose qu'elle se l'était imaginé, mais son imposant balcon lui rappelait les plantations de coton du sud des États-Unis, avec sa brique rouge et ses colonnes blanches contrastant avec les auvents bleu marine. L'aménagement paysager semblait quant à lui l'œuvre d'un maître jardinier. Quand elle débarqua de la voiture, un valet vint à elle pour prendre ses clés.

Des camions de location de toutes sortes avaient déjà envahi l'entrée, et la maison grouillait de monde qui entrait et sortait avec des boîtes de verres ou de vaisselle. Vivianne regarda autour d'elle et vit des centres de table se déplacer seuls, l'abondance de fleurs en cachant le livreur.

Tout était blanc. Un mariage blanc, classique et élégant, avec une touche de bleu. Elle ne pouvait s'empêcher de tout fixer. *Un mariage blanc*, ne cessait-elle de se répéter. Exactement comme elle en rêvait depuis toujours. Il ne manquait que son cavalier… Même dame Nature était de la partie en cette magnifique journée sans nuages, assez chaude pour plaire aux invités, mais pas assez pour défaire le maquillage de la mariée !

Elle suivit Joséphine à l'arrière où trois hommes finissaient de placer les chaises dans la cour. Elles montèrent l'allée jusqu'à l'autel et entrèrent dans la tente installée temporairement pour l'événement. Joséphine déballa le gâteau et invita Vivianne à l'aider pour les touches finales.

« Oh ! Non ! Madame Joséphine, je ne peux pas.

— Pourquoi pas ?

— Je ne l'ai jamais fait avant.

— Il y a une première fois pour tout, ma fille. »

Joséphine ne l'avait jamais appelée ainsi auparavant, et une sécurité familière coula dans les veines de Vivianne. L'avait-elle nommée de cette façon à cause de ce qu'elle venait d'apprendre ou bien était-ce parce que Joséphine la savait orpheline ?

« Justement ! Je ne veux pas que ma première fois soit sur le gâteau de mariage d'un Pressman !

— Ah ! Putain, je suis ta *boss* ! Prends la douille et mets-toi au boulot ! »

Vivianne n'eut d'autre choix que de prendre l'instrument tendu par Joséphine. Bien qu'elle suivît les indications de sa patronne pour décorer le gâteau de mariage de Michael et Sara, des perles de sueur dégoulinèrent sur son front et dans ses mains, mais, fidèle à son habitude, elle s'en tira merveilleusement. Son visage montra de la satisfaction après qu'elle eut placé les fleurs autour du gâteau. « Très bien ! » s'exclama Joséphine, fière de son employée.

Dans quelques heures, trois cents yeux curieux fixeraient les nouveaux mariés en train de couper leur gâteau, et le photographe officiel prendrait des dizaines de photos de ce chef-d'œuvre sous tous ses angles. Vivianne se gratta la joue, y laissant sans s'en apercevoir une trace de glaçage blanc.

Comme dans une scène de film, Jim choisit ce moment pour arriver, accompagné de sa mère. «Bonjour à vous deux, dit Marcy d'une voix douce, bien que Vivianne y détectât un peu d'appréhension.

— Quel beau gâteau! Joséphine, tu t'es surpassée!»

Le gâteau était effectivement impressionnant. Trois étages couverts de pâte d'amande de couleur coquille d'œuf ornés d'un glaçage blanc et de petites billes de bonbons argentés. Contrairement à ce qu'on voit sur les gâteaux de mariage plus populaires, les traditionnelles figurines en plastique trônant au sommet étaient cette fois remplacées par un bouquet de fleurs naturelles tombant autour du gâteau comme une cascade. Très élégant, et très «Pressman».

«Oh! Vivianne a fait les dernières retouches! corrigea Joséphine.

— Du bon travail, Vivianne! Je te présente mon fils Jimmy, dit-elle, en se retournant vers Jim, qui se tenait juste à côté d'elle.

— Enchanté de te rencontrer à nouveau», enchaîna-t-il si gentiment que les genoux de Vivianne se ramollirent à un tel point qu'elle crut devoir perdre connaissance.

Il se pencha pour lui serrer la main, puis pointa sa joue du doigt pour l'aviser qu'elle avait du crémage près du nez. Vivianne tenta de l'enlever, mais l'étendit plutôt, au grand amusement de Jimmy, pendant que Marcy continuait:

«Vraiment, Vivianne, je suis très impressionnée. Tu as du talent, ma chère…

— … et du glaçage sur la joue!» renchérit Joséphine.

Merde.

Joséphine prit une serviette et enleva doucement le glaçage, comme une mère l'aurait fait pour sa fille.

« Un jour, l'élève surpassera la maîtresse, se permit d'ajouter Marcy.

— Malheureusement pas », répliqua Joséphine.

Vivianne rougit en se tournant vers sa patronne, perplexe.

« Elle est avocate, continua Joséphine, sans penser au malaise de Vivianne.

— Ah oui ?

— Non, j'ai... j'ai fait deux années en droit à l'université, s'empressa-t-elle de spécifier.

— À Harvard, précisa Joséphine en pesant bien le nom.

— Madame Joséphine, s'il vous... »

Mais Marcy l'interrompit : « Mais tu n'y es plus maintenant ?

— Non, mais elle aimerait travailler dans un bureau d'avocats. Demanderais-tu à Ronald s'il pourrait l'aider ? »

Vivianne n'en croyait pas ses oreilles. La conversation avait lieu comme si elle n'y était pas, et elle souhaitait s'enfoncer dans la terre et ne plus jamais revoir ces gens tellement sa gêne la dominait. Son seul désir était de courir le plus loin possible pour ne jamais revenir. Elle avait toujours détesté quémander, et c'est ce que Joséphine faisait pour elle à cet instant, ce qui était encore plus embarrassant. Mais Marcy, avec sa gentillesse habituelle, ajouta poliment : « Bien sûr que je lui en glisserai un mot. » Elle se retourna vers Vivianne : « Mon frère est associé dans une grande firme d'avocats. Il me fera plaisir de lui parler de toi. Qui sait ? »

Au grand bonheur de Vivianne, Michael arriva sur ces entrefaites, brisant l'inconfort planant au-dessus de sa tête, puis Jimmy se retourna vers Vivianne et, avec le plus beau sourire du monde, s'excusa de devoir partir : « Il est temps pour le garçon d'honneur de faire son travail! Au plaisir, Vivianne. »

Mais celle-ci était encore tellement déstabilisée qu'elle sourit à peine, se contentant d'un petit signe de tête.

Marcy partit à son tour quelques secondes plus tard après avoir remercié encore une fois Joséphine et Vivianne pour ce gâteau magnifique et répété que, oh, elle parlerait sans faute à son frère. Joséphine regarda Vivianne d'un air triomphant, mais son expression tomba lorsqu'elle remarqua le visage assombri de son employée. « Ça ne va pas?

— Non, ça ne va pas du tout.

— Qu'y a-t-il?

— Pourquoi avez-vous parlé de mes études?

— Je voulais te rendre service pour aider ta carrière. C'est ce que tu veux, non? Tu n'es pas une *putain de boulangère*, et c'était très clair hier après-midi. Tu me laisseras tomber dès que tu auras une meilleure offre. Je préfère t'aider à te trouver quelque chose de décent. »

Aucune trace d'amertume ni de sarcasme ne releva le ton de Joséphine, plutôt calme et posé. Vivianne prit les devants vers sa voiture sans dire un mot.

Le trajet du retour fut très silencieux pour elles, qui étaient probablement trop fatiguées pour discuter. Elles manquaient d'énergie après vingt-quatre heures sans sommeil et apprécieraient grandement quelques heures de repos.

Vivianne déposa Joséphine chez elle, à un coin de rue de la boulangerie, avant de se diriger vers son appartement. Ce jour-là, *Chez Joséphine* était fermé « pour événement spécial », et Vivianne avait promis à Ben une balade au parc.

Elle combattit la fatigue autant qu'elle le put pendant que Ben profitait de la balançoire, mais, autour de quinze heures, il fut temps pour elle d'aller se coucher. Elle se rappela les nuits blanches passées à étudier pour ses examens à Harvard. Ces moments lui semblaient maintenant si lointains qu'elle ne parvenait plus à comprendre comment elle pouvait rédiger des dizaines de pages en restant toujours concentrée.

La négociation fut difficile, mais elle convainquit Ben de quitter sa balançoire en échange d'une coupe de crème glacée à la vanille ornée de petits bonbons de couleur.

❧

Il était seulement dix heures quand Marcy Pressman fit son entrée à la boulangerie quelques jours plus tard. « Bon matin, madame Pressman.

— S'il te plaît, Vivianne, appelle-moi Marcy ! Je suis venue payer Joséphine, dit-elle en tirant son portefeuille de sa sacoche.

— Ça ne pressait pas, tu sais, dit Joséphine en surgissant de l'arrière. Je sais où tu habites.

— Je suis en route vers l'aéroport. Je t'avais dit qu'Harry et moi partions pour six semaines en Australie ?

— Le mariage s'est bien passé ? demanda Vivianne pour faire la conversation.

— On n'aurait pu demander mieux ! Et la nourriture en valait hors de tout doute le détour ! Merci pour tout. Les invités n'ont cessé de complimenter le gâteau. Jim et moi avons mentionné que c'était toi, Vivianne, qui l'avais décoré. » Marcy était visiblement excitée de le mentionner. « Joséphine, je devrais toucher une commission sur les ventes de tous les nouveaux clients qui viendront ici. Plusieurs d'entre eux ne connaissaient pas la boulangerie.

— La meilleure boulangerie au monde ? s'entendit vanter Vivianne.

— Tout à fait ! répliqua Marcy, un large sourire accroché aux lèvres. Vous devriez faire imprimer des cartes de visite. »

Bonne idée.

Mais Joséphine ignora la suggestion. Marcy lui tendit un chèque. «Je vous ferai envoyer les plateaux avant la fin de la semaine, ajouta-t-elle avant de partir.

— Bon voyage!» lui dirent en cœur Joséphine et Vivianne.

Cette dernière se remit au travail, mais ne pensait qu'à une seule chose : Marcy avait-elle dit à son frère qu'elle cherchait un emploi? Ronald faisait sans aucun doute partie des invités et Marcy était une femme de parole et, puisqu'elle avait dit à Vivianne qu'elle demanderait à son frère... Mais comment le savoir? L'organisation d'une telle journée étant déjà une source de stress, le fait de trouver un emploi à Vivianne McKinnon – *l'assistante boulangère* – ne figurait sans doute pas sur la liste des priorités de Marcy. Dire qu'elle devrait attendre six semaines avant de la questionner à ce sujet...

Ses pensées bifurquèrent vers Jimmy. Le beau Jimmy dans son smoking... Il avait dû faire un très bon – et très beau – garçon d'honneur. Joséphine répétait souvent à Vivianne que les frères Pressman étaient aussi proches que des jumeaux tellement ils s'entendaient bien. Elle lui avait depuis longtemps révélé que Jim fréquentait quelqu'un à Londres, mais elle ignorait toujours si c'était sérieux ou non. Jimmy était-il tombé amoureux d'une belle femme ou plutôt d'une fille intelligente? Il y a deux types d'hommes : ceux qui ne regardent que les bombes, et ceux qui cherchent plutôt la femme intelligente. Vivianne était une très jolie fille, assez grande, pas trop maigre, avec des cheveux brun-roux lui tombant aux épaules et des yeux pers, mais ce qui la différenciait des autres, c'était sûrement son intelligence incomparable et son sens de l'humour. Elle manifestait autant d'intérêt pour la politique que pour la météo, les sports, les cultures de différents pays ou encore l'environnement, et Joséphine adorait pour cette raison discuter avec elle.

Songeant toujours au cadet des Pressman, elle se rappela la phrase de Marcy : « Jim et moi avons mentionné que c'était toi… » À écouter sa mère, Jim avait parlé d'elle toute la soirée. Mais qu'est-ce qu'elle avait voulu dire *exactement* ? Insinuait-elle qu'il la trouvait jolie ? Était-il impressionné d'apprendre qu'elle avait étudié à Harvard ? Y pensant, Vivianne fut frappée de réaliser que toutes les femmes avaient le défaut de faire exactement ce qu'elle faisait en ce moment. Elle se souvenait d'ailleurs d'en avoir discuté avec Billy. Elle avait alors soutenu que les filles se montaient toujours des histoires abracadabrantes à partir du plus anodin des commentaires, qu'elles analysaient systématiquement le moindre détail de ce que pouvaient dire les hommes, se demandant, par exemple, sur quel ton un garçon avait dit : « Je vais t'appeler. » Parce que, selon les filles – et toujours selon les femmes quand elles discutent avec leurs copines –, la façon dont un gars a pu dire quelque chose indique qu'il insinuait peut-être *autre chose*. Billy était fasciné d'entendre les sœurs McKinnon passer trois heures à donner un million de significations à la même phrase. Il répétait toujours : « Nous, les hommes, quand on dit quelque chose, on ne pense pas. Il n'y a jamais de sous-entendus. » Et Vivianne le comprenait très bien. Aucun sous-entendu. Contrairement aux femmes qui, elles, en cherchaient toujours un.

Elle savait que c'était ridicule, mais le faisait quand même parce que – cette fois elle en était sûre – il y avait *vraiment* une ambiguïté ! Quand Marcy avait dit : « Jim et moi », faisait-elle seulement allusion à son fils parce qu'il était présent quand Joséphine avait mentionné que Vivianne l'avait aidée à faire le gâteau, ou bien Jim avait-il *vraiment* parlé d'elle toute la soirée ?

S'il avait parlé d'elle toute la soirée, la trouvait-il de son goût ou bien était-ce par simple politesse ? Et comment Marcy pouvait-elle le savoir ? Avait-il passé *toute* la soirée collé à sa mère ?

Elle doutait qu'un homme comme Jimmy Pressman puisse tomber amoureux d'une fille comme elle. *Dieu sait que je tomberais amoureuse avec un gars comme lui !* se disait-elle pourtant. Mais elle dut mettre ses rêveries en suspens quand la petite cloche annonça l'arrivée en grande pompe de M. Casanova.

« Allooooo, mon petit rayon de soleil ! fit-il. Comment vas-tu ce matin ?

— Très bien, monsieur Casanova, et vous ?

— Ça dépend. Est-ce que la Française malcom... »

Mais avant même qu'il ait pu terminer sa phrase, Joséphine fit une entrée remarquée. Il enleva alors son chapeau pour la saluer adéquatement et s'inclina devant elle comme il l'aurait fait pour la reine d'Angleterre.

« Oui, je suis ici. Tu es encore venu m'emmerder aujourd'hui ?

— Je n'oserais jamais, ma chère dame », dit-il d'une voix à faire vibrer le cœur de Vivianne.

Elle les examina et se questionna sur leurs intentions respectives. Depuis combien de temps se courtisaient-ils de cette étrange façon ? Casanova était veuf depuis plus de vingt ans et n'en avait jamais aimé une autre. Sa fille unique était célibataire à quarante et un ans, et il ne la voyait pas aussi souvent qu'il le désirait. Il se présentait *Chez Joséphine* depuis vingt et un ans, et parce que Joséphine était également seule, et elle se demanda combien de temps après la mort de l'épouse de Casanova leur « romance » avait débuté.

Leur langage corporel était toujours différent lorsqu'ils se trouvaient dans une même pièce. Vivianne savait qu'ils s'appréciaient l'un l'autre, et le fait qu'ils se disputaient immanquablement le confirmait. Quand Casanova entrait dans la boulangerie, Joséphine apparaissait dans les secondes qui suivaient, chaque fois pour lancer une pointe à son vieux client. Joséphine l'attendait probablement tous les matins avec impatience. Vivianne aussi d'ailleurs, mais pas pour les mêmes raisons que sa patronne.

Il paya pour sa chocolatine aux amandes comme chaque matin, mais, cette fois-ci, resta pour discuter avec Vivianne afin d'en connaître un peu plus sur sa vie personnelle. Elle resta vague, mais mentionna Ben et ses années à Harvard avant son déménagement à Éden presque deux ans auparavant. Elle souligna également avoir perdu sa sœur et son beau-frère dans un accident d'automobile, mais avoir tenté de continuer à vivre, même si elle regrettait Suzie tous les jours.

Il acquiesça d'un signe de tête et avoua ne jamais avoir pensé un jour se remettre de la mort de sa femme. Elle avait perdu une douloureuse bataille contre le cancer et sa fille lui avait été d'un soutien incommensurable. Elle était lesbienne et sans enfant, et il déplorait l'idée de ne jamais se faire appeler «papi». Vivianne lui proposa de jouer au grand-père avec son fils qui n'en avait malheureusement pas. Le fait de ne pas avoir de grands-parents manquait beaucoup à Ben, qui en parlait constamment parce que ses amis lui répétaient à quel point les leurs étaient des «machines à gâter». Ils leur achetaient *tout* ce qu'ils voulaient. *Absolument tout.*

Ben racontait souvent que ses amis passaient la fin de semaine chez leurs grands-parents et qu'ils revenaient avec «des tonnes de cadeaux». Parfois, il demandait aussi à Vivianne pourquoi il n'y avait pas de «papa» dans leur vie. Pourquoi Vivianne n'avait-elle pas de copain? Un amoureux pour l'emmener au parc, jouer au soccer ou au baseball, ou tout simplement pour flâner avec lui? C'était un sujet délicat et, chaque fois que Ben en parlait, Vivianne tentait désespérément de passer à autre chose le plus rapidement possible.

Le temps viendrait, se répétait-elle souvent pour s'encourager, où elle aurait non seulement un vrai travail, mais aussi un vrai copain. Un homme qui ne verrait pas un enfant comme un bagage encombrant. Un homme qui prendrait soin d'elle, une épaule sur laquelle pleurer, une personne sur qui compter, mais elle savait sa situation délicate… Elle était dorénavant la mère de Ben, et il serait sous sa responsabilité pour encore bien des années.

En naviguant sur Internet ce soir-là, elle tapa «Antoine Augustin» dans Google. Joséphine l'avait cité si souvent que Vivianne était embêtée de ne pas le connaître.

Le matin suivant était plutôt tranquille à la boulangerie. «Madame Joséphine, je peux vous aider? Je n'ai rien à faire et ça me rend folle.» Joséphine arrêta de pétrir la pâte. «Veux-tu essayer?» lui offrit-elle en pointant la boule. C'était une première. La pâte, pour Joséphine, était aussi précieuse qu'un Jutra pour un acteur de cinéma. «Je ne sais pas, je ne l'ai jamais fait avant. Je ne voudrais surtout pas…

— Viens, je vais te montrer.»

Joséphine l'invita à s'asseoir à sa place pour mieux suivre ses instructions. «Comme le disait toujours Antoine Augustin, débuta-t-elle avant de hausser les épaules: bah, laisse tomber…

— Antoine Augustin Parmentier, auteur du *Parfait boulanger*. Né en France en 1731, promoteur de la pomme de terre, il est aussi responsable du premier vaccin contre la varicelle sous Napoléon et a fondé l'école de panification. C'est pourquoi vous le citez toujours. En passant, son nom a été donné à une avenue à Paris, où on retrouve également une station de métro en son honneur.»

Joséphine leva un sourcil: «Tu ne m'apprends rien, mais toutes mes félicitations pour ce bel apprentissage.»

Elles parlaient enfin le même langage. Joséphine passa deux heures à enseigner à Vivianne comment faire le pain, jusqu'à ce que retentisse la petite cloche.

145

« Marc ! s'exclama Vivianne en rougissant. Tu es tôt ! » Il était exceptionnellement arrivé à 11 h 30. Elle se pencha pour prendre le sandwich de son client sous la vitre du comptoir.

« Est-ce bon ou mauvais ?

— C'est très bon ! »

Marc lui sourit. En sortant son porte-monnaie de sa poche, il se risqua : « Vivianne, je me demandais si… je pouvais t'inviter à souper ? »

Le visage de Vivianne s'illumina d'un coup, et elle se replaça une mèche de cheveux : « Je serais enchantée ! » On ne le lui avait pas demandé depuis tellement longtemps qu'elle voulut partir *maintenant* !

« Parfait ! » dit-il en souriant. Il semblait soulagé de son acquiescement, car il hésitait depuis longtemps à l'inviter.

« Je te prends après le travail ? continua-t-il.

— D'accord. Je dois par contre faire quelques appels pour trouver une gardienne. »

La mâchoire de Marc se décrocha, et il dut presque se pencher pour la ramasser et la remettre en place. Vivianne arrêta de respirer quelques instants.

Pourquoi est-ce que je viens de dire ça ?

« Une gardienne ? »

Il était maintenant trop tard pour lui cacher la vérité, et Vivianne n'avait pas d'autre choix que d'assumer ses paroles. « J'ai un fils de sept ans et demi.

— Ah ! dit-il quand elle lui remit sa monnaie. Je vois… Eh bien, une autre fois… peut-être. »

Quand, pauvre con ? Quand mon fils aura dix-huit ans ? Quand il se sera perdu dans le bois pour toujours ?

Marc n'aurait pas couru plus rapidement à l'extérieur du magasin s'il avait été aux Olympiques. Vivianne baissa les yeux, presque honteuse.

Il ne repassa plus à la boulangerie. Elle n'en avait rien dit à Joséphine, de peur de l'importuner. Mais celle-ci avait été témoin de la scène. Quelques secondes après la discussion avec Marc, Vivianne avait remarqué Joséphine dans le cadre de la porte et avait simulé un sourire. *Pauvre petite…*

Quelques jours plus tard, Vivianne partit plus tôt pour surprendre Ben en classe et le voir jouer avec ses amis. Quand elle entra dans la pièce, tous les petits yeux se tournèrent dans sa direction. Le visage de Ben s'illumina lorsqu'il l'aperçut. Il se leva à la hâte pour se lancer dans ses bras. «Maman!» s'écria-t-il en la serrant le plus fort possible. Mme Marlène remarqua le regard surpris de Vivianne et sympathisa. Il ne l'avait jamais appelé «maman» auparavant, et sa professeure savait très bien que Vivianne n'était pas sa mère biologique. Ce n'était pas le moment approprié pour en parler, c'est pourquoi elle fit comme si de rien n'était durant la dernière demi-heure de classe.

Ils optèrent pour une glace après le souper. Le soleil était encore très haut et les jours allongeaient enfin. Juin était à la porte, et Joséphine fêterait ses soixante-cinq ans le 8.

«Que devrait-on lui acheter pour son anniversaire? demanda Vivianne après avoir commandé leur dessert.

— Des biscuits aux brisures de chocolat?

— Pas de nourriture. Quelque chose d'autre. Peut-être une peinture? À part le pain, je ne sais pas trop ce qu'elle aime.»

Le serveur revint avec la nourriture et Ben se concentra sur sa crème glacée.

Pendant qu'il s'empiffrait, sa tante tenta de lui parler de l'histoire du «maman», mais n'en trouva pas le courage et se contenta de demander au petit comment était son parfait.

«Parfait!»

En revenant vers l'appartement, il émit sa théorie sur l'extinction des dinosaures il y a très, très longtemps. Il mentionna également que son ami Raphaël avait visité le Musée d'histoire naturelle de New York et qu'il avait vu les fossiles de tous les dinosaures. Il souhaitait que Vivianne l'y emmène un jour.

J'irais bien, moi aussi…

Elle n'avait jamais mis les pieds à New York. L'endroit était pourtant si proche de Boston. Comment avait-elle pu ne pas trouver le temps d'y aller alors qu'elle étudiait à Harvard? À l'époque, elle ne profitait de rien, uniquement concentrée sur ses études. Son existence était tellement plus paisible aujourd'hui.

Le rythme de vie à Éden était beaucoup plus sain et, même si elle travaillait fort, il lui restait du temps libre. Elle adorait flâner pendant des heures sans devoir se presser et sans connaître le stress d'arriver à l'heure à un rendez-vous. Elle se plaisait aussi à écouter Ben lui raconter sa journée et appréciait ses heures passées, les lundis, à observer les piétons, assise au café du coin. Ces bons moments seraient sûrement impossibles à prendre dans une firme d'avocats, aux journées de travail beaucoup plus longues et exigeantes. Elle savourait le fait d'avoir beaucoup de temps pour elle.

Après lui avoir raconté sa théorie sur l'extinction des dinosaures, Ben lui attrapa la main en passant devant la mairie. Des fleurs y avaient été plantées et étaient impossibles à manquer. Leur odeur fruitée envahissait la ville entière et Vivianne en distinguait tous les parfums. La température était enfin des plus agréables. L'été s'était finalement installé.

Mais après qu'elle eut donné son bain à son neveu, l'histoire du « maman » la tracassait encore et elle prit le taureau par les cornes, bien décidée à lui parler avant le coucher. Repousser cette conversation ne pourrait que rendre le sujet encore plus difficile à aborder. Pourquoi Ben l'avait-il appelée ainsi? Allait-il désormais toujours la nommer « maman »? Il lui fallait une réponse, sans quoi elle ne pourrait dormir.

« Ben, dit-elle quand il sauta dans son lit après avoir brossé ses dents. Pourquoi m'as-tu appelée "maman" aujourd'hui? »

De grosses larmes embrouillèrent ses yeux en un temps record : « N'es-tu pas ma maman maintenant ? »

Maintenant était effectivement le mot-clé. Elle était sa tutrice légale et il serait sous sa garde pour encore dix ou quinze ans. « Bien sûr, mon trésor, je suis ta maman maintenant, et je t'aime plus que tout au monde. » La satisfaction sur le visage de Ben confirma qu'elle lui avait donné une bonne réponse. Non seulement il était heureux, mais elle l'était aussi. Le sujet était clos, il l'appellerait « maman » à partir de ce jour. Elle se coucha soulagée, mais tourna tout de même toute la nuit dans son lit. Quelque chose l'agaçait sans qu'elle puisse mettre le doigt dessus. La situation « maman » était réglée, Ben était heureux et elle était heureuse, alors pourquoi fut-elle troublée toute la nuit ?

Le lendemain, au travail, elle se fit rejouer la conversation de la veille tout en balayant le plancher. Pour une raison qu'elle ignorait, se faire appeler « maman » la gênait. Avait-elle bien fait d'accepter que Ben la nomme ainsi ?

Elle s'empêcha d'en discuter avec Joséphine pendant la préparation des sandwichs, ne sachant trop par où commencer. Par contre, elle ne cessa de jeter des regards en direction de la dame, la forçant à un commentaire : « Qu'y a-t-il ? » Vivianne haussa les épaules sans dire un mot. Joséphine laissa tomber son couteau et se retourna vers la jeune femme : « Je sais quand quelque chose te tracasse. Qu'est-ce que c'est ? » Vivianne hésita, puis demanda à Joséphine si elle avait bien agi ; pourquoi était-elle mal à l'aise ce matin ? La question la plus importante : pourquoi ce mot après tout ce temps ?

Joséphine posa une seule question et Vivianne eut sa réponse. Le malaise venait-il du fait qu'il lui semblait « trahir » sa sœur ? Vivianne dut en effet admettre que la première chose lui ayant traversé l'esprit en entendant le « maman » fut Suzie.

« Quand on a sept ans, c'est important d'être comme ses amis, commença Joséphine. Important d'être comme les autres. Ben n'a pas de père et ses copains le savent. Il tient à leur prouver qu'il a une mère. »

Cela avait du sens.

« Bien sûr que ç'a du sens ! J'aurai soixante-cinq ans la semaine prochaine, qu'est-ce que tu crois ? Je n'en suis pas à mon premier barbèque ! »

Plus sérieusement, Joséphine la rassura en disant que, si Suzie pouvait lui parler, elle lui confirmerait sûrement que c'était mieux pour tout le monde. Vivianne acquiesça d'un signe de tête : Joséphine avait sûrement raison.

En parlant de pères, la Française lui demanda pourquoi une si belle fille n'avait pas d'amoureux. Elle la voyait échanger avec des clients. Ne ressentait-elle rien de spécial pour l'un d'eux ? « Tu devrais accepter une invitation à souper. »

La réponse fut bien simple : elle ne pouvait se payer des frais de gardiennage et ne demanderait pas à sa voisine de la dépanner. Joséphine sauta de joie et insista pour garder Ben gratuitement. « J'adore les enfants, et il n'y en a aucun dans mon entourage. S'il te plaît, fais-moi cette faveur. »

Exactement une semaine plus tard, le 8 juin, Joséphine se présenta à la porte de l'appartement de Vivianne à 10 h 30 tapant. Celle-ci en était aux retouches finales de son maquillage. La vieille dame avait insisté pour fêter son anniversaire avec son « petit homme préféré » et lui apporter un gâteau. En effet, Jérémie s'était enfin risqué à inviter Vivianne à souper.

« Tu es splendide, dit Joséphine quand Vivianne ouvrit la porte.

— Ai-je l'air nerveuse ? Je veux mourir tellement je suis stressée. » L'estomac de Vivianne gargouillait.

« Ça ne paraît pas du tout.

— Je ne suis pas allée à un rendez-vous depuis... Eh bien, j'aime mieux ne pas le dire. Je ne suis pas sûre de savoir encore comment m'y prendre. S'il fallait que je fasse une sottise?

— Impossible», la rassura Joséphine.

Ben lui présenta un paquet.

«Pour toi!

— Je te l'ai dit, pas de cadeau!

— Trop tard», dit-il en éclatant de rire.

L'estomac de Vivianne se resserra encore plus quand elle vit sa patronne développer le cadeau. Quand Joséphine aperçut la broche antique, elle resta sans mots. C'était un boulanger, un rouleau à pâte en pierres semi-précieuses entre les mains.

«Tu l'aimes?» demanda Ben, excité.

Joséphine était complètement sans mot, figée.

«Madame Joséphine?

— C'est le plus beau cadeau que j'aie jamais reçu! lança-t-elle finalement d'une voix émue. Je ne sais pas quoi dire.

— Tu peux dire "merci"! C'est ce que je dis quand quelqu'un me donne un cadeau. Est-ce qu'on peut manger maintenant?» demanda Ben en fixant le gâteau double chocolat sans se soucier de l'émotion qui régnait autour de lui. Joséphine regarda Vivianne avec une profonde gratitude. «Merci, dit-elle simplement.

— Non. Merci à vous d'être ici, répondit Vivianne. Bon, je dois y aller. Je ne voudrais pas être en retard.»

L'attitude de Joséphine changea radicalement.

«Quoi? s'écria-t-elle. Il ne vient pas te chercher?

— Non.

— N'y va pas. Ce n'est pas un bon gars. Il devrait venir te prendre ici, c'est ce que font les gentlemen.

— Plus maintenant, je crois.

— J'en suis certaine. Tu es une femme extraordinaire. Tu mérites un bon garçon.»

Je mérite une bonne baise, et n'importe qui ferait l'affaire en ce moment. Merci.

Mais Vivianne n'en fit pas mention. Elle embrassa Ben avant de partir.

« Ne t'attends pas à trop ! » cria Joséphine en entendant la porte se refermer derrière Vivianne. Puis, elle se retourna vers Ben : « Bon, on fait quoi maintenant ? »

Vingt minutes plus tard, Vivianne se stationna à la porte du restaurant, un peu avant l'heure de rencontre prévue. Elle avait des papillons au ventre quand elle entra dans le restaurant, où elle vit Jérémie la saluer et se lever de table pour l'accueillir. Un verre de chablis était déjà entamé, et il offrit de lui en commander un.

« Tu es ravissante.

— Toi aussi.

— C'est un Hugo Boss », dit-il en pointant son veston.

Vivianne ne sut comment réagir et se contenta d'un petit signe de tête.

Bizarre…

Elle n'en fit pas de cas et enchaîna : « Je suis contente d'être ici. Merci de m'avoir invitée.

— Depuis le temps que j'y songeais. » Il prit son menu, imité par Vivianne. Elle se sentit drôle. Il y avait tellement longtemps qu'elle ne s'était assise à la même table qu'un autre adulte. Elle étudia le menu, mais la nervosité lui donna des nausées. Le serveur revint avec un verre de vin blanc et elle le vida presque en une gorgée. Elle fit signe au serveur de lui en apporter un second. Jérémie était livide.

« Excellent vin !

— C'est un chablis. »

Oui, je le savais… mais, OK, c'est un chablis…

«Il faut le boire lentement, pour goûter les raisins, ajouta-t-il.

— Je vais m'assurer de goûter tous les raisins du second verre, répliqua-t-elle à la blague. Promis. »

Un jeune couple s'assit à la table à côté d'eux. Il était impossible de ne pas remarquer la jeune femme sur le point d'accoucher.

«Wow! Elle va exploser ça ne sera pas long! J'espère qu'ils nous épargneront le traumatisme ce soir! lança discrètement Jérémie à Vivianne.

— Il paraît que les dernières semaines sont terribles.

— Je ne pourrais te dire!

— Moi non plus!»

Ils éclatèrent de rire avant de trinquer à une belle soirée.

Vivianne avait suivi le conseil de Joséphine en ne mentionnant rien de l'existence de Ben lors de ce premier rendez-vous. Ils parlèrent donc de droit. Il travaillait chez *Julien, Lacasse et associés* depuis sept ans et adorait l'atmosphère du bureau. Il se spécialisait en droit matrimonial et plaisanta sur le fait que c'était probablement la raison pour laquelle il n'était pas encore marié. Pendant que Jérémie parlait de ses cas de divorces déplaisants, Vivianne l'écoutait comme si elle avait été un témoin au tribunal. Elle ne s'était pas sentie aussi bien depuis des années, et de se retrouver en compagnie d'un homme intelligent comme Jérémie remontait son estime et son moral. Peut-être les clients du restaurant pensaient-ils qu'ils formaient déjà un couple? Jérémie était-il son âme sœur? Impossible de le savoir. Ses traits étaient très fins pour la longueur de son visage, et son sourire déclassait ses lèvres, qui disparaissaient chaque fois qu'il ouvrait la bouche. Ses dents – extrêmement blanches – avaient probablement été blanchies, parce que *personne* n'a de dents aussi blanches que Jérémie, et la meilleure façon de passer outre son sourire était de porter des lunettes de soleil. Elles étaient parfaitement alignées – *il a sûrement porté des broches* –, du moins c'est ce que pensait Vivianne chaque fois qu'il souriait. Sa rêverie sur le sourire de Jérémie la mena à celui de Jim Pressman. Il avait *vraiment* de belles dents, et une bouche incroyable, très «embrassable», des lèvres juste assez pulpeuses et une haleine douce et fraîche. Elle l'avait remarqué le matin du mariage lorsqu'il s'était présenté à la boulangerie. Elle ne l'avait pas revu depuis un mois et se demanda ce qui l'occupait à ce moment. *Mon Dieu, mais qu'est-ce que je fais?* se dit-elle pendant que Jérémie parlait d'un de ses clients.

Concentre-toi sur ton souper!

Elle continua de sourire et acquiesça poliment de la tête pour faire savoir à Jérémie qu'elle suivait la conversation.

Peu après le dessert, Jérémie discrédita un autre de ses clients et expliqua à quel point les choses avaient mal tourné entre ce dernier et son épouse pendant leur séparation, et les pensées de Vivianne dérivèrent encore une fois. Il était neuf heures et demie à Éden, et donc, selon son calcul – *dix heures et demie, onze heures et demie, minuit et demi, une heure et demie, deux heures et demie, trois heures et demie* –, *trois heures et demie du matin à Londres!* Non?

Oh non, il y a six heures de différence avec Paris, mais seulement cinq avec Londres.

Il était deux heures et demie du matin pour Jim.

C'est ça! Deux heures et demie du matin.

Jimmy était peut-être sorti avec des amis, ou peut-être avait-il eu une grosse journée et avait décidé de rester à la maison avec sa copine, appréciant un verre de vin en sa compagnie?

Un chablis…

Oh! Elle était au milieu d'un excellent repas avec Jérémie. *Arrête de penser à quelqu'un d'autre!* La petite voix dans sa tête ne cessait de lui crier de se concentrer sur Jérémie.

Avec raison, et elle le ferait dès maintenant et écouterait ce que Jérémie avait à raconter.

Ils terminèrent la bouteille de vin avec le dessert. Vivianne fit rejouer sa soirée dans sa tête pendant que Jérémie parlait et conclut que tout s'était bien déroulé. Puis elle se rappela avoir pensé à Jimmy. Quelle idiotie que de penser à quelqu'un qui habite à huit mille kilomètres alors qu'on passe la soirée avec quelqu'un d'autre… pour la première fois en deux ans ! Mais elle se demanda si son manque d'attention provenait de la platitude de Jérémie. Ou était-ce parce qu'il n'avait parlé que de droit toute la soirée ? N'avait-il aucun autre sujet de conversation ? Pourtant, *j'adore* le droit. *Je respire* le droit. *Mais qu'est-ce qui cloche avec moi ce soir ?*

Elle n'avait pas été en contact direct avec des avocats depuis au moins deux ans et n'était plus sûre de s'en ennuyer autant qu'elle le proclamait. Mais Jérémie semblait une personne honnête, et elle avait apprécié sa soirée.

Oh ! Je dois rappeler à Joséphine de commander des pacanes. Il ne nous en reste plus beaucoup…

Lorsqu'elle se trouverait un emploi dans une firme d'avocats, elle continuerait à travailler *Chez Joséphine* à temps partiel les samedis et dimanches. Et peut-être quelques soirées ?

Impossible, avec Ben et tout le reste… Je devrai démissionner pour de bon… Mais je continuerai d'acheter mon pain chez Joséphine. Promis… et mes brownies, et mes…

« Vivianne ? » La voix de Jérémie mit fin en une fraction de seconde à la rêverie de Vivianne. « Ça va ?

— Oui.

— Je pensais t'avoir perdue l'espace d'une minute.

— Je suis désolée, je pensais à Joséphine. Il est 11 h 30, je devrais rentrer, dit-elle, ne pensant pas à la suite.

— Je peux t'offrir un dernier verre ?

— Merci, mais je devrais rentrer. Je lui ai promis de ne pas rentrer trop tard. »

Merde.

Pourquoi venait-elle de dire ça? Avec un peu d'espoir, Jérémie n'allumerait pas. «Vis-tu aussi avec elle?»

Vivianne hocha la tête. Non, elle ne pouvait mentir. Elle appréciait Jérémie, et il méritait de connaître la vérité.

«Elle garde chez moi, dit-elle d'une voix posée.

— Qui? Ton chat?» lança-t-il à la blague. Elle hocha encore une fois la tête.

Elle réfléchit sur sa soirée et pensa que peut-être Jérémie n'était pas la bonne personne pour elle après tout…

«Mon fils.»

La réaction négative et l'entêtement de Jérémie à ne pas vouloir entendre ce qu'elle avait à dire la portait à croire qu'il n'en valait pas la peine. Il ne cessait de répéter: «Tu m'as dit que tu ne savais pas comment se passaient les dernières semaines d'une femme enceinte?» sans même écouter ce qu'elle tentait de lui expliquer.

Ça doit être un très bon avocat, blagua-t-elle amèrement en silence. *Il se moque bien de ce que les autres ont à dire.*

Un bruit inhabituel résonnait dans l'appartement quand Vivianne y entra. Il provenait du salon. Joséphine s'était endormie sur le sofa et ronflait plus fort qu'un moteur d'avion. Vivianne tenta de ne pas éclater de rire en essayant de réveiller sa patronne et se pencha en chuchotant son nom: «Madame Joséphine?» Rien. Elle s'approcha de la vieille dame pour chuchoter directement dans son oreille: «Joséphine?» La Française sursauta et les deux femmes se cognèrent la tête si fort que Vivianne dut s'asseoir quelques secondes pour retrouver ses sens. «Oh! Vivianne, ça va?

— Oui, répondit Vivianne en se tâtant le nez pour voir s'il saignait.

— Comment ça s'est passé ?

— Parfait. Jusqu'à ce que le désastre frappe.

— Tu lui as parlé de Ben.

— Je ne pouvais pas mentir. »

Elle donna quand même raison à Joséphine : elle n'aurait pas dû mentionner Ben lors de sa première rencontre. « Le poisson doit bien mordre à l'hameçon, après tu peux frapper fort ! » avait-elle observé. Eh bien, le poisson était retourné à l'eau.

Selon Joséphine, c'était une bonne chose. Un homme qui « ne ramassait pas sa *date* », avait-elle dit en imitant l'accent québécois, ne valait pas un baiser. Vivianne avait tout de même apprécié sa soirée, et Jérémie avait réglé l'addition. « Ah ! Tu t'en es bien tirée ! »

Elle ne mentionna pas Jimmy et le fait qu'elle y avait pensé à quelques reprises. L'amitié entre Vivianne et Joséphine s'intensifia à la suite de cette soirée. Joséphine prit conscience de tout ce à quoi la petite devait penser sur une base quotidienne et voulut l'aider du mieux qu'elle le pouvait, mais discrètement, car Vivianne avait son orgueil. Elle méritait une médaille pour avoir choisi d'élever son neveu seule et avec un salaire modeste. Sa vie avait dû être transformée pour qu'elle puisse offrir à Ben une meilleure existence et survivre dans ce monde de fous.

Le jour suivant, Joséphine courut voir Vivianne dès que celle-ci entra dans la boulangerie. « Bonjour, Vivianne », dit-elle en l'accueillant gentiment. Son énergie matinale donnait toujours un élan à la journée de Vivianne, qui adorait la trouver de bonne humeur. « Bonjour, madame Joséphine !

— Viens avec moi, je veux te parler de quelque chose. »

Intriguée, Vivianne la suivit à l'arrière. Joséphine lui remit une feuille de papier. « C'est de l'information… classée secrète. » Vivianne l'observa, confuse.

« Cela veut dire que je te la transmets, mais que je devrai te tuer après. »

Vivianne recula d'un pas, horrifiée.

Est-elle devenue folle?

Joséphine dut essuyer ses larmes tellement le visage terrifié de Vivianne la fit éclater de rire.

« Je m'excuse, mais j'ai vu ça dans un film et me suis promis d'utiliser la réplique un de ces jours. Je ne voulais surtout pas t'effrayer! » Vivianne reprit son souffle et laissa paraître un sourire.

« C'est la recette de mes brownies extraordinaires! »

Vivianne sentit des larmes chauffer ses yeux. Le geste était apparemment banal, mais Joséphine n'avait *jamais* donné sa recette à *personne*, pas même en échange de grosses sommes d'argent. C'était *son* secret. Son secret le plus précieux. Et maintenant, elle le partageait avec Vivianne.

« Je ne pensais jamais donner ma recette à quelqu'un un jour.

— Pourquoi moi?

— Parce que tu es la seule qui m'endure… et au cas où je meure demain.

— OK, assez les mauvaises blagues. »

Les mains de Vivianne tremblèrent pendant qu'elle lisait la recette.

Ah! C'est donc ça, le secret!

Maintenant, elle savait, et passa toute la matinée à faire des brownies, sous la supervision de Joséphine. Son travail la passionnait, elle se sentait privilégiée de le faire et était irritée chaque fois que la petite cloche retentissait, l'obligeant à aller servir un client.

Quand la minuterie annonça que la première fournée était prête, elle en mangea trois morceaux de suite et fut stupéfiée de constater qu'ils étaient aussi bons que ceux de Joséphine… Ou presque aussi bons, selon Joséphine! Elle avait déjà pétri la pâte à quelques reprises, mais, pour une novice dans la préparation de brownies, le résultat était satisfaisant.

Quand Casanova entra, elle inséra un de *ses* brownies dans le sac de sa chocolatine aux amandes. Casanova en profita pour taquiner Joséphine, lui disant qu'elle venait de perdre sa place de chef boulangère. L'espace d'un instant, Vivianne pensa un jour reprendre les affaires de sa patronne. Mais elle chérissait trop le rêve de travailler dans un bureau d'avocats et devait rester concentrée sur cet objectif. Cette journée coûta cher à Joséphine, car Vivianne offrit des brownies à presque tous les clients.

C'était le congé du lundi, mais cette fois, Vivianne se rendrait chez Bureau en gros pour photocopier des dépliants promotionnels pour la boulangerie. Aucune mise en marché n'avait jamais été concrétisée pour rehausser les ventes de *Chez Joséphine*, et il était temps d'y remédier. Elle avait convaincu sa patronne de lui allouer un budget de cent dollars pour exécuter le tout. Puisque la journée coïncidait avec un congé pédagogique, elle avait promis un «méga sundae de crème glacée» à Ben. Avec beaucoup de sauce au chocolat parsemée de bonbons multicolores.

Vivianne adorait déambuler dans les rues avec son neveu, car il parlait toujours de tout et de rien sans prendre le temps de respirer, ce qui l'amusait beaucoup.

Incroyable, la vie du point de vue d'un enfant.

Ils cognèrent de porte en porte pendant presque deux heures, vantant les produits de la boulangerie à quiconque daignait les écouter. Ben se fatigua toutefois assez vite et ils prirent le temps de se reposer sur un banc au coin de la rue, près de l'entrée du parc. À côté d'eux était assis un Haïtien d'une cinquantaine d'années d'une grande élégance. «Regarde, maman! Une belle coccinelle!» Vivianne aperçut la coccinelle au sol. «Elle est magnifique!» dit-elle, en souriant à l'homme assis près d'eux. L'insecte lui rappelait celui qu'elle avait vu avec sa mère lors d'un pique-nique à l'âge de six ans, et elle prit quelques secondes pour se remémorer cet après-midi lointain. «Quel âge a-t-elle? demanda Ben, en s'adressant à l'Haïtien comme à un vieil ami.

— Je ne sais pas. Seules les personnes spéciales peuvent voir les coccinelles, mentit-il pour flatter l'ego du petit.

— Je ne te crois pas», grimaça ce dernier.

Vivianne intervint: «C'est vrai», dit-elle à Ben.

Le visage de Ben s'éclaira.

«Vraiment? Mais vous pouvez la voir?» demanda-t-il à l'homme.

Les regards de l'homme et de Vivianne se croisèrent.

«Non. Probablement parce que je ne suis pas spécial comme toi.

— Comment se fait-il que ma maman puisse la voir?»

Avant même que l'homme ou Vivianne n'ait pu répondre, Ben continua: «Oh! Parce qu'elle est spéciale elle aussi!

— Elle l'est certainement! ajouta l'homme, remarquant la mince différence d'âge entre Ben et Vivianne.

— Oh! Oui, elle est très spéciale parce qu'elle est maintenant ma *vraie* maman, parce que mon *autre* vraie maman est morte.

— Ben!» s'écria Vivianne, presque honteuse. Elle sentit qu'elle devait une explication à l'homme assis près d'elle.

«Ma sœur... accident de voiture...

— Avec mon papa.

— Ben! C'est assez!» Vivianne était visiblement embarrassée.

L'homme se tourna vers elle et lui tendit la main. «Je suis Paul, affirma-t-il, souriant.

— Vivianne, répondit-elle, gênée.

— Et tu dois être Ben !

— Wow ! Vous êtes vraiment bon ! » dit-il, impressionné, faisant éclater Paul de rire.

Les deux adultes s'apprivoisèrent dès les premiers instants de leur rencontre. Il était vêtu d'un pantalon beige, d'une chemise bleu pâle et d'un gilet à col en V en cachemire bleu foncé. Vivianne remarqua aussi ses souliers cirés. « Tu peux en savoir beaucoup sur un homme simplement en regardant ses souliers », lui avait un jour dit Angela. Ce n'était pas dans sa nature de rencontrer des gens dans la rue, mais elle apprécia sa conversation avec Paul. Il paraissait dans la mi-cinquantaine et s'exprimait très bien, comme s'il avait obtenu un diplôme en littérature d'une grande université. Ils parlèrent d'insectes pendant quelques minutes, puis Paul demanda à Ben à quoi servaient les dépliants.

« Oh ! C'est pour la meilleure boulangerie au monde ! » s'exclama Ben en tendant un dépliant à Paul, qui le regarda attentivement. « Au monde ? répéta-t-il. Vraiment ?

— Oui, monsieur ! Joséphine fait les meilleurs brownies au monde ! J'aime beaucoup *Le décadent*, c'est mon préféré. Mais elle fait aussi d'autres choses. C'est complètement débile ! C'est la meilleure boulangère au monde !

— Rien de moins ! s'exclama Paul, amusé.

— Vous devriez goûter les brownies, vous en voudrez TOUJOURS !

— Eh bien, jeune homme, tu piques ma curiosité !

— Quand viendrez-vous ? insista Ben.

— OK, trésor, c'est assez, je suis sûre que Paul a autre chose à faire que d'être dérangé par des étrangers, l'interrompit Vivianne.

— Au contraire ! J'adore rencontrer des gens aimables. »

Un grand sourire se forma sur le visage de Ben, qui se tourna vers Vivianne avec un air triomphant.

« En fait, j'attends mon épouse. Elle est vingt minutes en retard… encore une fois. » Il se pencha vers Ben : « Petit conseil, quand tu seras plus vieux, méfie-toi des femmes, elles sont TOUJOURS en retard. »

Vivianne ne put s'empêcher d'ajouter un commentaire : « Mais elles en valent tellement la peine !

— Je suis d'accord avec vous, jeune demoiselle, admit Paul, avant de continuer. Sérieusement, comment se fait-il que je n'aie jamais entendu parler de – il consulta le dépliant – *Chez Joséphine* ?

— Probablement parce que la mise en marché n'est pas son atout par excellence.

— Ah ! Et elle vous paie pour distribuer des dépliants au lieu d'acheter de la publicité dans les journaux ?

— On le fait gratuitement parce qu'on l'aime beaucoup, et je n'ai pas d'école aujourd'hui », ajouta Ben sans hésitation. Les yeux noirs de Paul rencontrèrent ceux de Vivianne.

Cette jeune mère, avec son fils, aide sa patronne sans se faire payer ? pensa-t-il.

Il ne savait pas s'il devait appeler la police ou bien lui lever son chapeau.

« C'est très gentil ça, Ben.

— Oh ! Nous sommes des gens très gentils, répondit-il fièrement.

— Et très honnêtes ! »

Une Haïtienne d'une cinquantaine d'années s'avança vers eux. Elle portait un tailleur beige très élégant.

« Pardonne mon retard, chéri.

— Aucun problème. Rencontre mon ami Ben, et sa maman Vivianne. Je vous présente ma merveilleuse femme, Michelle. » Les deux femmes échangèrent une poignée de main.

« Enchantée de te rencontrer, Vivianne.

— Moi également.

« — Monsieur, promettez-moi que vous irez *Chez Joséphine* pour goûter aux brownies.

— Ben, arrête s'il te plaît. » À ce stade, Vivianne était presque rouge de honte. Elle se retourna vers Paul : « Désolée. »

Paul, qui s'était levé pour embrasser sa femme, s'agenouilla devant le jeune garçon.

« Sais-tu quoi fiston ? Je tenterai d'y aller, et si *Le décadent* est aussi bon que tu le prétends, je m'arrangerai pour que beaucoup de monde le sache. Qu'en dis-tu ?

— J'en dis que c'est super.

— Si vous nous rendez visite, il me fera plaisir de vous l'offrir gratuitement.

Ah ! J'irai donc très certainement !

— Qu'est-ce que *Le décadent* ? demanda Michelle.

— Le meilleur brownie au monde. Ma mère vous en offre un aussi, hein, maman ?

— Certainement ! Bon, on vous laisse à votre journée. Désolée pour tout, monsieur.

— Ce fut un plaisir, Vivianne », dit-il en la saluant bien bas.

Vivianne les regarda s'éloigner, main dans la main. Malgré la courte conversation qu'elle venait d'avoir, elle avait compris qu'ils étaient mariés depuis longtemps. Ils magasinaient pour un cadeau d'anniversaire pour leur fille aînée bientôt âgée de vingt et un ans, Jacqueline. Vivianne leur avait mentionné que Joséphine faisait également des gâteaux d'anniversaire – les meilleurs au monde, rien de moins ! – et qu'il devrait commander le leur *Chez Joséphine*. Beaucoup de gentillesse, de charme et d'honnêteté émanaient de Paul. Il était d'une classe hors pair, et elle se demanda dans quel genre de milieu il travaillait.

« Fais attention à ce que tu dis aux gens que tu ne connais pas.

— Es-tu fâchée ?

— Non, mais je ne pense pas que tout le monde veuille connaître notre histoire. On devrait se garder des secrets juste pour nous. Qu'en penses-tu?

— Je pense que c'est le temps pour une crème glacée!»

Évidemment.

Ben était au paradis chaque fois qu'il dévorait de la crème glacée, à un tel point qu'il en aurait pris une dose quotidienne.

«Tu n'apprécierais plus autant», lui disait sa tante. Mais Ben insistait que «Oui, oui, oui», il apprécierait. Vivianne dut alors lui expliquer encore une fois qu'elle ne pouvait pas lui acheter tout ce qu'il désirait. «Tu dis toujours ça! lança-t-il furieusement.

— Crois-tu que je suis une mauvaise mère parce que je ne peux pas t'offrir tout ce que tu veux?

— La maman de Raphaël lui achète beaucoup de choses. Et il a un nouveau ballon de soccer.

— Je sais, mon trésor, mais je n'ai pas l'emploi le plus payant au monde.»

Vivianne n'en pouvait plus de devoir se justifier quant à ses problèmes financiers. Elle lui payait une crème gla-cée avec fierté presque toutes les semaines. Ils allaient par-fois au restaurant, et elle achetait du maïs soufflé pour le samedi soir quand ils regardaient un film à la maison. Mais même si Joséphine lui avait accordé une augmenta-tion d'un dollar l'heure quatre mois auparavant, elle surveil-lait encore ses dépenses étroitement. Les frais de scolarité pour Ben étaient élevés, mais elle ne lésinerait pas à ce sujet. Son éducation étant une priorité, l'école était la meilleure du quartier.

Pour ses sept ans, elle lui avait offert la bicyclette qu'il espérait depuis des mois. Mais maintenant qu'il voulait un bal-lon de soccer d'une valeur de quarante dollars pour récom-penser son obéissance, il patienterait. Elle avait consenti à lui allouer deux dollars hebdomadairement en échange de sa bonne conduite et d'un peu d'aide à la maison. Elle tenait à lui faire comprendre la valeur de l'argent et c'était, à son avis, la meilleure façon de le faire. Son ballon de soccer était vieux et démodé, et il ne voulait même plus jouer au parc de peur de faire rire de lui. S'il tenait vraiment au ballon, il devrait économiser les quarante dollars. Ils discutèrent du père de Raphaël, et Ben demanda : « Pourquoi je n'ai pas de père, maman ? » Un autre sujet délicat.

« Parce que je ne l'ai pas encore trouvé.

— Quand vas-tu en trouver un ?

— Je ne suis pas pressée, mentit-elle.

— Peut-être que lui pourrait m'acheter un beau ballon ? »

Vivianne aurait préféré une gifle en plein visage. Elle en faisait tellement, ce n'était jamais assez... Il finirait par lui être reconnaissant, dans quelques années, de tous les sacrifices qu'elle avait dû faire, du moins elle l'espérait, mais c'était émotionnellement difficile de l'entendre se plaindre.

Elle promit qu'un homme entrerait dans leurs vies un jour ou l'autre. Quand il demanda comment il le saurait, sa réponse fut : « Lorsqu'il te fera cadeau d'un ballon, tu sauras que c'est le bon.

— Oh ! Oui ! Ça voudra dire qu'il m'aime beaucoup beaucoup. »

Vivianne sourit à l'idée. Mais ce n'était pas demain qu'il recevrait quoi que ce soit d'un amoureux. *Malheureusement.*

Quand elle entra à la boulangerie, Vivianne raconta à Joséphine sa rencontre avec Paul, qu'elle décrivit comme l'homme le plus gentil, poli et intelligent qu'elle ait rencontré depuis longtemps. Et quel beau couple il formait avec son épouse ! Passerait-il réellement pour son *Décadent* gratuit ? Nul ne le savait. Elle se rappela qu'ils habitaient de l'autre côté de la ville et pensa qu'il avait peut-être simplement été poli en lui promettant une visite.

Ce matin-là, pendant que Vivianne préparait les brownies, Joséphine s'occupa de servir les clients. Elle prenait plaisir, disait-elle, à les accueillir, mais Vivianne savait bien qu'elle aimait surtout discuter – ou se disputer! – avec Casanova. Puisqu'elle prenait goût à pratiquer ses talents de boulangère, Vivianne ne s'en plaignait toutefois pas. «Mais ne touche pas à ma musique, lui répéta encore une fois sa patronne.

— Ne vous inquiétez pas. Je n'oserais jamais!»

Une heure après le changement de garde, Joséphine entra dans la cuisine en peinant à reprendre son souffle. «Oh! Mon Dieu! Oh! Mon Dieu! Oh! Mon Dieu! dit-elle, presque hystérique. Tu ne devineras jamais qui est à l'avant!»

L'estomac de Vivianne se resserra à l'idée de Jimmy Pressman dans la pièce à côté, mais Joséphine enchaîna rapidement: «Winfrey!» Vivianne regarda Joséphine, qui ne réagit pas. «Le critique culinaire du *Journal d'Éden*...»

Vivianne haussa les épaules, forçant Joséphine à froncer les sourcils.

«Tu ne le connais pas?»

Quand Vivianne fit non de la tête, le désarroi s'installa sur le visage de la patronne.

«Vous avez un drôle d'air.

— Je suis confuse.

— Clairement! Pourquoi?

— Parce qu'il a demandé à te voir.

— Moi? Pourquoi un critique de bouffe du *Journal d'Éden* voudrait me parler à moi? demanda-t-elle en se levant pour aller à la rencontre du journaliste.

— Je n'en ai aucune idée. Je lui ai dit que j'étais la propriétaire, mais il a insisté pour te voir. Il a dit: "Je veux voir Vivianne!" Vivianne, s'il te plaît, sois gentille. C'est la première fois qu'il vient!»

C'était le monde à l'envers pour Vivianne de voir sa patronne la supplier ainsi. Mais elle ne détestait pas cela, et l'idée de demander une seconde augmentation lui traversa l'esprit…

Cet homme doit être très important… Winfrey qui? Je ne connais aucun Winfrey…

Elle passa le cadre de la porte et reconnut Paul sur-le-champ. *Critique culinaire?* Le stress la saisit au ventre. Winfrey, comme tout le monde le surnommait, avait la réputation d'être sanglant dans ses critiques lorsqu'il n'aimait pas la nourriture d'un endroit. Depuis vingt ans, il était à l'origine de plusieurs fermetures de restaurants. Les boulangeries et cafés ne l'intéressaient normalement pas, mais il comptait tout de même goûter aux «meilleurs brownies au monde». Vivianne savait que les brownies de Joséphine étaient excellents – ils avaient conquis sa clientèle –, mais d'avoir un critique culinaire de la réputation de Winfrey devant elle – à qui elle devait un brownie gratuit! –, c'était autre chose. Elle était responsable de cette situation et aurait voulu mourir tant ses conséquences possibles l'angoissaient. La boulangerie était toute la vie de Joséphine. Si quoi que ce soit de négatif devait résulter de cette visite impromptue, *Chez Joséphine* en serait affecté, et Vivianne ne se le pardonnerait jamais.

«Bonjour, Vivianne!» dit-il gentiment, en lui tendant la main. Vivianne la serra poliment. «Monsieur Winfrey», répondit-elle, presque tremblante. Paul remarqua son inconfort immédiatement et, en voyant l'expression sur le visage de Joséphine qui se tenait tout juste derrière elle, il comprit que Vivianne connaissait sa vraie identité.

«Je suis démasqué!» blagua-t-il pour détendre l'atmosphère. Vivianne tenta de rester calme, mais le fait de sentir Joséphine trépigner d'impatience derrière elle ne l'aidait pas du tout. «Je vous présente Joséphine Leblanc, la propriétaire.»

Il serra la main moite et tremblotante de Joséphine. «Vivianne, ou plutôt Ben, me dit que vous faites les meilleurs brownies au monde? Est-ce possible d'avoir un morceau du *Décadent*, s'il vous plaît? En fait, on m'en a promis un gratuit.

— Et un pour votre épouse», ajouta Vivianne, qui tentait de paraître calme en faisant la conversation. Mais les deux femmes se tenaient raides comme des piquets. Paul accepta le morceau et elles le regardèrent en silence se le mettre sous la dent. «Vous savez, dit-il à Joséphine, la bouche pleine de *Décadent*, Vivianne est très convaincante quand elle fait la promotion de cet endroit. Elle m'a même persuadé de venir aujourd'hui. Mon jour de congé!» Puis il se tourna vers Vivianne: «En passant, hier, tu ne savais évidemment pas qui j'étais, et tant mieux, car beaucoup de gens tentent par tous les moyens de m'amadouer pour recevoir une bonne critique. Merci pour le deuxième morceau. Michelle appréciera, j'en suis certain, ajouta-t-il avant de se diriger vers la porte. Bien content de te revoir, Vivianne. Bonne fin de journée!»

Alors qu'il s'apprêtait à franchir le seuil, Joséphine s'écria: «Monsieur!» Il se retourna. «Prenez ces baguettes! Une traditionnelle et une campaillette. Elles sortent du four.» Paul Winfrey accepta les baguettes chaudes de la main tremblotante de Joséphine. «Merci.» La petite cloche résonna à la sortie du célèbre journaliste. Vivianne regarda Joséphine, perplexe. Puis, sans dire un mot, elle courut vers Paul à l'extérieur pour le rejoindre.

«Monsieur Winfrey?»

Il se retourna: «Oui.

— Désolée de vous embêter, monsieur, mais vous devez me dire ce que vous en pensez. Joséphine mourra si elle ne le sait pas maintenant. Je veux dire, même si vous détestez, vous devez me le dire parce que, connaissant ma patronne, elle ne survivra pas de devoir attendre à demain. Ça me tuera moi aussi, et puis, bien, vous serez tenu responsable de la mort de deux femmes exceptionnelles.» Les mots sortaient si rapidement de sa bouche qu'elle en était elle-même étourdie.

« Vivianne, tu sembles beaucoup moins confiante qu'hier.

— Sauf votre respect, monsieur, je ne savais pas qui vous étiez hier.

— Mais les brownies sont les mêmes, non ? »

Vivianne acquiesça d'un signe de tête.

« Dis à ta patronne qu'elle devra attendre demain matin. Mais, si j'étais vous, je mettrais les bouchées doubles dans les brownies. Sans vouloir faire de jeu de mots. » Sur ce, il fit un clin d'œil à Vivianne, qui comprit tout de suite que la critique ne serait pas négative.

« En passant, mon nom est Paul, s'il te plaît, insista-t-il avant de partir. À bientôt, madame meilleurs-brownies-au-monde ! » Elle le regarda partir. Joséphine avait visiblement observé la scène de l'intérieur car, dès la disparition de Paul, elle accourut dehors.

« Dis-moi, dis-moi, dis-moi !

— Eh bien, commença Vivianne, je ne peux pas, car c'est classé secret ; donc, si je vous le dis, je devrai vous tuer. » Joséphine comprit l'allusion et tapota l'épaule de son employée : « Allez.

— Oh ! Vous ne le saurez pas si facilement, madame ! »

Est-ce que je viens vraiment de dire ça à ma boss ? se dit-elle, en pensant qu'elle se permettait beaucoup plus de petits commentaires à l'égard de la Française depuis quelque temps.

« D'accord, je suis à genoux et te supplie. Il a aimé ou non ? Si tu ne veux pas m'en parler, c'est qu'il n'a pas aimé, n'est-ce pas ? Oh ! Mon Dieu ! J'aime mieux mourir que de devoir fermer… »

C'est assez ! Je ne peux pas la tuer en pleine rue !

« Eh bien, commença Vivianne, le sourire aux lèvres, il semble que nous serons occupées demain ! »

Joséphine ne put en croire ses oreilles, et tout ce qui sortit de sa bouche fut un cri perçant. Elle prit Vivianne dans ses bras et la fit virevolter sur le trottoir. Mais celle-ci lui demanda de ne pas s'emporter trop rapidement, puisque l'article n'était pas encore rédigé. «Et nous ne savons pas exactement ce qu'il écrira», ajouta-t-elle. En raison de la réaction du critique, elle se doutait bien qu'il avait aimé le brownie, mais ne devinait pas *exactement* ce qu'il en pensait. Selon Paul Winfrey, les brownies étaient-ils vraiment les meilleurs au monde?

Les deux femmes eurent l'une et l'autre de la difficulté à s'endormir ce soir-là. Le lendemain matin, Vivianne franchit le seuil de la boulangerie à 7 h 30, une copie du *Journal d'Éden* sous le bras. Elles s'étaient promis de lire l'article ensemble, et Vivianne respecta sa promesse de ne pas y jeter un coup d'œil avant, malgré sa terrible envie de le faire.

Elle tourna fébrilement les pages de la section «Gourmet» afin d'y trouver l'article et tomba rapidement sur une photo de la boulangerie. Le titre se lisait: «Les meilleurs brownies au monde!»

Je dois admettre, lut Vivianne, *que c'est presque les sous-estimer que de dire que les brownies de Joséphine sont les meilleurs au monde. S'il n'en tient qu'à mon épouse, ils sont les meilleurs de la galaxie! La propriétaire de la boulangerie française* Chez Joséphine, *Joséphine Leblanc, prouve sa maîtrise du four avec son populaire brownie* Le décadent, *sa marque de commerce, que j'ai bien apprécié, mais qui a failli faire perdre les pédales à ma tendre moitié, tellement sa texture et son goût exquis ont satisfait son palais.*

Personnellement, je n'ai pas le bec sucré, c'est pourquoi, bien que les brownies soient excellents, ce qui a vraiment attiré mon attention, c'est la campaillette. J'ai goûté pour la première fois à cette sorte de baguette lors de mon voyage de noces en France. Michelle et moi étions allés à Cannes, sur la Côte d'Azur, et avions décidé de pique-niquer dans l'arrière-pays, près de

Mougins. Nous nous étions arrêtés dans une boulangerie locale et les campaillettes sortaient du four. Leur goût me renversa. Honnêtement, j'ai tenté pendant des années de retrouver leur inoubliable saveur, et ce n'est qu'hier, quelque vingt-cinq années plus tard, que j'ai enfin mordu de nouveau dans une vraie campaillette. Les baguettes de Joséphine étaient encore tièdes, et le contraste entre la mie si douce et généreuse et la croûte épaisse et croustillante avait un goût de paradis sur ma langue. Elles ont fait revenir dans ma mémoire les doux paysages de la Côte d'Azur et m'ont fait revivre les plus beaux moments d'un merveilleux voyage!

Chez Joséphine n'offre pas tellement de variété de produits, malheureusement, mais tout le monde peut sûrement y trouver son compte, et je dois avouer que Vivianne, la jeune employée, est absolument charmante. Pour ce qui est du gâteau d'anniversaire de ma fille Jacqueline, c'est à Joséphine que je demanderai de le faire!

« Puis, il donne l'adresse, et quatre étoiles! termina Vivianne.

— Que veut-il dire par : pas beaucoup de variété?

— Nous n'avons pas un menu très varié. Pas de gâteaux, de tartes, de pâtés, etc. J'imagine, je ne sais pas.

— Mais je peux offrir tout ce qu'il veut!

— Je sais, mais je crois qu'il aimerait pouvoir se les procurer sur-le-champ. S'il entre ici pour du foie gras, vous lui en trouverez, mais ça prendra quelques jours. Mais n'y pensez pas. C'est un très bon article et vous devriez en être fière. Je suis certaine que beaucoup de gens le liront et que la clientèle affluera. »

Joséphine prit Vivianne par les épaules. « C'est bien, mais il nous faudra de l'aide, ajouta-t-elle, presque démoralisée.

— Madame Joséphine, engager quelqu'un, ce n'est pas la fin du monde. C'est même super! Profitez de la bonne critique, s'il vous plaît. Ce sont d'excellentes nouvelles pour n... euh, pour vous. Il faut savoir tirer parti de cette occasion. Et j'espère que vous vous rendez compte à quel point vous êtes choyée de travailler avec une demoiselle aussi charmante que moi ! lança-t-elle à la blague avant de retourner travailler à ses brownies.

— Aucune variété : je vais lui montrer ! Il ne sait pas de quoi il parle… » dit Joséphine avant de se remettre au travail.

Quelques heures plus tard, les deux femmes retombèrent de leur nuage. M. Casanova s'annonça vers dix heures, une copie de l'article en main : « Je suis impressionné !

— As-tu déjà douté de ma compétence ? » demanda Joséphine, apparue en un temps record en entendant la voix de Casanova.

« Non, dit-il. Je dis seulement que c'est bien.

— Seulement bien ? »

Joséphine roula des yeux. « Tu viens depuis tellement d'années. Mes croissants ne peuvent être juste bien. Ils sont excellents ! Ne dis plus jamais qu'ils sont seulement bien ou je ne t'en vends plus jamais, compris ? » cria-t-elle avant de disparaître dans la cuisine. Vivianne et Casanova échangèrent un regard.

« C'est quoi son problème aujourd'hui ? Ne devrait-elle pas être heureuse ?

— Elle l'est, monsieur Casanova, mais vous la connaissez, elle est restée accrochée sur la phrase où il parle du manque de variété.

— C'est absolument impossible de combler cette femme ! » continua-t-il, avant de sortir. « Bonne journée, princesse.

— Vous aussi, cher ami », répondit Vivianne, souriant encore de leurs disputes.

Comme M. Casanova sortait de la boulangerie, Paul Winfrey y entra. « Bon matin, monsieur Winfrey !

— Ah ? Mon père est-il ici ? » Il regarda tout autour de lui dans la pièce, comme s'il cherchait quelqu'un, et Vivianne comprit tout de suite l'allusion.

« Appelle-moi Paul, je t'en prie. »

Elle acquiesça d'un petit coup de tête.

«De par ton expression, je vois que tu as apprécié l'article?

— Merci mille fois!

— Non, Vivianne, merci à toi de m'avoir fait connaître cet endroit. C'est comme le paradis… à Éden!» Vivianne accepta le compliment.

N'en déplaise à tous ceux qui détestaient Paul Winfrey, c'était un homme admirable. «Comme tu l'as lu ce matin, j'aimerais faire préparer un gâteau d'anniversaire pour ma fille.» Joséphine choisit ce moment pour réapparaître de l'arrière. «Oh! Bonjour, monsieur Winfrey, dit-elle calmement.

— Madame Joséphine, il me fait plaisir de vous revoir. Je discutais des possibilités d'un gâteau de fête.

— Eh bien, vous êtes au bon endroit. Nous avons *beaucoup de variété, tout ce que vous voulez, nous pouvons vous l'avoir*, le saviez-vous?» Joséphine tenta de prouver ses dires et, comme Vivianne comprit le sous-entendu, elle vint à la rescousse du journaliste.

«Qu'est-ce qui lui ferait plaisir? demanda-t-elle.

— Je n'en ai absolument aucune idée!»

Après avoir échangé un regard avec Vivianne, une Joséphine plus posée prit la relève en s'avançant vers le critique.

«Peut-être pourriez-vous me parler de ses goûts? De ce qu'elle aime et de ce qu'elle n'aime pas? Ce sera notre point de départ. Quand je connaîtrai ses aliments préférés, je vous suggérerai une pâte appropriée. Suivez-moi à l'arrière. Nous serons plus confortables.

— M… Paul, lança Vivianne. Je l'ai sortie du four il y a quinze minutes. Elle est encore chaude, continua-t-elle en tendant une campaillette à son client.

— Vivianne, je ne voudrais surtout pas abuser de votre générosité.

— Vous n'avez pas idée des retombées positives de votre article, monsieur.

— La prochaine fois que tu m'appelles monsieur, ou M. Winfrey, ou M. Paul, je te jure que je vais écrire que c'est la *pire* boulangerie du monde ! »

Le message était clair.

« J'ai compris, Paul ! »

Il ricana en empoignant la baguette et, sans même la rompre, croqua directement dedans. Puis, il ferma les yeux quelques secondes pour se remémorer son fameux voyage de noces. « Elle est encore plus savoureuse qu'hier ! » dit-il simplement, tout en suivant une Joséphine flattée du compliment.

Vivianne était soulagée, car elle s'en serait voulu jusqu'à sa mort si l'article de Paul avait été dévastateur. Les conséquences néfastes sur la clientèle auraient sûrement forcé Joséphine à fermer boutique. Mais l'endroit grouillait de monde ce jour-là. Il n'avait jamais été aussi occupé depuis que Vivianne y travaillait, et elle en était en partie responsable. À la fin de cette journée, les deux femmes étaient épuisées. L'article de Paul Winfrey avait eu un impact direct sur les ventes, mais Vivianne se permit quand même de blaguer : « C'est grâce aux dépliants ! »

Puisqu'elles n'avaient pas prévu une si grosse augmentation de l'achalandage, dès seize heures les étalages étaient vidés, et Joséphine prit un moment pour réviser ses besoins quotidiens.

« On verra comment ça se passe dans les prochains jours puis on prendra une décision. Qu'en penses-tu ? » demanda-t-elle à Vivianne.

Celle-ci ne put cacher son étonnement de voir Joséphine lui demander ainsi son opinion et le lui donna volontiers.

« À propos de l'article. Le passage où Winfrey dit qu'il n'y a pas assez de variété ?

— Hmm…

— Eh bien, je me demandais, pourquoi n'offririez-vous pas un service de traiteur ?

— Oh non ! Je ne veux pas m'embarquer là-dedans. Je devrai engager une nouvelle personne et je ne veux pas.

— Mais nous serions capables ! lui répondit Vivianne, avec une certaine passion dans le ton.

— Nous ? »

Merde…

Pourquoi Vivianne avait-elle encore employé ce mot ? *Nous.* Ce n'était pas la première fois. C'était complètement ridicule ! Elle voulait devenir avocate, pas boulangère !

« Je voulais dire *vous* », se corrigea-t-elle de nouveau. C'est alors que Joséphine lui avoua avoir déjà engagé quelqu'un pour les livraisons du midi. Vivianne resterait désormais à temps plein au magasin et, parce qu'elle connaissait la recette des brownies extraordinaires, c'est elle qui les préparerait le plus souvent. Joséphine offrirait une plus grande variété de produits et comptait dès maintenant se consacrer à l'essai de nouvelles recettes.

« Voulez-vous agrandir ?

— Non, mais je ne refuse pas de tenir un peu plus de produits sur le menu régulier. Comme des tartes aux pommes ou au citron. Et peut-être pourrais-je faire un ou deux gâteaux par jour, au lieu de les avoir à la carte ? »

Ce n'était pas beaucoup plus, mais c'était un début.

« Et tu as raison : les clients veulent prendre quelque chose à manger pour le soir même. Ils pourront acheter un gâteau pour un souper de dernière minute au lieu de le commander pour le lendemain. »

Vivianne acquiesça de la tête. *Elle m'a enfin écoutée !*

Joséphine était de bonne humeur. Elle préparerait le gâteau de fête pour la fille de Paul Winfrey et la boulangerie était à son apogée. Si Vivianne avait besoin d'une faveur, c'était de toute évidence le meilleur temps pour la lui demander. Chaque fois qu'elle voulait quelque chose, son corps balançait de gauche à droite et elle jouait nerveusement avec le cordon de son tablier, ce qui n'échappa pas à l'œil vif de la Française.

« Qu'y a-t-il ? »

Parce qu'elle connaissait de mieux en mieux son employée, Joséphine savait que Vivianne n'oserait pas faire les premiers pas.

« Eh bien… j'aurais une faveur à vous demander, m… mais soyez très à l'aise de refuser si c'est inacceptable. » Joséphine l'écoutait attentivement.

« Je me demandais si… eh bien, si Ben pouvait venir ici parfois les dimanches ?

— Pourquoi ? »

Le calcul n'était pas difficile. Vivianne travaillait six jours par semaine et devait payer une gardienne les samedis et dimanches. Celle-ci coûtait huit dollars l'heure en argent comptant. Son salaire étant de neuf dollars et cinquante, avant impôts, elle payait pour travailler les fins de semaine. Elle souhaitait simplement un répit un dimanche sur deux. Comme il était bien élevé et poli, Vivianne savait que Ben se comporterait de façon adéquate et ne leur serait d'aucun souci. Elle apporterait des livres à colorier ainsi que des crayons avec lesquels il s'amuserait pour passer le temps.

Joséphine regretta sa question au moment même où elle la posa, puisqu'elle connaissait les raisons derrière la demande de la jeune femme.

« Oh ! Laissez faire, ce n'est d'aucune importance, dit Vivianne en essuyant le comptoir pour la quatrième fois en dix minutes.

— J'adorerais le recevoir les dimanches, il n'est tellement pas difficile. Il m'aidera dans la cuisine ! » s'exclama Joséphine en prenant le bras de Vivianne. Le visage de celle-ci s'illumina. « Vraiment ? Oh ! Vous ne pouvez savoir ce que ça représente pour moi ! »

Joséphine l'avait deviné, c'est pourquoi elle renchérit : « Il me ferait plaisir de l'accueillir les samedis également, si tu veux.

— Oh non ! Je ne voudrais surtout pas abuser », s'empressa de répondre Vivianne.

Évidemment, pensa Joséphine. Cette jeune femme ne demandait jamais rien à personne. Joséphine n'avait jamais rencontré une employée aussi loyale et généreuse que Vivianne. Elle n'était jamais en retard, travaillait fort, ne se plaignait jamais et faisait gratuitement la promotion de la boulangerie. Sa demande ne représentait aucun problème à ses yeux, au contraire.

« Merci mille fois, madame Joséphine, vous ne savez pas à quel point j'apprécie. »

Joséphine ne pouvait pas en croire ses oreilles. Vivianne était un ange. Un ange venu directement du ciel pour enrichir sa vie. La boulangerie fonctionnait à plein régime depuis quelques semaines et c'était grâce à elle. Vivianne et sa générosité. Vivianne et sa gentillesse. Avant de retourner à ses fourneaux, Joséphine saisit le moment pour lui remettre une enveloppe.

« Qu'est-ce que c'est ?

— Regarde à l'intérieur. »

Vivianne ouvrit l'enveloppe et y compta six ou sept billets de vingt dollars. Elle leva les yeux, bouche bée. « Merci pour les dépliants.

— Mais je ne l'ai pas fait pour l'argent.

— Je sais. »

Il y eut une longue pause et, en voyant le regard de Vivianne, Joséphine sut qu'elle avait obtenu l'effet anticipé. Elle lança une autre bûche au feu : « En passant, ton salaire sera désormais de dix dollars et cinquante l'heure », ajouta-t-elle avant de disparaître à l'arrière. Ces soixante dollars de plus par semaine feraient une énorme différence dans le budget hebdomadaire de Vivianne. Et, avec certains dimanches où elle ne payerait plus de gardienne, elle aurait enfin un peu d'argent pour se faire plaisir.

Vivianne était encore en état de choc lorsque la petite cloche annonça l'entrée de Marcy Pressman. «Bon après-midi, madame Pressman. On ne vous a pas vue depuis un bout de temps! dit poliment Vivianne.

— Nous avons prolongé notre voyage, lui répondit-elle en remarquant les comptoirs déserts. Que vous est-il arrivé?» Ils étaient partis depuis plus de deux mois.

«Le *Journal d'Éden* a publié un article sur la boulangerie.

— Winfrey?»

Décidément! Je dois commencer à lire le Journal d'Éden *plus sérieusement…*

«Oui.

— Et c'était bien?

— Oui.

— Ah! Voilà pourquoi on dirait que vous avez été dévalisées! lança-t-elle à la blague, faisant sourire Vivianne. Je viens chercher ma commande.»

Vivianne se pencha pour prendre le sac de sa cliente.

«Oh! En passant, commença Marcy, décontractée, j'ai parlé à mon frère.» Vivianne ne tint soudain plus en place…

«Tu tombes à point! Son adjointe enceinte de six mois doit prendre un retrait préventif et il est mal pris. Il attend ton appel.» Marcy lui tendit une carte professionnelle.

«Merci, dit Vivianne à voix basse, paralysée, avant de remettre les sacs à Marcy.

— De rien. Ça me fait plaisir. Oh! Joséphine! Vivianne m'a mentionné l'article de Winfrey. Félicitations!»

Vivianne n'avait pas remarqué sa patronne dans le cadre de porte. Joséphine avait-elle entendu toute la conversation? Elle se retourna en souriant, gênée, et plaça subtilement la carte dans la pochette avant de son tablier. Marcy leur expliqua qu'ils avaient profité de leur séjour en Asie pour faire un saut au Japon et avaient passé une semaine à Singapour. Joséphine l'écouta en silence pendant que Vivianne tentait de retrouver ses esprits. Puis Marcy raconta qu'ils s'étaient aussi arrêtés à Londres pour passer un peu de temps avec leur fils. « Comment va mon beau Jimmy ? demanda alors Joséphine.

— Super ! Mon bébé a presque terminé son doctorat ! J'en suis tellement fière. Il a reçu une offre d'emploi unique, et il hésite entre rester à Londres ou revenir ici. J'aimerais bien l'avoir plus près, mais on verra. Ça dépendra sans doute de sa copine. »

Ouch.

« Je ne les pensais plus ensemble ? dit Joséphine, tout en plissant les sourcils et en lançant un regard vers Vivianne qui ne bronchait pas.

— À vrai dire, je ne sais pas. Jim a toujours été discret à propos de ses conquêtes, alors on ne lui pose pas la question. Mais la dernière fois qu'on l'a vu, elle l'a appelé pendant le souper et il l'a rejointe après notre départ... »

Vivianne voulait fondre sous le plancher.

« Je suis contente de te savoir revenue. Tu nous as manqué.

— Moi aussi, je commençais à avoir le mal du pays ! Je dois filer. À bientôt.

— Bonne fin de journée, madame Pressman. » Puis elle se retourna vers Joséphine sans dire un mot. Avant de continuer à pétrir la pâte du lendemain, sa patronne lança un sourire gêné à Vivianne.

Celle-ci était tellement embarrassée qu'elle fut sur le point d'avoir des nausées. Elle avait l'impression de trahir Joséphine. Mais, cette fois encore, cette dernière avait insisté auprès de Marcy pour qu'elle l'aide à trouver un emploi. Vivianne allait-elle vraiment quitter la boulangerie ? Même si sa relation avec sa patronne s'était améliorée au cours des deux derniers mois, elle désirait *vraiment* travailler en droit et profiter d'un meilleur salaire. S'affairer six jours par semaine était trop difficile pour elle avec un enfant en bas âge et elle espérait voir sa situation s'améliorer. Pourtant, elle le savait bien, la majorité des avocats comptaient leurs heures même les week-ends…

Elle fixa la carte de M. Howard pendant plus d'une heure avant de se décider à l'appeler. Elle avait enfin sa chance et, si elle n'acceptait pas cette offre, elle n'en aurait probablement jamais d'autres et deviendrait sûrement une *putain de boulangère.*

Après avoir nettoyé le comptoir pour la centième fois le lendemain pendant que Joséphine plaçait des tôles sur les étagères, Vivianne lui demanda enfin : « Madame Joséphine, ça vous dérangerait si je partais maintenant ? Je sais qu'il est un peu tôt, mais…

— Tu ne te sens pas bien ? » l'interrompit poliment Joséphine.

Vivianne ne voulait pas mentir et détourna le sujet en offrant de reprendre les heures perdues plus tard dans la semaine. « Si tu ne te sens pas bien, alors je te verrai demain. »

Incapable de dire un mot, Vivianne se contenta d'acquiescer de la tête tout en enlevant son tablier, la mine un peu basse. Après son départ, Joséphine ferma un moment les yeux et se prit la poitrine, en expirant profondément pour faire passer la crampe qu'elle avait au ventre. C'était trop beau pour être vrai : Vivianne ne resterait pas. Elle l'avait espéré après la publication de l'article, mais maintenant que le frère de Marcy avait besoin de quelqu'un, Vivianne l'abandonnerait, et elle souffrirait de ce départ comme de la perte d'un enfant. Elle continua son travail le cœur bien gros.

En route vers le bureau de Ronald Howard cet après-midi-là, Vivianne se sentit un peu nauséeuse. Était-ce parce qu'elle avait enfin sa chance, ou bien souffrait-elle d'avoir à moitié menti à Joséphine? Elle tenta de ne pas penser à sa patronne pour se concentrer sur son entrevue. Elle ne pouvait passer à côté de la chance de sa vie et comptait réussir cet entretien haut la main.

Les bureaux de M. Howard se situaient au trente-deuxième étage du *1112*, le plus haut et plus bel immeuble de la ville. Il avait été érigé par le grand-père de M. Pressman quarante ans auparavant et appartenait encore à la famille. C'est pourquoi tous les frères et beaux-frères de cette lignée y avaient leurs bureaux. En sortant de l'ascenseur, la première chose qui attira l'attention de Vivianne fut la vue magnifique sur la rivière d'Éden, dont elle apprécia le tracé sinueux qui s'étirait jusqu'à l'horizon. Elle l'observa un moment, puis elle s'avança vers un somptueux bureau en acajou et se présenta à la charmante réceptionniste assise derrière. La jeune fille l'accueillit poliment : «Bonjour, madame, je peux vous aider?»

Madame. Bien que sa toilette fût soignée, Vivianne se sentait comme un imposteur avec son habit d'avocat improvisé. Elle portait une jupe brun foncé assortie à une blouse blanche et une paire de collants bruns. Elle sourit à la jeune réceptionniste.

«Mon nom est Vivianne McKinnon. J'ai rendez-vous avec M. Howard.» En disant ceci, Vivianne eut l'impression de poser une question, comme si ce n'était pas vraiment à elle qu'on offrait la chance de travailler dans un bureau d'avocats, et elle craignit que son incertitude transparaisse dans le ton de sa voix. Mais si la réceptionniste prit conscience de son doute, elle fit comme si de rien n'était. Elle devait gagner un très bon salaire, car son tailleur lui tombait parfaitement sur les hanches. Elle lui offrit de s'asseoir, en ajoutant que M. Howard arriverait d'ici quelques minutes. Vivianne s'exécuta en regardant autour d'elle. Sa cuisse la démangea et elle se gratta discrètement. Mme Beau-Tailleur lui offrit quelque chose à boire. « Non merci, c'est très gentil. »

Elle retourna à ses occupations pendant que Vivianne scrutait l'endroit. D'impressionnants tableaux ornaient les murs et elle se demanda si le Rembrandt dominant la réception était un original. *Bien sûr qu'il est authentique.* Elle ne put s'empêcher de se gratter de nouveau la cuisse.

Je n'aurais pas dû porter ces collants.

Elle n'eut pas le temps d'y réfléchir davantage car Mme Beau-Tailleur lui demanda de bien vouloir la suivre derrière une grande porte en verre givré.

Vivianne sentit l'épaisseur du tapis beige sous ses pieds dès qu'elle entra dans le bureau de M. Howard, qui se leva pour l'accueillir. Il avait le plus vaste bureau de l'angle sud-ouest de l'édifice, et la vue y était à couper le souffle. Après lui avoir serré la main, il l'invita à s'asseoir dans un énorme fauteuil en cuir brun chocolat. Ronald Howard ne dépassait pas le mètre soixante-cinq. Marcy était très mince et élancée ; son frère était complètement à l'opposé. Petit et gras. Il se rasait la tête, probablement pour cacher des signes prématurés de calvitie, mais avait un crâne remarquablement régulier, et le style chauve lui allait très bien. Il portait des lunettes noires épaisses, et son visage rond et joyeux inspirait la sympathie.

Il s'assit derrière son bureau et entama la conversation pour briser la glace. Le mariage de Michael avait été superbe, la nourriture excellente, tout comme la musique, ils ont dit « oui », la mariée était splendide, le marié, lui, très nerveux, tout le monde s'est bien amusé, etc. « Marcy n'a que de bons mots à votre égard », dit-il enfin. Vivianne acquiesça d'un discret signe de tête, en souriant. Elle ne savait que faire d'autre. Son regard fut attiré par une photo derrière le bureau. C'était Michael, Jimmy et M. Howard à la pêche, un gros poisson en main. Son interlocuteur prit le cadre pour le lui montrer de plus près. « Mes neveux ont pêché ce thon. Il pesait plus de cent cinquante livres !

— Wow !

— J'adore ces deux hommes. On va souvent à la pêche ensemble. Mais Jimmy habite tellement loin maintenant. Il étudie à Oxford, en Angleterre. »

Elle acquiesça encore de la tête, ne sachant que faire d'autre. Vivianne était extrêmement nerveuse et ne pouvait s'empêcher de trembler.

« Alors, Vivianne, tu veux travailler en droit ?

— Oui.

— C'est bien dommage que tu aies abandonné Harvard. C'est la meilleure école du monde dans ce domaine. »

Vivianne sentit le pourpre lui monter au visage et tenta de cacher son embarras.

« Désolé, je ne voulais pas te mettre mal à l'aise », dit-il gentiment. Vivianne souriait, mais ne se sentait pas à sa place. Elle ne comprenait pas pourquoi et en était irritée.

C'est un très beau bureau. Et M. Howard est vraiment très gentil.

Elle se gratta la cuisse de nouveau, tout en tentant de le faire discrètement. Elle enfilait des jeans et un t-shirt au travail depuis tellement longtemps qu'elle se demanda comment elle ferait pour tolérer des bas de nylon tous les jours.

Je porterai des pantalons.

« Vivianne, je vais aller droit au but. Nous te paierons un salaire de huit cent cinquante par semaine. En plus des avantages sociaux. Tes heures de travail seront du lundi au vendredi, de huit heures à dix-huit heures. »

Les yeux de Vivianne sortirent pratiquement de leurs orbites lorsqu'elle apprit le salaire, et elle ne put cacher sa surprise.

« C'est beaucoup plus que ce que je fais à la boulangerie, et je viens d'avoir une *troisième* augmentation ! » lança-t-elle, aussi enthousiaste que si elle venait de gagner à la loterie. Ses déboires financiers seraient enfin derrière elle. Et elle aurait ses fins de semaine complètes. « Oui ! » voulut-elle s'écrier, et elle se retint pour ne pas se mettre à danser dans le bureau tellement sa joie était grande. Mais quelque chose la retenait, et elle se gratta la cuisse pour la centième fois.

Mais qu'est-ce qu'ils ont, ces *&?%# de collants ?

M. Howard enchaîna d'un ton moqueur : « Mais je gage que vous mangez du pain gratuitement, et autant que vous en voulez ! » Vivianne acquiesça de la tête pour une troisième fois. « Et Joséphine est tellement gentille. »

C'est à ce moment que Vivianne comprit ce qui la tracassait.

Certainement pas les collants.

Quand elle était arrivée à Éden, personne ne lui avait donné sa chance, excepté Joséphine. Et elle venait tout juste d'accepter que Ben passe ses dimanches à la boulangerie. Elle avait été compréhensive depuis le premier jour, quand Vivianne lui avait demandé de modifier son horaire pour lui rendre service, et avait fait tellement pour elle dans la dernière année que celle-ci pensait la trahir. *Suis-je folle ?* se dit Vivianne à cette idée. Pour mieux se convaincre d'accepter l'offre d'emploi, elle renchérit : « Mais elle a tout un tempérament ! Aux limites de l'insupportable... » Elle ne pouvait croire ce qu'elle venait de dire. Après toute la générosité de Joséphine à son égard ? Garder Ben, lui faire son gâteau d'anniversaire, la soutenir lorsqu'elle en avait besoin, lui donner des conseils précieux et, surtout, lui avoir donné sa recette secrète de brownies... Ce n'était pas rien ! Joséphine avait une confiance aveugle en elle, comme personne d'autre. Et, maintenant, Vivianne disait du mal d'elle à son insu ?

«En effet», approuva M. Howard, un petit sourire aux lèvres, ce qui rassura Vivianne, jusqu'au moment où il ajouta : «Mais je crois que c'est la raison pour laquelle ses clients l'aiment tellement... Elle doit être la personne la plus attachante du monde. Et je ne peux jamais me contenter d'un seul brownie!» admit-il, presque honteux. Effectivement, Vivianne avait déjà rencontré son épouse à quelques reprises.

Vous avez raison...

Malgré son caractère, Joséphine était très attachante. Elle adorait ses clients et aimait les gâter de temps à autre avec des brownies. C'était sa façon de leur accrocher un sourire. C'était sa façon de leur montrer qu'elle appréciait sa clientèle, qui lui était chaque fois reconnaissante. Non seulement elle était un incontournable du quartier, mais elle y faisait le bonheur de toutes les familles qui savouraient ses brownies et ses baguettes. C'est à cette pensée que Vivianne fut comme frappée par la foudre. Joséphine n'était pas qu'une annexe de sa famille, elle en était devenue le cœur.

«Je suis certain que vous ferez une excellente adjointe, Vivianne, dit M. Howard en se levant pour lui serrer la main. Quand pouvez-vous commencer?»

Ces mots résonnèrent dans sa tête et elle ne put trouver le courage... d'accepter. Elle adorait son travail à la boulangerie et son «uniforme» décontracté, elle adorait l'odeur du pain chaud à sa sortie du four le matin et pétrir la pâte de ses mains nues, elle adorait faire sourire ses clients avec un brownie gratuit. L'article de journal de Paul avait été publié grâce à elle, et elle désirait rester à la boulangerie pour voir la suite des choses. Mais, surtout, elle adorait Joséphine.

«Monsieur Howard, bégaya-t-elle, déjà troublée par ce qu'elle allait dire, vous avez raison. Joséphine est une femme extraordinaire. Et elle me soutient depuis mon arrivée à Éden. Je suis désolée de vous avoir fait perdre votre temps, monsieur, mais je viens tout juste d'en prendre conscience : je ne peux accepter votre offre. Je ne peux tout simplement pas ! Je travaille à la boulangerie depuis deux ans dans l'espoir d'avoir l'occasion que vous m'offrez aujourd'hui, mais je m'aperçois à l'instant qu'il n'y a pas que l'argent dans la vie. J'ai déjà un véritable emploi, que j'adore ! » Elle prit une pause pour reprendre son souffle, puis ajouta : « J'ai toujours pensé que Joséphine avait grandement besoin de moi parce qu'elle n'a jamais pu garder un employé. Mais il est maintenant clair que c'est moi qui ai besoin d'elle. »

M. Howard était certes très déçu, mais respecta la décision de Vivianne. Ils échangèrent une poignée de main après qu'elle lui eut promis deux morceaux de brownies pour le prix d'un, et de ne pas en glisser mot à son épouse… Il était au régime, ça resterait donc leur secret !

En sortant du prestigieux immeuble, Vivianne appela Paul Winfrey au journal : « Monsieur… euh, bonjour, Paul, c'est Vivianne McKinnon, de la boulangerie *Chez Joséphine*.

— Je vous connais ? l'entendit-elle demander, un brin ironique.

— Pardon ?

— Vivianne, tu te présentes comme si je ne savais pas qui tu étais ! » Paul Winfrey avait certes la réputation d'être arrogant et parfois hostile, mais elle n'avait jamais rencontré un homme avec un tel sens de l'humour. « Je suis désolée, monsieur… euh, je veux dire. »

Mais qu'est-ce qui me prend ?

« Que puis-je faire pour toi ?

— Vous savez, l'article que vous avez écrit sur la boulangerie ? »

Bien sûr qu'il sait !

« Oui.

— Eh bien, je me demandais s'il était possible d'en obtenir un exemplaire original ?

186

— Pourquoi?

— J'aimerais le faire laminer pour l'offrir à Joséphine.

— Vivianne, les laminés sont tellement démodés!

— Oh! laissa-t-elle échapper.

— Mais si tu me fais confiance, je vais t'organiser quelque chose de mieux.

— Hmm…

— Peux-tu venir au journal dans quelques heures?

— Vers dix-sept heures?

— Parfait. Tu me feras appeler à la réception. »

Le temps passa trop lentement pour Vivianne, anxieuse de savoir ce que Paul lui réservait. Elle voulait offrir un petit quelque chose à Joséphine, mais sans dépenser une fortune.

Elle s'annonça à la réception du *Journal d'Éden* à dix-sept heures précises. Paul descendit avec sous le bras un paquet enveloppé de papier brun. «Ouvre-le», dit-il fièrement.

Il avait fait encadrer l'article, l'avait autographié et dédicacé à Joséphine.

« Il est magnifique! Elle va adorer!

— Je suis content que tu l'aimes. »

Elle hésita quelques secondes, puis…

«Combien vous dois-je?»

Avec sa générosité habituelle, Paul éclata de rire.

«Vivianne, c'est un cadeau! De moi à toi… À Joséphine.

— Oh, non, monsieur, je ne peux pas…

— Peux pas quoi? L'accepter? Arrête, s'il te plaît! Tu m'offres tellement de pain et de brownies à chacune de mes visites!» Il se pencha vers Vivianne et chuchota: «Et, entre toi et moi, je dois t'avouer… que… ma vie conjugale est au zénith!» Il lui fit un clin d'œil. «Je ne sais pas ce que vous mettez dans ces brownies, mais ils sont extraordinaires, et pas pour les raisons dont vous vous vantez… Ma femme se transforme en tigresse chaque fois qu'elle en mange une seule bouchée… Si tu vois ce que je veux dire. »

Ce fut au tour de Vivianne d'éclater de rire. Elle se pencha également pour confesser le nom de l'ingrédient secret. «C'est la potion de l'amour, chuchota-t-elle en rehaussant les sourcils.

— Tu rigoles? Sérieusement, qu'est-ce que c'est?

— C'est ça: la potion de l'amour!

— Je n'en parlerai à personne!

— Tant que ma potion de l'amour est dans le brownie, vous êtes en affaires!»

Elle ne confierait l'ingrédient à personne, surtout pas à un critique culinaire!

«Je ne sais pas comment vous remercier pour le magnifique cadeau.

— De te voir l'apprécier autant me satisfait.»

Il posa sa main sur l'épaule de la jeune femme: «Bonne soirée.»

C'était exactement ce qu'elle comptait faire: passer une excellente soirée. Elle venait de refuser l'emploi de sa vie pour rester avec Joséphine et ne pensait qu'à avancer l'heure afin de lui offrir le cadeau plus rapidement.

Elle commanda de la pizza, à la grande joie de Ben. Chaque fois qu'ils en mangeaient, c'était pour souligner une occasion spéciale. Et, ce soir, ils célébraient la vie, l'amitié et, surtout, Joséphine. Vivianne avait jadis tenté de convaincre David que l'argent et le prestige n'étaient pas ce qui importait le plus dans la vie. Elle ne retrouverait jamais des valeurs telles que l'amour, l'amitié et la famille dans un bureau d'avocats, même au service d'un homme extrêmement sympathique. Elle aurait sûrement pu être une avocate hors pair, mais la vie l'avait menée sur un autre chemin et elle en était soulagée. Elle aimait porter des jeans et un t-shirt au travail, elle aimait ses conversations avec les clients et, surtout, elle adorait toute la vie autour d'une boulangerie. Peut-être n'était-elle pas encore boulangère, mais elle comptait bien le devenir, à son grand bonheur. Ben le disait si bien : être boulangère était le meilleur métier du monde. Une vie peut parfois emprunter le plus beau des chemins malgré les tragédies et les déceptions. N'était-ce pas ce que sa mère lui avait enseigné ? Elle leva son verre en regardant vers le ciel… *Merci, maman.*

À cinq heures le lendemain matin, Vivianne avait l'impression d'accomplir une mission en se rendant au travail, le cadre sous le bras et le iPod à la main. Ben dormait chez Mme White, et Vivianne avait décidé de donner congé à sa patronne pour prendre le magasin en charge le temps d'une journée. Ses connaissances de la cuisson du pain et des brownies ne nécessitant plus de supervision, elle gérerait seule la boutique. Il était honteux de penser que la pauvre Joséphine n'avait jamais pris une journée de congé de sa vie, et il en était grand temps.

Elle sourit en entendant la petite cloche annoncer son arrivée. La première fournée de croissants était presque prête, et leur odeur avait déjà envahi l'avant du magasin. Vivianne s'y attarda un instant pour profiter du moment, qu'elle décréta son préféré de la journée.

Joséphine était au poste comme prévu et pétrissait la pâte. Elle se retourna, incrédule. « Que fais-tu ici, toi ? » demanda-t-elle sur un ton plus surpris que chargé de reproches.

Vivianne lui tendit le cadeau, emballé dans du papier mauve avec un ruban rose : « C'est pour vous. »

Joséphine vivait ce moment avec appréhension, puisqu'elle s'attendait à un cadeau d'adieu. Elle l'accepta en fixant Vivianne dans les yeux. « Ouvrez-le ! » De grosses larmes montèrent aux yeux de la Française lorsqu'elle vit l'article encadré et autographié de la main de Paul. « Quel beau cadeau ! » Elle serra Vivianne très fort dans ses bras. « Merci énormément. Je le placerai sur le mur derrière le comptoir.

— Laissez, je m'en occuperai plus tard. » Les deux femmes échangèrent un long regard, puis Joséphine demanda à son employée si elle se sentait mieux.

« Nous savons toutes deux que je n'étais pas malade hier, lui répondit Vivianne avec un sentiment de culpabilité.

— Quand commences-tu ? » La douleur dans les yeux de Joséphine confirma qu'elle avait entendu la conversation avec Marcy. Elle n'avait pas été dupe. En voyant Marcy remettre à Vivianne la carte professionnelle, elle avait compris le message. « Je ne l'ai pas eu.

— QUOI ! » hurla Joséphine.

Vivianne ravala sa panique. « Quelle sorte d'idiot ne voudrait pas t'engager ? Laisse-moi l'appeler ! » Mais Vivianne prit doucement le récepteur des mains de sa patronne en lui suppliant de ne pas dramatiser les choses. Ça ne la concernait pas, après tout. M. Howard était un homme sympathique, mais la chimie n'avait pas opéré. Elle travaillait loin du milieu depuis déjà deux ans et le choix de M. Howard s'était arrêté sur quelqu'un de plus compétent en la matière. Joséphine promit de ne rien dire. « Ça sera pour la prochaine fois… » Mais le soulagement dans le ton de Joséphine la trahit, et Vivianne chérit la tournure des événements. « Tu n'es sûrement pas venue à cinq heures du matin simplement pour me donner un cadeau, demanda la Française. Que se passe-t-il ?

— Je vous donne congé. C'est moi la boulangère aujourd'hui ! » s'exclama Vivianne, heureuse de se l'entendre dire. Elle convainquit sa patronne de partir flâner sans inquiétude et sans penser au travail. Avant que celle-ci ne puisse réagir, Vivianne était déjà assise à sa place, les deux mains dans la pâte, après avoir sorti les croissants du four et en avoir mis à cuire une nouvelle tôle. Joséphine l'admira sans dire un mot.

« Ah ! Vous m'énervez ! Allez-vous-en ! insista Vivianne. Et je ne veux pas vous revoir de la journée, d'accord ? »

Elle se sentait un peu mal à l'aise de lui parler ainsi, mais devenait tranquillement boulangère et, prenant exemple sur sa patronne, devait faire preuve de caractère. Joséphine, pourtant, n'avait pas bronché.

« Aucune personne saine d'esprit ne laisserait passer l'occasion de t'engager », dit finalement cette dernière. Vivianne cessa de pétrir et regarda la sexagénaire dans les yeux. Elle s'entendit ravaler sa salive, puis Joséphine ajouta : « Je connais Ronald Howard depuis vingt-sept ans. C'est un homme *très* intelligent. » Vivianne évita le regard de sa patronne, mais sentait son attention encore sur elle. Elle sourit en regardant le plancher avant de retourner à la pâte pour continuer son travail. Joséphine se tint derrière elle quelques minutes pendant que Vivianne tentait de se concentrer.

Elle sait que j'ai menti.

Pourquoi Vivianne ne disait-elle pas la vérité ? Que craignait-elle au fond ? Joséphine n'apprécierait-elle pas sa sincérité ? Ne serait-elle pas heureuse de s'entendre avouer qu'elle était sa seule famille ?

La Française était persuadée que Vivianne avait refusé l'offre de Ronald. Il avait urgemment besoin de quelqu'un, et celle-ci lui avait été recommandée par sa sœur. Il était illogique de croire qu'il ne lui avait pas offert le poste. Elle renonça à trouver une explication et décida de profiter pleinement de la première journée de congé de toute sa longue carrière.

Ainsi, après avoir longuement hésité, elle enleva lentement son tablier tout en regardant Vivianne travailler la pâte. Elle le faisait parfaitement... Une vraie disciple d'Antoine Augustin ! Après avoir suspendu son tablier sur la patère, elle quitta lentement les lieux afin d'apprécier le mieux possible le moment.

Vivianne ne savait comment interpréter la dernière réplique de Joséphine. Avait-elle compris ce qui s'était passé ?

Si tel était le cas, elle ne lui en reparla pourtant jamais, et Vivianne ne remit pas la conversation sur la table. Pas même un mois plus tard, lorsque M. Howard se présenta à la boulangerie pour s'empiffrer de brownies.

Après son refus, Vivianne avait demandé à M. Howard de ne pas ébruiter ses raisons. La boulangerie était pour elle comme une grande famille et elle voulait éviter à Joséphine de se retrouver prise au dépourvu dans sa relation avec les Pressman. Il avait sans aucun doute tenu sa promesse, car, quelques jours plus tard, quand Marcy revit Vivianne, elle n'en mentionna rien, ce qui était étonnant de la part d'une femme aussi attentive et prenant autant à cœur son entourage. En fait, Vivianne monta dans l'estime de Marcy après cette journée. Elle ne comprenait pas parfaitement ce qui avait motivé sa décision, mais fut heureuse de voir Vivianne continuer à soutenir Joséphine.

La petite cloche résonna à 7 h 30 et la nouvelle employée d'une vingtaine d'années, Stéphanie, fit son entrée. Elle étudiait en marketing à l'université, mais cherchait un domaine d'études plus motivant et inspirant. Livrer des sandwichs était un travail parfait pour elle, car peu exigeant et lui laissant du temps pour ses études. Elle semblait travaillante et posait des questions intelligentes. Célibataire, elle habitait encore chez ses parents et mesurait près d'un mètre quatre-vingts. Ses cheveux d'un blond presque blanc et ses yeux bleu clair rappelaient ceux d'une Scandinave, et Stéphanie aurait certainement pu faire carrière en tant que mannequin.

Vivianne aima la recrue dès leur premier contact. Elle était vive d'esprit et comprit le fonctionnement de la boulangerie en moins d'une heure. Elles se divisèrent les tâches du matin. Stéphanie préparait les sandwichs pendant que Vivianne s'attaquait aux brownies. Son objectif de la journée étant d'en inventer un nouveau, elle ne fit qu'une seule recette – mais en double! – du *Décadent*. Elle eut l'idée de partir de cette recette de base et de terminer le tout avec un morceau de chocolat blanc de la grosseur d'une pacane sur le haut du brownie. Le résultat ressemblait à une montagne très connue comme le mont Everest ou le mont Blanc.

M. Casanova entra vers dix heures, au moment où Stéphanie sortait pour faire les livraisons. Fidèle à lui-même, il attira toute l'attention, amusant Vivianne, qui se plaisait toujours à le voir franchir le seuil de la porte. Elle ne pouvait plus imaginer une journée sans sa visite. Ils s'étaient rapprochés et se taquinaient constamment. Vivianne lui vouait secrètement une grande affection, comme l'amour d'une fillette pour son grand-père. Il était l'homme le plus adorable et le plus charmant qu'elle ait jamais rencontré, et il la faisait tellement rire, surtout quand il se disputait avec Joséphine. Leurs petites querelles sans conséquence étaient d'ailleurs devenues le moment qu'elle préférait de ses journées. Joséphine et Casanova étaient comme un vieux couple et cela l'amusait grandement. Il adorait traîner un peu à la boulangerie pour discuter après avoir pris «son bien», comme il avait surnommé sa chocolatine aux amandes quotidienne.

«Bonjooooooouuuur, princesse! dit-il à Vivianne en enlevant son chapeau pour la saluer.

— Monsieur Casanova, je vous présente Stéphanie. Elle travaillera avec nous. »

Stéphanie s'essuya la main pour serrer celle de Casanova.

«Enchantée, monsieur.

— Moi aussi, ma belle. » Il prit sa main et l'embrassa, agrémentant le tout d'un clin d'œil qui amusa Stéphanie. Vivianne intervint:

«M. Casanova est ici tous les jours pour une chocolatine aux amandes. Il est notre meilleur client, et mon préféré!

— Je viens depuis des lunes! Alors, si je tarde un matin, tu dois m'en garder une! Compris?

— Absolument! » La jeune fille débordait d'entregent.

Vivianne remit à Casanova son petit sac brun habituel. «J'ai ajouté un morceau de brownie au fromage que j'ai baptisé le *Mont Leblanc*.» Assurément, son client préféré comprit tout de suite l'allusion.

«Pour Joséphine Leblanc! C'est tellement mignon!

— Et le sommet en chocolat blanc. Essayez-le avec un grand verre de lait. Il est à mourir! dit-elle avec enthousiasme.

— S'il te plaît, mon petit, commença-t-il, ce n'est pas quelque chose à dire à un vieillard!»

Elle voulait s'enfoncer dans le plancher tellement elle était mal à l'aise d'avoir dit une telle sottise. Elle avait effectivement employé les mauvais mots pour un homme de l'âge de Casanova. Des papillons envahirent son estomac à l'idée de ne plus revoir son client préféré. Cela arriverait un jour ou l'autre, et elle le savait, mais de se l'avouer – même secrètement – lui faisait peur. Casanova enchaîna: «Je blague! Je sais que je suis vieux, mais que veux-tu que je fasse à part en rire?»

Elle souffla un peu, heureuse de ne pas l'avoir trop insulté. Il paya pour son croissant sans dire un mot. Habituellement, Joséphine se serait déjà pointé le nez pour le saluer. Il regarda autour de lui, puis demanda: «Où est la bougonneuse?» Mais son désintéressement était joué de façon si peu subtile qu'il le trahit, et Vivianne comprit qu'elle lui manquait.

«Elle n'est pas ici.» La mâchoire de Casanova tomba au sol et il devint livide.

«Est-elle malade?

— Non, ne vous en faites pas. Je lui ai donné la journée de congé. Elle le mérite grandement.» Vivianne était fière d'annoncer sa décision «exécutive». Casanova patienta encore quelques instants.

«Elle n'est *vraiment* pas là?»

En hochant négativement la tête, Vivianne réalisa pour la première fois que Casanova était déçu, voire blessé, d'ap-

prendre qu'il ne verrait pas Joséphine. Un nœud serra sa gorge devant son impuissance à ramener Joséphine dans la pièce pour quelques minutes. Il scruta l'endroit encore une fois et comprit que Vivianne ne blaguait pas. Il ne lui avait jamais traversé l'esprit d'entrer un jour *Chez Joséphine* sans y trouver sa dulcinée.

Alors qu'il marchait lentement vers la porte pour sortir, Vivianne l'interpella : « Monsieur Casanova, vous avez oublié votre sac ! » Sans même se retourner et tout en continuant vers la sortie, il laissa échapper : « Je n'ai plus faim. »

Elle avait misé juste. Casanova était amoureux de Joséphine ! Il se présentait à la boulangerie depuis toutes ces années seulement pour passer du temps avec elle. Il ne mangeait probablement pas le croissant, même quand sa fille le lui avait apporté à l'hôpital durant sa convalescence. Il ne visitait pas la boulangerie pour sa dose quotidienne de cho-colatine aux amandes. Il y venait pour sa dose quotidienne de Joséphine !

Quel romantisme, mais quelle tristesse à la fois… Vivianne ne pouvait rester insensible à ce dont elle était témoin. Il lui fallait agir et forcer les choses. Joséphine savait-elle que Casa-nova était amoureux d'elle ? Et encore, partageait-elle ses sen-timents ? Vivianne se ferait une mission d'aller au fond des choses. Aucun être humain ne devrait rester séparé de son âme sœur, peu importe l'âge. Maintenant qu'elle y pensait, tout concordait. Joséphine et Casanova se disputaient comme un vieux couple et, chaque fois que celle-ci entendait la voix de son homme, elle apparaissait dans le cadre de porte pour le saluer ; lorsqu'elle tardait à sortir, il demandait toujours si elle était à l'arrière.

Casanova leur avait déjà suggéré de placer des tables pour inciter les clients à prendre le petit déjeuner sur place. Joséphine avait refusé cette excellente idée du revers de la main, sans y prêter vraiment attention. Vivianne comprenait maintenant pourquoi il en avait fait la suggestion. C'était une excuse pour passer plus de temps près de Joséphine. Peut-être voulait-il l'inviter au restaurant, mais était trop timide ?

Vivianne sortit une vieille table de l'arrière pour la placer au centre du magasin et y joint les deux chaises empilées dans l'arrière-boutique. Elles détonnaient, mais elle convaincrait sa patronne d'en acheter des neuves. Vivianne s'était donné une mission, et rien ni personne ne la ferait avorter. Casanova convierait Joséphine à souper après vingt ans d'attente, et il le ferait grâce à son aide.

Stéphanie revint pour le *rush* du midi. La clientèle avait afflué au cours des dernières semaines, surtout grâce à l'article de Paul, qui avait eu un impact majeur sur les ventes. Il n'était plus inhabituel pour lui de leur faire une petite visite et de repartir avec quelques campaillettes sous le bras. Michelle était également devenue une habituée de la boulangerie et emportait toujours un *Décadent* pour la route. Ils formaient un couple solide, et Vivianne adorait échanger des points de vue avec l'un et l'autre.

L'horloge indiqua dix-sept heures plus tôt qu'habituellement pour Vivianne, qui en avait eu plein les bras tout l'après-midi. La journée avait encore une fois passé trop vite et Stéphanie enleva son tablier avant de saluer Vivianne pour la soirée. Celle-ci empoigna le cadre offert à Joséphine et monta sur un escabeau pour le clouer au mur derrière le comptoir de la caisse. Après être redescendue, elle y jeta un coup d'œil depuis l'entrée de la boulangerie. Il convenait parfaitement.

La petite cloche se taisait tous les soirs vers 17 h 30, et il fallait alors commencer à ranger la nourriture. Les produits non vendus étaient réfrigérés, sauf les baguettes, qui étaient jetées ou données aux sans-abris. Près de vingt baguettes demeuraient invendues chaque soir parce que Joséphine avait toujours peur d'en manquer. En prenant les pains pour s'en débarrasser, il vint à l'esprit de Vivianne de les recycler. Mais comment? Elle ne pouvait pas les congeler pour les revendre le lendemain, elles perdraient toute leur fraîcheur. C'est alors qu'elle eut l'idée de les couper en cubes, de les badigeonner de beurre à l'ail, puis de les faire griller pour en faire des croûtons.

Elle se retourna au son de la petite cloche. C'était Joséphine. «Que faites-vous ici?» demanda Vivianne en fronçant les sourcils. Joséphine remarqua la table en premier. «Qu'est-ce que c'est que ça? répliqua-t-elle avec un regard désapprobateur.

— Une table.

— Je vois bien. Que fait-elle là?

— C'est la suggestion d'un très bon client. Il veut passer plus de temps ici. C'est une excellente idée et, avant que vous ne vous objectiez, je vous précise tout de suite que la table reste.»

Elle raconta également que Stéphanie était ressortie en après-midi avec des brownies et les avait tous vendus. «Incroyable qu'on n'y ait pas pensé avant!

— J'y avais pensé, mais je préférais te garder ici.

— Justement, à propos de cela. On devrait engager une autre personne à temps plein. Qu'en pensez-vous?

— Ah! Tu me demandes enfin mon avis!»

Vivianne haussa les épaules.

«De toute façon, vous devrez vous y faire.

— Laisse-moi y penser.»

Évidemment… Joséphine répondait toujours la même chose.

Elle dira «oui» dans quelques jours.

Stéphanie avait fait une ronde avec des brownies en après-midi, et la course s'était avérée très fructueuse. «On fera ainsi à partir d'aujourd'hui, avait-elle affirmé d'un ton résolu.

— Bien sûr! avait répondu Joséphine, un peu énervée qu'on prenne des décisions à sa place.

— Oh! J'oubliais… avait ajouté Vivianne, à partir de maintenant, finies les baguettes aux poubelles! On va les recycler!

— Les recycler? Je n'ai jamais entendu ça pour de la nourriture! Comment peut-on recycler des baguettes de pain?

— Je ferai quelques tests, mais on les vendra désormais en croûtons.

— Des *croûtons*? répéta Joséphine avec son accent.

— Oui! Vous savez, ce sont des…

— Je sais très bien ce que sont des croûtons! Bon Dieu! s'écria Joséphine, les mains dans les airs. On ne peut pas faire de croûtons!

— Pourquoi pas?» Vivianne regarda Joséphine en haussant les épaules: «On fera des croûtons et je ne veux plus en entendre parler.»

Au fond, Joséphine adorait la façon dont Vivianne avait pris le contrôle. Elle lui faisait confiance et savait que celle-ci resterait aussi longtemps qu'elle voudrait d'elle.

«Oh! En passant, j'ai ajouté un nouveau brownie au menu.» Vivianne pointa le dernier morceau qui restait sur le comptoir. La Française joua l'indifférence en haussant les épaules, désintéressée. «Je vous présente le *Mont Leblanc*.»

Le visage de la patronne s'éclaira lorsqu'elle entendit le nom.

«Ah oui? Le *Mont Leblanc*, vraiment?» Elle était visiblement flattée.

Vivianne acquiesça de la tête, d'un air triomphant. Puis, son visage s'assombrit. «Au fait, que faites-vous ici?

— J'ai un rendez-vous.»

Joséphine n'avait *jamais* eu de rendez-vous avant, et elle piqua ainsi la curiosité de Vivianne, qui demanda avec qui.

«Tu gères la boutique pour une journée et je dois te faire un rapport?» répliqua Joséphine avec son impolitesse habituelle. Puis, elle leva les yeux au ciel et marcha vers l'arrière. «Je serai dans le bureau, ajouta-t-elle, à penser aux *croûtons*! Bon Dieu!» Vivianne ne put s'empêcher de sourire. Joséphine pouvait être désagréable, mais bon sang qu'elle était adorable.

Elle se rendit à la porte et tourna l'enseigne à «Désolés, nous sommes fermés». Elles ne verrouillaient jamais après la fermeture, et ce soir ne ferait pas exception.

Elle terminait d'essuyer le comptoir quand un homme d'une quarantaine d'années et court sur pattes fit son entrée. Il était vêtu d'un habit bleu marine, avec une chemise couleur lavande et une cravate assortie. Vivianne se retourna quand elle entendit la petite cloche résonner. «Je suis désolée, monsieur, mais nous sommes fermées.

— Je sais.» L'homme s'approcha de Vivianne et lui tendit la main: «Maître Jean Nadeau. Je suis venu rencontrer Joséphine Leblanc. Est-elle ici?»

Vivianne n'aimait pas le ton sérieux de l'avocat, mais, avant qu'elle ne puisse placer un mot, Joséphine apparut de la cuisine et s'avança vers l'homme, qu'elle semblait déjà connaître, avant de lui offrir un morceau de brownie, «ou peut-être voulez-vous goûter à notre petit nouveau, le *Mont Leblanc*?» offrit-elle en insistant sur le nom. Comme la majorité de leurs clients, M. Nadeau ne put résister et se laissa tenter. Joséphine l'invita à s'installer dans le bureau en lui précisant qu'elle serait à lui dans quelques instants.

Elle se retourna vers Vivianne, qui n'avait pas bronché depuis que l'avocat s'était présenté. La Française tenta d'apaiser son employée en lui parlant d'une voix douce: «Allez, petite, je vais verrouiller derrière toi.»

Vivianne ne laisserait pas Joséphine s'en tirer sans répliquer. Elle voulait une explication, elle *méritait* une explication. « Qu'est-ce qui se passe ?

— Rien d'important qui te concerne, Vivianne.

— Madame Joséphine, je… »

Mais Joséphine l'interrompit poliment. « S'il te plaît, ne t'en préoccupe pas, dit-elle calmement. Rentre chez toi. Je te verrai demain matin… avec tes *croûtons*. » Vivianne tenta de se calmer à la blague de sa patronne, mais sans succès.

La sérénité dans le ton de Joséphine avait affolé Vivianne. Joséphine n'était *jamais* calme. Elle ne connaissait pas la définition du mot « calme ». Elle enleva son tablier sous la supervision de sa patronne, prit son sac et sortit, après s'être retournée une dernière fois en cherchant en vain le regard de Joséphine. Après le retentissement de la petite cloche, Vivianne entendit la porte se verrouiller derrière elle. Lorsqu'elle se retourna pour jeter un dernier coup d'œil, Joséphine avait déjà disparu à l'arrière…

Elle resta plantée devant la boulangerie, quelques baguettes sous le bras, pendant au moins dix minutes. Pourquoi Joséphine devait-elle rencontrer un avocat à dix-huit heures ? Et dans sa seule journée de congé ? Joséphine n'avait mentionné aucun rendez-vous avant de partir ce matin-là. Elle avait donc dû le fixer la journée même, sinon elle l'aurait certainement mentionné à Vivianne. C'était très inhabituel, et le mystère qui planait autour de cette histoire fit se serrer l'estomac de Vivianne.

⌘

« Maman, est-ce que ça va ? demanda Ben pendant qu'elle coupait les baguettes en petits cubes.

— Oui, mon amour, pourquoi ?

— Tu ne parles pas beaucoup. »

Vivianne lui répondit qu'elle avait eu une grosse journée, mais qu'elle voulait savoir comment avait été la sienne à l'école. Puis elle l'écouta d'une oreille distraite, sa tête étant encore à la boulangerie.

«Veux-tu m'aider à étendre le beurre à l'ail?

— Pourquoi?

— J'essaie de faire des croûtons, comme ceux que l'on met dans les salades.

— Cool, dit-il en prenant le couteau et le beurre. Tu ramènes ton travail à la maison!»

C'est une façon de voir les choses...

Après avoir couché Ben, elle prit une feuille de papier et dressa une liste de raisons pouvant expliquer que Joséphine ait choisi de rencontrer un avocat, à dix-huit heures, dans sa *seule* journée de congé:

— Parce qu'elle était fatiguée et voulait vendre son commerce, ou, pire encore, le fermer pour de bon. Vivianne perdrait alors son emploi, et sa décision de décliner l'offre de M. Howard s'avérerait une mauvaise idée.

— Parce qu'elle avait fait de piètres placements ces dernières années et se démenait pour empêcher la banque de saisir la boulangerie... Là encore, Vivianne se retrouverait sans emploi.

— Ou bien – c'était à son avis l'option la plus probable –, parce que la boulangerie allait tellement bien que Joséphine désirait l'agrandir et voulait un avis légal. Mais, si tel était le cas, elle aurait pu demander conseil à Vivianne. Cela n'avait pas de sens. D'autant plus que ce n'était pas dans la nature de Joséphine de vouloir agrandir. Vivianne lui en avait parlé quelques mois auparavant et la réponse avait été ferme: «Non.»

Vers vingt-deux heures, elle prit le téléphone et appela au magasin. Quelle ne fut pas sa surprise d'entendre la voix de Joséphine à l'autre bout du fil. Elle raccrocha sans penser.

Joséphine était *encore* là-bas? Trois heures plus tard? L'avocat y était certainement également, car Joséphine ne partait jamais aussi tard. Elle devait se lever à quatre heures du matin et travaillait rarement plus tard que 20 h 30.

Vivianne passa toute la nuit à tourner dans son lit en pensant au lendemain. Elle craignait affreusement de perdre son emploi et voulait à tout prix savoir pourquoi un avocat était resté si longtemps en compagnie de sa patronne. Elle s'était retenue de rappeler vers vingt-trois heures, de peur que Joséphine réponde de nouveau.

Le lendemain matin, elle s'efforça de trouver une façon de savoir ce qui s'était passé la veille. « Bon matin! dit-elle avec enthousiasme, même si elle dormait debout. Comment allez-vous, madame Joséphine? » Joséphine la regarda comme une mère regarde son enfant qui s'apprête à faire un mauvais coup.

« Très bien, et toi?

— Oh! J'ai dormi comme un bébé! mentit-elle. Avez-vous eu une longue nuit de sommeil? » Joséphine regarda son employée, amusée, mais joua le jeu.

« Non, je n'ai pas beaucoup dormi.

— Oh! Comment ça? Mauvaises nouvelles? demanda-t-elle, sentant un gros nuage noir se former au-dessus de sa tête.

— Non, mais je me suis couchée à minuit.

— Minuit? Madame Joséphine! Vous devez dormir au moins huit heures! Pourquoi vous êtes-vous couchée si tard? »

Joséphine s'approcha de Vivianne et prit son visage à deux mains.

« Qu'est-ce qui t'inquiète?

— Vais-je perdre mon emploi? »

Joséphine pouffa de rire, rassurant momentanément Vivianne. La vieille dame n'aurait certainement pas éclaté de rire si quelque chose de grave devait arriver.

Vivianne voyait parfois les choses en noir et son pessimisme l'avait guidée dans la mauvaise direction. Joséphine lui expliqua que sa boulangerie allait très bien et qu'elle n'avait pas à s'inquiéter. Vu le scepticisme dans le regard de Vivianne, elle ajouta tout de même, en la prenant par les épaules : « Je ne te mentirais jamais, ma fille. Tu dois me faire confiance. »

C'est tout ce qu'elle avait à dire pour calmer les nerfs de son employée. Ou était-ce par sa tendresse qu'elle y était parvenue ? La façon dont elle venait de la prendre par les épaules avait apaisé toute inquiétude en Vivianne et, à ce moment précis, elle sut qu'elle n'avait rien à craindre. Personne, pas même sa sœur Suzie, ne l'avait jamais fait se sentir si en sécurité. Du moins, pas depuis la mort de sa vraie mère. Elle passa agréablement le reste de sa journée, le sourire toujours au coin des lèvres, comme si elle sentait les mains de la boulangère encore tendrement posées sur ses épaules.

Christina McKinnon avait été une femme de très grande taille, et Vivianne lui ressemblait sur plusieurs points. Toutes deux avaient les cheveux auburn, les yeux pers et le teint pâle. Mais Christina avait des mains robustes, tout comme Joséphine et, malgré tout ce qui les différenciait – Christina était très maigre et Joséphine, rondelette –, elles avaient des mains similaires, des mains rassurantes, réconfortantes. Sa mère était fragile, et Joséphine était tout sauf fragile. Mais mon Dieu qu'elle avait un cœur d'or !

Vivianne se doutait depuis des années que la vie avait ses raisons, que ce n'était pas pour rien qu'elle poussait quelqu'un à marcher hors des sentiers battus. Elle avait refusé l'offre de M. Howard parce qu'elle sentait au fond d'elle-même que ce n'était pas ce vers quoi elle devait aller, et comprenait enfin le pourquoi de son arrivée à Éden. C'était vers Joséphine que la menait sa route. Vers son ange gardien. La vie avait envoyé une boulangère sur son chemin pour la protéger et veiller sur elle. Vivianne se retourna vers Joséphine au moment où un rayon de soleil envahit la boulangerie, comme la première fois qu'elle y avait mis les pieds. Elle fixa la femme en train de replacer méticuleusement ses tôles sur les étagères en métal avant de retourner à la cuisine. Vivianne retint des larmes tout en regardant Joséphine organiser ses choses.

La petite cloche résonna et sortit Vivianne de ses pensées. Elle se retourna et vit un Jimmy Pressman plus grand que nature en face d'elle. Son cœur battit soudain à toute vitesse. « Bonjour, Vivianne, dit-il d'une voix douce.

— Bon matin, répondit-elle tout en essuyant une larme le plus rapidement et subtilement possible.

— Tu as l'air troublée… Est-ce que ça va ? »

Vivianne jeta un coup d'œil vers la porte de la cuisine tout en retournant derrière le comptoir pour servir son client. « Je… suis émue… de te revoir ! tenta-t-elle de blaguer.

— Très flatteur… Eh bien, je… je suis de retour en ville.

— Étais-tu parti ? » C'était clairement une plaisanterie, mais elle rendit tout de même Jimmy mal à l'aise.

« Trois mois… je vois que tu t'es ennuyée, railla-t-il à son tour.

— Que veux-tu : pas de fleurs ni de carte postale. Je me suis dit que tu n'en valais pas la peine ! »

Le charme et le sens de l'humour de Vivianne étaient deux qualités que les gens appréciaient chez elle, comme Jimmy à ce moment.

« Félicitations, monsieur docteur en architecture, diplômé d'Oxford. Ta mère nous a annoncé la nouvelle », enchaîna-t-elle. Il inclina la tête, touché par le compliment.

« Tu es venu prendre sa commande ? ajouta-t-elle en tentant de cacher sa nervosité.

— Euh… oui. »

Elle se pencha pour prendre les sacs de Marcy qu'elle plaça sur le comptoir.

«Tu ne devrais pas faire les commissions aujourd'hui! Tu devrais te faire servir!»

Vivianne savait que sa mère organisait un brunch en son honneur. Jim sourit à peine et Vivianne s'inclina de nouveau pour prendre un *Mont Leblanc* sur l'étalage. «Dis-moi ce que tu en penses, s'il te plaît», dit-elle, essayant de dissiper le malaise dans la pièce.

«Merci. Comment s'appelle-t-il?

— Le *Mont Leblanc*.

— Ah! N'est-elle pas narcissique, celle-là!

— En fait, c'était mon idée.

— Oh! Tu es gentille... je veux dire, c'est gentil. Joséphine a dû être enchantée!»

Jim semblait nerveux, ce qui divertissait Vivianne.

«Elle en était très flattée!»

Tout en sortant son portefeuille de sa poche, il s'éclaircit la gorge et marmonna quelque chose d'inaudible. Vivianne se pencha vers l'avant pour mieux saisir.

«Pardon?

— Rien... bien... je me demandais si...»

La petite cloche sonna, les faisant tous deux sursauter, puis M. Casanova fit, comme toujours, une entrée remarquée. Vivianne lui fit signe au-dessus de l'épaule de Jim.

«Bonjoououour, mon petit! Comment va la plus belle fille du monde aujourd'hui?

— Très bien, monsieur Casanova. Je serai avec vous dans quelques instants.

— Fais ça vite, tu sais que je déteste poireauter», dit-il, mi-figue mi-raisin. M. Casanova ne se préoccupait jamais des autres clients. Il prenait *toute* la place chaque fois qu'il entrait dans la boulangerie. Mal à l'aise, Jimmy tentait tant bien que mal de sortir l'argent de son portefeuille.

«Désolée. Que te demandais-tu?» lui lança Vivianne. Jim jeta un coup d'œil vers Casanova et lui envoya un petit sourire rapide avant de se retourner vers la jeune femme.

«Si… eh bien… si… vous… vous aurez des croissants aux amandes avec le chocolat à l'intérieur demain matin?»

Jim agissait étrangement. Vivianne plissa les sourcils avant de pointer la vitrine. «Tu veux dire ceux-là?» dit-elle en se moquant gentiment. «Tu peux en avoir aujourd'hui, ajouta-t-elle, toujours à la blague. Ils sont à vendre, tu sais?»

L'agitation dans l'attitude de Jim devint presque malséante, et Vivianne eut un mouvement de recul. «Mais c'est *demain* que je les veux!» dit-il, un peu offusqué, tout en prenant les sacs après avoir reçu sa monnaie. «Reviens demain alors!» répliqua-t-elle sur le même ton.

Elle n'avait pas anticipé sa prochaine rencontre avec Jimmy de cette façon. Elle l'avait imaginé autrement et avait peine à accepter son manque de courtoisie.

Prends-en un de ton sac, imbécile! Il y en a une demi-douzaine à l'intérieur!

M. Casanova le regarda sortir et se retourna vers Vivianne, tremblante de colère.

«Oh! oh! dit-il simplement.

— Qu'y a-t-il?» Le ton sec de Vivianne trahissait son état d'âme. Elle savait trop bien qu'il ne lui fallait pas déplaire à un client, particulièrement à Casanova, après une confrontation avec un autre, mais restait irritée par tant d'insolence.

Sa mère ne serait pas fière…

Et Marcy lui donnerait une claque derrière la tête si elle apprenait ce qui venait de se passer.

«Cet homme t'aime bien!» observa Casanova en donnant son aval d'un signe de tête. Vivianne éclata de rire: «Que racontez-vous là?

— Il a figé. Il voulait te demander de sortir avec lui, mais il a figé quand je suis entré. Je n'aurais pas dû parler. Je suis désolé, princesse. Peut-être pense-t-il que nous sommes ensemble?» demanda-t-il d'un ton ironique, la faisant rigoler de plus belle. M. Casanova était l'homme le plus comique de la planète. Il trouvait toujours le moyen de retourner les situations à son avantage, et c'était une qualité que Vivianne affectionnait beaucoup. «Absolument pas! Ce n'est qu'un client.

— Fais confiance à un vieux croûton comme moi, ma belle. Je ne me trompe jamais quand vient l'amooouuur! Il te veut!» dit-il, regardant subtilement autour de lui, espérant voir apparaître Joséphine dans le cadre de porte. Pour la première fois depuis sa rencontre avec Casanova, Vivianne se permit de se moquer un peu du vieil homme en lui lançant qu'il était vieux et cynique. Mais lorsque sa patronne se présenta quelques secondes plus tard et demanda si Jimmy était venu prendre les sacs pour sa mère, le sourire de Vivianne s'éteignit.

«Il vient tout juste de partir, répondit-elle, avant de remarquer l'excitation inhabituelle de Joséphine.

— Vraiment? ajouta-t-elle, en tapant des mains comme une enfant. Et puis?

— Il a gelé sur place», interrompit Casanova, laissant Vivianne sans mots.

Casanova sortit son croissant du sac en s'assoyant à la table nouvellement placée en plein centre de la pièce. Il se retourna vers Vivianne en quête d'un verre d'eau et suggéra de garder une bouilloire ainsi qu'une cafetière pour les clients désirant savourer leur croissant sur place. Joséphine approuva sur-le-champ – une première! – et consentit également à se procurer quelques tables. La présence de clients discutant sur place contribuerait à l'atmosphère conviviale de l'endroit.

Ben ne contenait plus son bonheur à l'idée de passer le dimanche suivant à la boulangerie, et Vivianne tenta de le calmer toute la soirée. Il ne tenait plus en place, montrant des signes d'impatience à la veille de cette journée passée au « bureau » de sa mère. Il l'aiderait à préparer le pain et avait promis à Joséphine de lui confier sa recette secrète de biscuits aux brisures de chocolat. Il « travaillait » tous les dimanches *Chez Joséphine* depuis quelque temps, et il adorait recevoir des instructions d'une *vraie* boulangère sur la façon de préparer et de cuire ses viennoiseries préférées. Vivianne savait très bien que la recette secrète de biscuits de son neveu était en fait la même que celle de Joséphine, mais avec deux fois plus de brisures de chocolat ! Mais la meilleure façon de le convaincre de manger ses légumes restait de le menacer de refuser de l'aider à préparer ses biscuits. Ben était le meilleur petit garçon du monde, mais elle avait tout de même de la difficulté à lui faire manger des légumes quotidiennement.

Elle eut du mal à dormir ce soir-là en repensant à Jimmy et à son impolitesse. Mais Joséphine parlait tellement toujours en bien du cadet des Pressman qu'elle ne put s'empêcher de se questionner sur la théorie de Casanova. Bien que, pour une fois, elle espérât donner raison à son client préféré, la présence de Ben compliquerait quelque peu la rencontre. Jim n'en connaissait pas l'existence, et Joséphine n'en avait certainement pas parlé, elle qui aimait répéter qu'il ne fallait pas en faire mention avant d'avoir fait « mordre le poisson à l'hameçon ».

La nervosité de Vivianne s'expliquait par son attirance pour Jimmy. Non seulement il était beau à craquer, mais son intelligence l'intriguait. Leur différence d'âge ne la dérangeait pas, au contraire. Il avait trente-deux ou trente-trois ans, et était donc de dix ans son aîné. L'idée d'être avec un homme mature lui plaisait. Toutefois, comment réagirait-il en apprenant qu'elle avait un enfant et qu'en plus il n'était pas son fils biologique? Elle ne pouvait rien y changer: Ben vivait avec elle, elle l'adorait, ne l'échangerait pour rien au monde, et il avait encore besoin d'elle à temps plein.

Elle se demanda si Jim voulait des enfants.

Sûrement!

Bien qu'elle aimât Ben comme la prunelle de ses yeux, avoir un petit avec l'homme aimé devait être différent. Elle prévoyait avoir des enfants biologiques un jour. Le comble, pour elle, serait une fille! Elle s'endormit finalement sans avoir trouvé la solution à son problème. Elle resterait polie et accueillerait Jimmy avec le sourire. Ben travaillerait la majeure partie de la journée dans la cuisine. Peut-être n'aurait-elle pas besoin de mentionner son existence si rapidement...

Quand Vivianne ouvrit les yeux à 5 h 11, elle dut se les frotter pour s'assurer d'avoir bien vu l'heure. À 5 h 56, elle comprit qu'elle ne se rendormirait pas et prit le roman *A Vintage Affair* de l'auteure britannique Isabel Wolff. Elle appréciait ses romans pour leur humour particulier. Les revirements de situation y étaient toujours délicieux, essentiellement parce que le personnage féminin finissait chaque fois avec celui que le lecteur donnait perdant au début – mais qui s'avérait immanquablement être le bon gars après tout! Avec un peu de chance, elle finirait avec l'homme qu'elle ne savait plus trop si elle avait raison d'attendre: Jimmy...

La petite cloche résonna à 7 h 30 tapant quand elle mit les pieds *Chez Joséphine*, suivie d'un Ben hyperexcité. Il restait trente minutes avant l'ouverture et il y avait beaucoup à faire. Les premières miches étaient déjà sorties du four, et Vivianne huma l'odeur des pains au chocolat encore chauds.

Elle se rua à la cuisine pour se gâter pour le petit déjeuner. Elle mangeait un pain au chocolat presque tous les matins et les préférait dès leur sortie du four, puisqu'ils fondaient dans la bouche et leur odeur emplissait ses narines de bonheur. Avec l'accord de Joséphine, elles ouvrirent les portes à 7 h 52, puisque quelques personnes attendaient déjà en ligne. Il en était ainsi depuis quelque temps et, même si elles n'étaient pas toujours prêtes si tôt le matin, elles faisaient entrer leurs clients pour ne pas les laisser s'impatienter à l'extérieur.

C'était un de ces matins très occupés et la vedette du jour, ironiquement, était le croissant amandes et chocolat. Vivianne en prit quelques-uns et les glissa dans un sac, mis de côté pour Jimmy. Mais, à 10 h 30, il ne s'était toujours pas présenté et l'affluence du matin était presque terminée. Quand Joséphine vit le sac sous le comptoir, elle demanda pour qui il était. Après explication elle roula des yeux : « Il n'y en a plus ! Et tu ne peux garantir qu'il viendra. Nous devrions les vendre ! » Puis elle disparut à l'arrière sans attendre de réponse. Vivianne se demanda s'il allait effectivement se présenter. Mais son questionnement fut bref, puisque Jimmy s'annonça quelques instants plus tard. Lorsque la cloche retentit à son arrivée, Vivianne se replaça subtilement une mèche de cheveux en le saluant, nerveuse à mourir. « Bon matin ! dit-elle d'une voix fébrile. Tu es tard ! L'heure du petit déjeuner est passée !

— Je... sais, dit-il, gauche.

— Je suis contente de te voir. »

Le visage de Jim s'éclaira : « Vraiment ?

— Oui, Joséphine m'aurait foutue à la porte si tu n'étais pas venu. »

Elle se pencha pour prendre le sac brun. « Les deux seuls qui restent. Tout le monde s'est passé le mot ce matin ! » L'expression de Jim s'assombrit un peu.

« Je te pensais *vraiment* contente de me voir. »

Il s'imaginait qu'elle n'était pas vraiment heureuse de le voir, mais seulement soulagée d'avoir pu lui vendre ses croissants. Elle remarqua son désarroi. Il n'était ni arrogant ni prétentieux. Et se rattrapait ainsi pour la veille.

Il était ravissant, vêtu d'une chemise indigo à manches longues et de jeans bleus. Même lorsqu'il arborait ce style décontracté, son goût pour les vêtements était supérieur à celui de la plupart des hommes et la touche européenne dans son habillement plaisait bien à Vivianne. Bien qu'elle n'eût jamais mis les pieds en Europe, elle avait étudié avec beaucoup d'Européens, majoritairement de l'Europe centrale. Elle adorait les Anglais, non seulement pour leur façon de s'habiller, mais surtout pour leurs manières envers les femmes. Ils étaient polis et galants, et elle raffolait de leur accent britannique. Elle s'était juré de visiter Paris ou Londres avant ses trente ans, mais ce rêve s'était volatilisé le jour où Ben était entré dans sa vie à temps plein. Joséphine lui avait souvent parlé de ce qu'elle préférait de la France et, bien qu'elle provienne du sud, Paris l'émerveillait à chacune de ses visites. C'était à son avis la plus belle ville du monde. Londres et Vienne étaient aussi des capitales merveilleuses, mais aucune d'elles ne surclassait Paris. Avec ses quarante millions de touristes par année, il ne fallait pas s'étonner d'apprendre que c'était la métropole la plus visitée du monde.

L'«uniforme» de Vivianne consistait simplement en une paire de jeans et un t-shirt. Bien que travaillant avec le public, elle ne prêtait pas particulièrement attention à son habillement parce qu'il lui était inutile de soigner sa tenue, qui n'aurait su paraître élégante avec le tablier que Joséphine lui faisait revêtir quotidiennement. Le contraste était flagrant entre ses vêtements et ceux de Jim, et cela la gênait un peu.

Parce qu'elle ne pouvait résister au sourire de Jim, elle enchaîna rapidement : « Je suis *vraiment* contente de te voir. » Ils échangèrent un regard pendant quelques secondes

211

avant qu'il ne baisse les yeux et plonge sa main dans sa poche pour y puiser son portefeuille. Il semblait un peu mal à l'aise, ses gestes manquaient de naturel, et Vivianne se demanda si Casanova n'avait pas misé juste. Jimmy voulait l'inviter à sortir. Elle priait en silence pour que Ben ne se pointe pas le nez et ne ruine pas le moment. En tendant son argent, il lui lança une invitation à dîner. La joie de Vivianne ne dura que quelques secondes, jusqu'au moment où Ben apparut pour lui montrer sa dernière œuvre. «Regarde, maman!» s'exclama-t-il en pointant un joli biscuit en forme de cœur. Jim figea sur place sous le regard angoissé de Vivianne. Elle ferma les yeux une fraction de seconde pour chasser la scène de sa tête.

Pourquoi Ben a-t-il choisi ce moment précis pour me montrer son biscuit? Maudite loi de Murphy…

Elle ne l'avait pas vu de la matinée. Pourquoi maintenant? Elle sut qu'elle était échec et mat dès qu'elle croisa le regard de Jim. Et il lui fallut respirer par le nez pour garder la maîtrise de ses émotions et rester aimable avec son neveu, qui n'avait rien à se reprocher.

«Il est magnifique, dit-elle en tentant de masquer son désarroi.

— Est-ce que je peux le manger maintenant?» Il anticipait déjà une réponse négative, mais Vivianne était tellement inconfortable qu'elle en avait complètement oublié l'heure du dîner.

«D'accord, dit-elle en passant la main dans ses cheveux.

— Pour de vrai?» Son visage perplexe valait un million de dollars et même Jim ne put s'empêcher un petit fou rire. Le garçon disparut à l'arrière sans dire un mot de plus, de peur que sa mère ne change d'idée.

Vivianne l'observa disparaître, puis regarda Jim avec un petit sourire forcé. Elle avait déjà accepté son invitation. La balle était donc dans son camp.

« Maman ? répéta-t-il, un gros point d'interrogation sur le visage.

— Oui. » Elle le fixait droit dans les yeux, la tête haute, en attendant la suite.

« Je ne savais pas que tu avais un enfant.

— J'ai déjà entendu ça quelque part…

— Joséphine ne me l'avait pas dit.

— Maintenant tu le sais. »

À ce stade-ci, elle le voulait hors de la boulangerie à tout jamais. Cette situation était de toute façon ridicule. Jamais un homme intelligent, beau, riche et drôle comme lui ne la choisirait parmi tant d'autres. Ce type d'homme préférait généralement la pom-pom girl de l'école ou encore le mannequin aux allures parfaites. Pas l'adjointe-boulangère. Son père pourrissait en prison pour le meurtre de sa mère. Comment expliquer ça au « gars parfait » de toute manière ?

« Ça change tout, alors.

— Ne me dis pas… » répliqua Vivianne d'un ton sec. Elle était furieuse, furieuse contre elle-même de s'être laissé charmer par cet homme, comme si un Pressman pouvait sortir avec une apprentie boulangère, de surcroît mère monoparentale. Avec toutes les mauvaises expériences qu'elle avait vécues, elle aurait bien dû savoir qu'il ne fallait pas jouer avec le feu.

« Écoute, tu veux sûrement passer du temps avec ton fils, alors… »

Elle ne le laissa pas terminer.

« Je n'aurais pas pu y aller de toute façon. C'est compliqué, trouver une gardienne. » Son regard évitait celui de Jim, et elle essuyait *encore* le comptoir.

« Exactement ! J'irais vous chercher tous les deux pour le dîner ? Ensuite, on pourrait, je ne sais pas, aller au parc, ou quelque chose du genre ? »

Son cœur explosa de bonheur et des larmes de joie se tracèrent rapidement un chemin sur ses joues. Elle hocha la tête et marmonna quelque chose d'incompréhensible, mais la confusion dans le regard de Jim la calma.

« Mais ne mentionne pas le soccer, s'il te plaît, parce qu'il insiste pour un nouveau ballon depuis des mois et… bien… » Elle parlait si vite qu'elle en était elle-même étourdie.

Ils échangèrent un dernier coup d'œil avant son départ. Un client attendait déjà d'être servi depuis un moment, et Joséphine s'en occupa, laissant Vivianne flotter sur un nuage de bonheur. « Y en a un qui va être content », dit Joséphine d'un ton un peu bourru, en passant derrière Vivianne pour servir le client suivant. Cette dernière fronça les sourcils, mais était trop heureuse pour demander de qui il s'agissait. Joséphine se retourna vers son employée après avoir remis la monnaie au client. « Il m'avait demandé la permission, mais ne voulait pas que je t'en parle.

— Ah oui ?

— C'est un gentleman, Vivianne. Je suis très heureuse pour toi. Jim a toujours été mon préféré.

— Je ne veux pas m'exciter trop vite. Au cas où ça tourne au vinaigre. »

Ben réapparut en se frottant le ventre. « Ce sont les meilleurs biscuits au monde ! Merci, m'man. Je t'aime à la grande folie d'amour ! » Il l'embrassa en laissant une trace de chocolat sur sa joue, puis disparut de nouveau à l'arrière. Dans ces moments magiques, Vivianne savait qu'elle avait pris la bonne décision en le gardant.

« Qui va être content ? demanda-t-elle finalement à Joséphine.

— Tu verras », lui répondit sa patronne.

La petite cloche résonna au même instant et Casanova fit son entrée en lançant ses ritournelles habituelles. Fidèle à son habitude, il portait un blouson beige et un chapeau de pêche, qu'il enleva dès qu'il vit Joséphine. «Et puis?

— Idiot! Je t'avais dit d'arriver à dix heures!

— Regarde-moi! répliqua Casanova en criant, crois-tu *vraiment* que je peux *courir* jusqu'ici?» Joséphine leva les yeux au ciel, sous le regard confus de Vivianne.

«Pars plus tôt! Bordel de merde! Tu es généralement à l'avance!»

Casanova changea de ton.

«Alors?

— Il a oublié son sac.» Sur ce, Joséphine sortit un billet de cinq dollars de sa poche de tablier et Casanova tendit la main pour recevoir l'argent, qui y atterrit en moins de deux. Il plaça fièrement le billet dans la poche de son manteau et se tourna vers Vivianne.

«Je le savais, commença-t-il. Les vrais hommes ne gèlent jamais deux fois de suite.» Il était clair aux yeux de Vivianne que Joséphine et Casanova avaient gagé que Jim allait ou n'allait pas avoir le courage de lui demander de sortir avec lui. Ce qu'elle ne savait pas, et qu'elle oublia de demander, c'est si la gageure portait précisément sur la «demande» ou bien sur «l'oubli du sac sur le comptoir». Mais, après tout, cela n'avait aucune importance, car elle avait rendez-vous avec le plus bel homme au monde! Joséphine retourna à la cuisine pour «assister» Ben avec la prochaine fournée, et Vivianne remit le sac de Jim à Casanova. «Je vous l'offre!»

Casanova porta sa main à son cœur dans un geste exagéré. «Que Dieu te bénisse, princesse», dit-il, presque agenouillé. Vivianne hésita un bref moment, puis lui dit d'un ton complice: «Vous avez raison, les vrais hommes ne gèlent *jamais*.» Casanova approuva d'un signe de tête.

«Alors, qu'attendez-vous?» dit-elle en le fixant dans le blanc des yeux. Casanova devint livide, mais, fier, se contenta d'un haussement d'épaules. Vivianne tenait mordicus à l'obliger à assumer sa passion. « Je ne suis pas aveugle, vous savez. C'est à votre tour d'avouer vos sentiments… Casanova. » Un à zéro pour Vivianne. Le visage de M. Casanova se décomposa, il prit le sac, se retourna et se dirigea vers la sortie. Les seuls mots qui sortirent de sa bouche au moment où il ouvrit la porte furent : « Petite garce. »

Jamais elle ne l'avait vu partir si brusquement, sans même lui lancer un « au revoir », et Vivianne pensa avoir poussé la note trop loin. Elle se demandait si, au fond, le statu quo ne convenait pas à Joséphine et à Casanova. Cette idée la hanta toute la journée et l'embêta d'autant plus le lendemain quand elles n'eurent aucune nouvelle de lui. Il n'était pas dans son habitude de se mêler des histoires personnelles des gens, mais Joséphine avait été tellement généreuse envers elle, et elle ne voulait que lui rendre la pareille en la voyant rayonnante à son tour.

Vivianne n'était pas seule à avoir remarqué l'absence de Casanova le lendemain. Joséphine s'était pointé le nez dans la porte quatre fois entre 9 h 30 et 10 h 30, les heures où apparaissait habituellement le vieillard. Vivianne choisit de se taire et décida de s'excuser à la prochaine visite de son client préféré. Son estomac se contracta à cette idée. Elle saurait mieux faire la prochaine fois…

Mêle-toi de tes affaires…

9

La sonnette retentit à l'heure convenue le samedi suivant, où Vivianne avait exceptionnellement pris congé. Elle était nerveuse à l'idée de passer la journée avec Jim et Ben, et son cœur battit à une vitesse folle tandis que la distance entre sa porte et elle rétrécissait. Après avoir salué Jim poliment, elle le fit entrer et appela son neveu, qui se tenait déjà derrière elle. Il s'agrippa à la cuisse de sa mère et fixa cet étranger qui venait d'entrer dans sa demeure. Les choses se gâtèrent quand vint le temps de partir et qu'il insista pour rester seul avec Vivianne. À bien y penser, ils avaient rarement été avec une tierce personne au cours des dernières années, et Ben sentait l'amour exclusif de Vivianne lui glisser entre les doigts. Malgré le désir du petit d'avoir un « père » dans sa vie, cet homme changerait leur routine et il lui en voulait.

« Nous aurons du plaisir, mon cœur !

— Non ! Je ne veux pas !

— Ben, s'il te plaît.

— Pourquoi on ne peut pas y aller seulement tous les deux, comme d'habitude ? »

Le malaise s'installait et Vivianne ne savait comment réagir. Jim s'agenouilla en face du petit et chuchota quelque chose à son oreille. Cinq secondes plus tard, le trio sortait de l'appartement, un sourire accroché aux lèvres.

Vivianne tenta de tirer les vers du nez de Jim, mais en vain. Celui-ci insista pour dire que c'était leur secret, et les deux hommes échangèrent un clin d'œil déjà complice. Au

217

lieu de se rendre au restaurant habituel de Vivianne et de Ben, ils optèrent pour l'endroit favori de Jim à l'autre bout de la ville. La grosseur des sundaes y plut énormément à Ben, qui eut un plaisir fou à tenter de terminer sa coupe pendant que les adultes discutaient. Jim parla de Londres et de ses quartiers préférés, mais chaque fois qu'il posait une question sur le passé de Vivianne, elle détournait la conversation d'une main de maître. Ils en vinrent au sujet de Ben vers la fin du repas. Quel âge avait-il exactement? «Sept ans!» s'exclama le petit. Jim savait que Vivianne en avait vingt-deux…

Il calcula rapidement et déduit qu'elle n'avait que seize ans à l'accouchement.

«Wow, tu étais jeune quand…» commença-t-il sans penser à la suite. Sachant où il allait en venir, Vivianne l'interrompit vivement: «Veux-tu manger avec nous ce soir?»

En sentant la nervosité dans le ton de Vivianne, Jim comprit tout de suite qu'il lui valait mieux laisser tomber et accepta l'offre avec joie. Elle ne voulait de toute évidence pas parler de sa condition de jeune mère et il n'aborderait plus le sujet, du moins pas en présence de Ben.

Elle n'aimait pas ressasser la tragédie devant son neveu. Elle n'avait pas fait une croix sur son passé et pensait encore souvent à Suzie et à Billy, mais d'en parler lui rappelait des mauvais souvenirs. Ils auraient cette conversation une autre fois.

En fait, elle n'était pas convaincue que ce soit le bon jour pour raconter son histoire. Peut-être était-il trop tôt? Elle ne voulait surtout pas effrayer Jim. Ils avaient déjà passé deux heures ensemble et tout se déroulait sans accrochage. Après avoir mangé, en se dirigeant vers la voiture, Jim suggéra d'aller au parc. «Pour faire quoi?» demanda Ben, la mine basse. Maintenant qu'il avait terminé son gigantesque sundae, que pouvaient-ils faire de plus amusant? Jimmy ouvrit le coffre de la voiture et Ben y découvrit un ballon de soccer flambant neuf.

«Jouer au soccer?» dit Jim en lui tendant le ballon. Le visage de Ben s'illumina en un instant. «Il est à toi!

— Oh!» Ben se retourna vers Vivianne, qui était rouge jusqu'aux oreilles, sachant très bien où il allait en venir. «Est-ce que ça veut dire que...»

Il se rappelait la conversation qu'ils avaient eue quelques semaines auparavant et, parce que Vivianne le connaissait trop bien, elle ne le laissa pas terminer et le poussa à l'intérieur de la voiture en tentant, encore une fois, de cacher son agitation.

«Ça veut dire qu'on va jouer au parc! Allez, hop, monsieur!» Elle tourna son visage pourpre vers Jim, qui n'essayait même pas de cacher son incompréhension.

«Je t'expliquerai» fut tout ce qu'elle trouva de cohérent à lui dire en s'assoyant dans la voiture.

La vulnérabilité de Vivianne amusait Jim. Elle semblait souvent très en contrôle d'elle-même et très déterminée, comme si elle avait constamment quelque chose à se prouver, mais, au fond, il aimait découvrir ses faiblesses et sa susceptibilité. Jim ne connaissait encore rien du passé de Vivianne et attendait la soirée avec impatience afin d'en apprendre un peu plus sur le père de Ben, qu'il soupçonnait de ne plus être présent dans leur vie.

Ils jouèrent au soccer tout l'après-midi. À un certain moment, Vivianne les laissa s'amuser et s'assit sur le gazon pour les regarder en cette superbe journée ensoleillée. Beaucoup de pères échangeaient le ballon avec leur garçon, et elle se demanda si les gens qui l'observaient croyaient qu'ils formaient une «vraie» famille, elle, Ben et Jim.

Elle observa son neveu jouer et rire avec Jimmy, enfin en paix avec la vie. Les choses allaient bon train et, parce qu'elle ne savait pas pour combien de temps, elle profita du moment du mieux qu'elle le put. La journée était passée plus vite qu'à l'habitude, ce qui ne lui déplaisait pas du tout, puisqu'elle aurait enfin un moment seule avec Jim après avoir couché Ben.

Le risotto aux asperges avec coulis de tomates accompagné d'une salade d'endives et d'une baguette de Joséphine fut un succès, tout comme les biscuits aux brisures de chocolat de Ben et les fraises. Jim menaça de venir tous les soirs afin de pouvoir manger des baguettes gratuitement. Ben lui confia que sa mère faisait le plus beau travail du monde, ce que Vivianne ne détestait pas entendre. Il était fier d'elle et de sa façon de gagner sa vie, et l'aidait à apprécier – et à assumer – son travail.

Elle en était enfin venue à adorer son métier et, lorsque Jim souligna qu'elle progressait dans son travail, elle acquiesça d'un grand signe de tête. Effectivement, elle s'affirmait en tant que boulangère et s'en bombait le torse ! Tant de jeunes clients avocats avaient l'air stressés et dépendants de leur BlackBerry ou de leur iPhone ! Sur combien d'entre eux avait-elle remarqué ces cheveux gris qui avaient prématurément pris possession de leur cuir chevelu ? Bien que d'être boulangère puisse être aussi angoissant que de pratiquer le droit (les baguettes ne doivent pas brûler !), elle réalisa à quel point sa vie était parfaite.

Les hommes s'amusèrent encore un peu après le souper pendant que Vivianne terminait la vaisselle. Ben remercia Jim pour le ballon et pour « la meilleure journée du monde », en espérant la voir se répéter bientôt. Quand Jim répondit qu'il n'en dépendait que de sa mère, le cœur de Vivianne se remit à pomper si fort et sa pression monta si haut qu'elle crut que sa tête allait exploser.

« Mets-toi à l'aise au salon pendant que je le couche. »

Jim admira les photos au-dessus du foyer en attendant le retour de Vivianne. Il en aperçut une d'elle où elle paraissait plus jeune devant un panneau de Harvard. À ses côtés se tenait une autre demoiselle qui lui ressemblait grandement.

Ses yeux continuèrent sur un portrait de famille où se trouvaient la même femme, un homme et un jeune bébé d'environ deux mois. *Probablement Ben...* Son regard se posa ensuite sur une photo de deux fillettes se tenant la main en maillot de bain, debout devant une piscine gonflable, en compagnie d'une femme d'une vingtaine d'années. *Probablement la mère de Vivianne. Elles se ressemblent tellement... Et l'autre, sûrement sa sœur.* Mais la photo suivante capta davantage son attention. Il y reconnut Vivianne à côté d'une femme dans un lit d'hôpital, tenant un bébé dans ses bras. Puis, il regarda le portrait de famille de nouveau. La femme était certainement la même sur les deux photos et le bébé ne pouvait être nul autre que Ben. Vivianne entra dans le salon au moment où il faisait ce constat.

« Qui est la fille sur cette photo ? demanda-t-il en pointant la jeune femme tenant le bébé à l'hôpital.

— Ma sœur, Suzie. »

Elle contempla la photo, ce qu'elle n'avait pas fait depuis quelque temps, et crut se rappeler un million de souvenirs en même temps. Suzie les avait quittés plus de deux ans auparavant, et son souvenir de la tragédie restait à la fois clair et flou, proche et éloigné, souvent insaisissable. La photo comptait parmi ses préférées pour de multiples raisons. Elle avait été prise par Billy un jour après la naissance de Ben, un des moments les plus heureux de sa vie.

« Je suis confus, commenta Jim, en pointant la photo.

— Il y a de quoi. »

Vivianne s'assit et raconta toute l'histoire de sa vie, depuis le meurtre de sa mère, en passant par la maison d'accueil, la rencontre de Billy et d'Angela, l'arrivée de Ben et... l'accident fatal. Elle ne savait pas trop par où commencer et laissa son cœur parler, puis l'histoire coula telle une rivière au printemps. C'était une histoire souvent tragique, mais aussi une histoire ponctuée de moments heureux, de bonheurs.

La partie la plus difficile à raconter fut le souvenir de Ben lui racontant l'accident quelques mois après l'avoir vécu. Elle s'en remettait à peine…

«Suzie était consciente après l'impact, avoua-t-elle à Jim avec un sentiment de culpabilité. Elle a essayé de réconforter Ben qui pleurait, en attendant de l'aide… Je ne pouvais pas en croire mes oreilles lorsqu'il me l'a raconté.» Ses yeux se remplirent de larmes. «Le médecin m'avait convaincue de la faire débrancher rapidement pour pouvoir faire le don de ses organes…» Jim était sans défense. «Et si j'avais pris la mauvaise décision?» Il se pencha sur elle pour la prendre dans ses bras. «J'y pense constamment… Si j'avais pris la mauvaise décision?

— Le médecin savait certainement qu'elle ne passerait pas à travers cette épreuve, et tu as pris la bonne décision.

— Mais… si?»

Elle éclata en sanglots et pleura pendant trente minutes, inconsolable. Après ces années de retenue, elle libérait enfin ses démons intérieurs, dans les bras d'un homme parfait, lors d'une première rencontre sans accroc.

«Je suis désolée… Je ne sais pas ce qui me prend ce soir…

— Je savais que tu étais une femme exceptionnelle quand je t'ai vue la première fois… mais je n'avais aucune idée… Wow…» Jim s'adaptait à la situation d'une façon très mature. «Vivianne, ta décision a sauvé la vie d'une adolescente, et sans doute celle de plusieurs personnes. Et n'oublie pas tout ce que tu as fait pour Ben. Ça doit compter pour quelque chose.»

Elle s'essuya les yeux. «C'est ce que je me répète sans cesse… C'est juste… difficile… de ne pas avoir de garantie, tu sais?»

Jim prit gentiment son bras pour la rapprocher de lui. «Viens ici.» Elle reposa sa tête sur son épaule. Elle n'avait jamais senti des mains aussi douces et chaleureuses. Ils se séparèrent un moment, puis il saisit son visage avant de se pencher lentement pour l'embrasser amoureusement.

Ses lèvres étaient beaucoup plus douces qu'elle se les était imaginées et son haleine, parfaite, comme elle l'avait remarqué lors de leur rencontre. Pour la première fois de sa vie, elle sentit le baiser jusque dans ses genoux et s'y attarda le plus longtemps possible. Elle pensait s'évanouir tellement tout tournait autour d'elle. Il la prit dans ses bras encore une fois et lui chuchota à l'oreille : « J'ai pensé à toi tous les jours en Angleterre. » Elle rougit en se remémorant sa soirée avec Jérémie.

« C'est drôle, car j'ai pensé à toi lors d'un souper avec quelqu'un d'autre !

— Je suis content de voir que ça n'a pas cliqué, blagua-t-il. Je t'ai trouvée jolie la première fois que je t'ai vue.

— Je n'avais pas dormi depuis vingt-quatre heures !

— Je sais, mais la façon dont tu t'es présentée. Et la blague à propos de Joséphine était hilarante, tellement sans prétention.

— Je n'ai rien à prétendre. »

Considérant ce que Joséphine et Marcy lui avaient dit sur elle, il le savait. *What you see is what you get.* Et Vivianne était exactement ce que Jim recherchait. Une belle femme intelligente avec un sens de l'humour hors du commun.

Ils discutèrent une vingtaine de minutes, puis elle s'aperçut qu'elle était à moitié nue à l'embrasser sur le sofa. Elle l'invita dans sa chambre à coucher et ils firent l'amour jusqu'au lendemain matin.

Elle savait que Ben aimait Jim, mais parce qu'un homme dormait à la maison pour la première fois, elle préférait éviter qu'ils se croisent au petit déjeuner. Contre son gré, Jim lui offrit donc de partir avant le lever du soleil, et ils s'entendirent pour se revoir le lendemain soir.

En route vers le travail, elle ne pouvait s'empêcher de sourire. Ne sachant pas jusqu'où irait cette relation, elle apprécia le moment présent. Son arrivée au travail trente minutes plus tôt qu'à l'habitude fit jaser, et Joséphine la taquina toute la matinée.

« J'étais surprise de te voir si tôt ce matin !

— Je ne pouvais plus dormir, alors je me suis dit…

— Est-ce que Jim est encore avec Ben ? »

Curieuse, cette Joséphine !

Vivianne se retourna vers elle en souriant.

« Madame Joséphine ! »

Avec sa réaction, il était clair qu'ils avaient passé la nuit ensemble, ou du moins une partie.

« En tout cas, dit Joséphine négligemment, je suis contente que Jimmy soit celui qui t'a donné un, euh, p'tit coup… » Elle éclata de rire.

Stéphanie pouffa de rire en remplissant les paniers de sandwichs pendant que Vivianne se replaça la mâchoire. Joséphine s'était approchée et lui avait caressé les joues d'un geste maternel. « Madame Joséphine ! » fit-elle sur un ton faussement outré.

« Quoi ? Je suis heureuse pour toi ! »

Le ton de Vivianne changea tout d'un coup : « Moi aussi, je suis contente pour moi. »

Elles s'étaient beaucoup rapprochées au cours de la dernière année, et Joséphine remplissait auprès de Vivianne le rôle de mère. Il y avait une raison pour laquelle Dieu avait envoyé cette Française sur son chemin, et Vivianne se réjouissait d'avoir refusé l'offre d'emploi de M. Howard. Pendant que Stéphanie s'apprêtait à partir, panier sous le bras, et que Joséphine et Vivianne discutaient, un livreur se présenta avec un superbe bouquet de fleurs. Il demanda à voir Vivianne, qui accepta le bouquet avec joie avant de le remercier avec un morceau de *Mont Leblanc*. Elle lut la carte en silence, le regard des deux femmes accroché à ses lèvres dans l'espoir de décoder le contenu du mot, que Vivianne glissa dans la pochette avant de son tablier.

« Et puis ? demanda Stéphanie en prenant le panier avant de sortir.

— C'est personnel. » Vivianne continua à vider les tôles de croissants pour les placer dans le comptoir. Après le départ de Stéphanie, Joséphine s'avança.

« Et puis ?

— Et puis quoi ?

— Qu'est-ce que ça dit ?

— Quoi ?

— Mais la carte, bordel ! » Joséphine était impatiente tellement elle voulait savoir.

« Elle dit… » Joséphine s'approcha de Vivianne pour mieux entendre. « Mêlez-vous de vos affaires !

— Oh ! Je suis ta *boss*, putain !

— Eh bien, foutez-moi à la porte, mais vous ne le saurez pas !

— Bof… Je ne voulais pas savoir de toute façon. Ne me le dis jamais, je n'écouterai pas. » Joséphine jouait l'insultée, au grand amusement de Vivianne.

« Au lieu de chialer, vous devriez me parler de vos nouvelles recettes », dit cette dernière pour changer de sujet.

Les tests s'étaient pour la plupart avérés fructueux et de nouveaux produits seraient désormais offerts. Vivianne profita de l'occasion pour parler d'un plan d'expansion. Une pancarte « À louer » était placée sur l'espace d'à côté, qui était désert depuis presque un mois. La beauté du local résidait dans son emplacement à l'angle, une splendide fenestration et une luminosité incroyable. « Je ne sais pas, avait répondu Joséphine alors que la petite cloche annonçait l'arrivée du couple Winfrey. On verra. »

« Bonjour à vous deux ! s'exclama Vivianne.

— Bonjour, Vivianne. »

Michelle s'avança vers le comptoir, suivie de son époux.

« Paul, s'aventura Vivianne, nous discutions de l'idée d'agrandir, qu'en pensez-vous ?

— Tant que vous continuez à cuire ces merveilleuses campaillettes, madame Joséphine, je trouve l'idée géniale. »

Paul et Michelle les visitaient au moins une fois par semaine. « Michelle, nous avons un nouveau brownie au menu. Le *Mont Leblanc*, en l'honneur de Joséphine. Vous ne voudrez plus du *Décadent* après avoir goûté celui-ci !

— Tu es trop drôle », lança ironiquement Joséphine. Elle se retourna vers le couple : « Elle dit cela parce qu'elle l'a créé. Mais, à mon humble avis, *Le décadent* reste indétrônable ! »

Créé ?

Vivianne n'avait pas vu les choses de cette façon. Mais oui, elle avait en effet créé le *Mont Leblanc*. Depuis la recette jusqu'au nom.

« Vous êtes trop comiques ! Vous vous disputez chaque fois que nous venons ! dit Paul en riant.

— Oh ! Vous devriez voir quand M. Casanova est ici. Joséphine et lui donnent un bien meilleur spectacle ! » Vivianne rigola, mais Joséphine haussa les épaules d'un air faussement désintéressé.

« Tu ne sais pas de quoi tu parles ! dit-elle avant de saluer les Winfrey et de disparaître à l'arrière.

— Elle est hilarante. Je vais goûter à tes brownies, Vivianne. Ils ont l'air délicieux. »

Michelle en attrapa un et Paul se pencha vers son amie. « La question cruciale est : "Y a-t-il autant de… potion de l'amour… que dans *Le décadent* ?"

— Il y en a encore plus ! Sans compter le chocolat blanc ! » Elle leva les sourcils.

« Oh la la ! entendirent-elles Paul s'écrier. Chérie, tu peux en manger, mais nous retournons directement à la maison ! » Vivianne lui remit son clin d'œil complice.

« Vivianne, je ne sais pas ce qui lui prend, mais il m'incite toujours à en dévorer plus qu'un ! » Vivianne crut mourir de rire.

« Ils peuvent créer une forte dépendance, n'est-ce pas ?

— Oh oui ! dit Paul en empoignant la campaillette que Vivianne lui tendait. Allons-y, chérie. Bonne journée !

— Vous aussi, lui répondit Vivianne au moment où Joséphine réapparaissait avec une tôle pleine de *Décadent*. Je n'en ai pas fini avec vous, *madame*, dit-elle à sa patronne sur un ton autoritaire. Nous parlions d'expansion.

— Veux-tu laisser tomber ?

— Il n'en est aucunement question ! » Vivianne s'approcha d'elle : « Ce serait tellement génial ! Nous placerions des tables pour un coin café, on offrirait également un service de traiteur et un coin confiserie ! Pensez-y, madame Joséphine. »

Plus Vivianne en parlait, plus elle avait d'idées originales.

« Mais nous devrons engager beaucoup de monde. Je suis trop vieille.

— Je m'occuperai de tout. Vous n'aurez absolument *rien* à faire. Je demanderai à Jim de nous dessiner quelque chose de stylisé. Je penserai à un plan marketing intelligent. Depuis le temps que je travaille ici, je comprends bien le fonctionnement. Et je sais ce que les clients préfèrent. Faites-moi confiance. » Vivianne se faisait très insistante.

« Je te fais confiance, dit Joséphine, qui se prit soudain la poitrine, sous le regard inquiet de Vivianne.

— Ça ne va pas ?

— J'ai mangé trop de *Mont Leblanc* !

— Madame Joséphine, ce n'est pas la première fois que je remarque cette grimace. Si je dois savoir quelque chose, dites-le-moi, s'il vous plaît.

— Tout va bien, mais pour ce qui est du plan d'agrandissement, on en reparlera. Je vais y penser. » Puis elle disparut à l'arrière.

Vivianne n'eut pas le temps de se préoccuper de Joséphine ; elle aperçut Casanova marcher sur le trottoir de l'autre côté de la rue. « Je reviens dans deux minutes ! » s'écria-t-elle avant d'ouvrir la porte du magasin.

Elle marcha quelques pas et rejoignit rapidement le vieil homme sur le trottoir. Il n'était pas revenu à la boulangerie depuis leur récent accrochage, car il ne lui avait toujours pas pardonné ses propos. « Monsieur Casanova ! héla-t-elle.

— Je ne suis pas d'humeur à recevoir d'insultes, Vivianne. »

Il l'appela par son prénom pour la première fois, confirmant sa colère. Puisqu'elle marchait sur des œufs, elle alla droit au but.

« Écoutez, je suis vraiment désolée pour l'autre jour. Je ne le pensais pas.

— Vraiment ? l'interrompit-il brusquement. Tu ne le pensais pas ? Tu ne voulais pas m'insulter ?

— Monsieur Casanova, calmez-vous, s'il vous plaît. Je ne…

— Tu as raison ! Je suis un bon à rien, un *loser*. Et je suis furieux envers toi de m'en avoir fait prendre conscience ! »

Vivianne recula d'un pas aux mots de Casanova. Elle n'avait pas du tout anticipé cette conversation. C'est pourquoi elle battit le fer pendant qu'il était chaud en enchaînant gentiment : « Elle vous aime bien, elle aussi. J'en suis persuadée. »

Mais le visage de Casanova ne s'illumina que quelques secondes.

« En es-tu *vraiment* sûre ? »

Vivianne ne pouvait mentir. Elle hocha la tête. Elle n'en était pas *vraiment* sûre, elle en était *certaine*. Il était inimaginable que Joséphine n'ait aucun sentiment pour lui. « Tout ce que je sais, c'est qu'elle a remarqué votre absence depuis une semaine. Cela doit compter pour quelque chose.

— Mais tu n'es pas convaincue à 100 %! Elle rira de moi si je m'avance. Je la connais depuis tellement d'années. Elle se foutra de ma gueule, dit-il, en secouant la tête à son tour, et je ne pourrai plus jamais y remettre les pieds, *jamais*!

— Vous ne venez plus de toute manière, qu'avez-vous à perdre? Elle ne rira pas, monsieur Casanova. S'il vous plaît, je suis si navrée de ce que j'ai dit… Je vous promets de ne faire aucune mention de notre conversation. Vous n'aurez même pas à lui demander quoi que ce soit si vous n'êtes pas à l'aise. Mais, *s'il vous plaît*, revenez nous voir. Elle est misérable depuis une semaine. Je vous donnerai des croissants gratuits pour le reste de votre vie si vous revenez.»

Il haussa les épaules en jouant l'indifférence.

«Je suis misérable lorsque je ne vous vois pas.» Elle aperçut la petite convulsion dans l'œil de Casanova et comprit qu'elle venait de miser juste.

Mais, parce qu'il restait muet, elle décida de tenter le tout pour le tout: «Je m'ennuie de vous, monsieur Casanova. Vous êtes mon rayon de soleil quotidien.»

Bingo!

Quelques minutes après son retour derrière le comptoir, Vivianne entendit la petite cloche annoncer l'arrivée de Casanova. Il lui fit un clin d'œil avant de se pencher pour prendre un croissant – gratuit! Comme prévu, Joséphine surgit en moins de deux.

«Où étais-tu, toi? cria-t-elle avec son arrogance habituelle.

— Un homme peut-il vouloir prendre une pause d'insultes parfois? J'avais des choses à régler, ça te dérange?» lança-t-il sur le même ton.

Joséphine roula des yeux avant de disparaître. Casanova se contenta d'un petit sourire avant de repartir. Il y avait un certain malaise entre eux, mais, au moins, il était de retour, et Vivianne savait qu'elle regagnerait sa confiance au fil des semaines. Aurait-il un jour l'audace d'inviter Joséphine à sortir avec lui? Probablement pas. Casanova était un homme très timide après tout, et le fait qu'il ne soit jamais seul dans la même pièce que Joséphine n'aidait pas. Vivianne s'éclipsa à l'arrière lors de la visite suivante du vieil homme, mais rien. Aucune demande de Casanova…

«Elle a au moins accepté d'y penser, dit Vivianne à Jimmy après le souper quelques jours plus tard. C'est généralement un "non" catégorique avec elle. Ça augure bien, enchaîna-t-elle tout en savourant une gorgée de chardonnay.

— Je pourrais dessiner des plans, et un nouveau logo, si tu veux, offrit Jimmy en s'assoyant à ses côtés sur le sofa.

— C'est ce que je lui ai dit.

— Sans m'en parler? Qu'est-ce qui te fait croire que je le ferais?» blagua-t-il, évidemment. Il déposa son verre de vin pour la prendre dans ses bras. «Je pense que tu devras me payer en nature, dit-il en lui bécotant tendrement le cou.

— Hmm, laisse-moi y penser.»

Elle l'embrassa sur la bouche. Ils renoncèrent à aller à la chambre et firent l'amour sur le sofa.

Un peu plus tard dans la soirée, lorsque bien calés dans la causeuse, ils en vinrent de nouveau à parler de Joséphine, Vivianne avoua son inquiétude quant à la santé de la dame. «Elle a l'air exténuée. Je vais l'obliger à prendre quelques jours de repos.» Il était inimaginable que Joséphine n'ait jamais pris de vacances de sa vie. Tout ce que Jim put répondre lorsque Vivianne lui demanda ce qu'il savait du passé de la Française fut qu'elle avait immigré au Canada à la suite d'un drame survenu dans sa vie. Mais il n'en savait pas plus et, si Marcy était au courant de quelque chose, elle ne l'avait jamais répété.

Marcy et Joséphine avaient fait connaissance peu de temps après l'ouverture de *Chez Joséphine*. Marcy venait de perdre sa fille de trois ans et son entourage s'inquiétait de son état de santé. Le drame s'était produit lors d'une fête autour de la piscine chez les Pressman. Les enfants s'amusaient dans l'eau tandis que les parents profitaient de la température en bavardant, un verre de rosé à la main. Comme il arrive trop souvent lors de ce genre de fête, chaque adulte se fiait aux autres pour surveiller les enfants et, lorsqu'ils comprirent qu'Alicia était au fond de l'eau, le mal était fait.

Marcy ne s'était jamais pardonné la tragédie, et la famille avait déménagé seulement un mois plus tard, car ils étaient incapables de continuer à vivre dans une maison qui leur rappelait d'aussi horribles souvenirs. Ils s'étaient déplacés vers Éden, à quelques kilomètres de leur maison de banlieue. Harry Pressman avait du mal à voir son épouse pleurer tous les jours. Elle se sentait coupable, mais le blâmait aussi pour ce qui s'était passé. En bonne mère protectrice, elle s'était toujours souciée plus que lui de la sécurité de leurs enfants, mais il y était *également*. Il buvait et riait *également*. Il avait vu sa fille au fond de la piscine *lui aussi*. Le couple avait traversé une période difficile et avait même considéré le divorce. Ils géraient la perte de leur fille de deux façons distinctes, et leurs deux garçons étaient leur seule motivation pour rester ensemble. Michael et Jim. Ils vivaient toujours, c'est pourquoi les époux vinrent à bout de leur détresse et retrouvèrent la paix à Éden, la ville natale de Harry, où sa famille, qui y vivait toujours, les avait grandement soutenus.

Marcy avait testé à peu près toutes les boulangeries du coin avant d'entrer *Chez Joséphine*. Après avoir goûté au pain – sur place ! –, elle était immédiatement devenue accro et, même si elle habitait à vingt minutes du magasin, elle s'y présentait quelques fois par semaine et s'était rapidement liée d'amitié avec la propriétaire. Les deux amies avaient vécu des deuils dans leurs vies respectives. C'est peut-être pour cela que ces deux femmes si différentes avaient fraternisé en si peu de temps.

Jim était relativement jeune lors de la tragédie, mais l'incident l'avait marqué. Il se souvenait clairement d'avoir joué à « qui peut rester le plus longtemps sous l'eau » et qu'ils avaient tous encouragé la petite à garder longuement son souffle au fond de la piscine.

Vivianne se coucha cette nuit-là en pensant que chaque famille avait son drame et qu'aucune ne s'en remettait jamais complètement. Elle se questionna à savoir pourquoi Marcy et Joséphine s'entendaient si bien. Qu'est-ce qui avait pu autant les unir ? Elle souhaitait en apprendre plus sur le passé de Joséphine. Elle méritait de savoir et s'informerait le lendemain.

Mais sa tentative échoua, car de convaincre Joséphine de parler de son passé était plus difficile que de ressusciter un mort. Vivianne en arriva donc à la conclusion que quelque chose de très grave était survenu, faisant basculer sa vie. « Ça ne peut quand même pas être pire que ce qui m'est arrivé. » Mais les yeux de Joséphine s'étaient remplis de larmes, et elle avait quitté la pièce sur-le-champ quand son employée avait fait pression sur elle pour la faire parler. Vivianne n'avait pas eu l'occasion de s'excuser, mais laissa tomber le sujet, de peur de faire d'autres vagues.

Puisque l'achalandage n'était pas très important à la boulangerie cet après-midi-là, Joséphine laissa partir Vivianne un peu plus tôt. Jim soupait à la maison — comme presque tous les soirs au cours du dernier mois ! –, et elle préparait quelque chose de spécial. Elle déclina l'offre de Joséphine de garder Ben, puisqu'elle avait promis à son neveu une soirée à trois. Le petit adorait passer du temps avec Jim, qui prenait également plaisir à discuter de diverses théories sur l'extinction des dinosaures.

Joséphine ferma boutique vers dix-neuf heures. En mettant la clé dans la serrure, elle se fit apostropher sur le trottoir. Quelle ne fut pas sa surprise de voir Casanova debout derrière elle. Sans trompette ni fanfare, sans entrée remarquée, sans cri ni insulte, seulement M. Casanova avec son blouson beige et son chapeau de pêche. Il portait exceptionnellement une cravate et, quand il enleva son chapeau pour la saluer, elle vit que ses cheveux étaient peignés avec soin. «Mon Dieu, veux-tu me faire mourir de peur?» dit-elle d'un ton sec. Casanova était exceptionnellement calme, et elle en fut déstabilisée. «Puis-je vous inviter à souper, madame Joséphine?» demanda-t-il paisiblement alors que la noirceur s'installait au-dessus de leurs têtes. Joséphine éclata d'un rire nerveux.

«Tu ne me demandes pas sérieusement pour sortir?» se moqua-t-elle. Il la regarda comme un chien battu et son attitude changea d'un coup. «Je savais que je n'aurais pas dû. Oublie ce que je viens de dire.»

Il remit son chapeau sur sa tête et partit la mine basse. Elle sut qu'elle venait de le blesser, car il lui était inhabituel de montrer ses émotions. Il avait dû prendre tout son courage à deux mains pour trouver le cran de lui faire une telle demande après toutes ces années. Elle l'aimait depuis le premier jour. Il était charmant, doux et patient, et elle l'avait soutenu à la suite du décès de son épouse. Ses sentiments envers lui s'étaient développés au fil des ans, et elle l'attendait avec impatience chaque matin de la semaine. Il se présentait enfin devant elle, à lui demander ce à quoi elle rêvait depuis tellement d'années et elle s'en moquait, sans aucune bonne raison, seulement par maladresse, à cause de son appréhension.

Personne n'avait su capturer son cœur depuis Henri, son mari. Elle était célibataire depuis trente-neuf ans, aimait Casanova depuis une quinzaine d'années et, maintenant qu'il s'était manifesté à elle, elle venait de le ridiculiser. Non seulement il n'allait plus jamais oser l'inviter à souper, mais son cœur palpita à l'idée de ne plus jamais le revoir. Alors qu'il cheminait vers sa voiture avec le peu de dignité qu'il lui restait, elle l'interpella : « Raymond ! » et le rattrapa d'un pas vif.

« Je m'excuse, mais tu m'as prise par surprise. Après toutes ces années… » Il y eut un long silence. « Rien au monde ne me plairait plus que de passer la soirée avec toi. » Ses yeux étaient sincères. Il se rapprocha d'elle et lui offrit galamment son bras, qu'elle accepta avec joie, et ils flânèrent jusqu'au restaurant où il leur avait réservé une table.

Tous deux visaient le septième ciel, et Joséphine ne se souvint pas d'avoir eu autant de plaisir depuis longtemps. Casanova avait opté pour un restaurant indien, et ils avaient mangé leur repas avec leurs doigts, assis sur le plancher. Ils parlèrent de tout, y compris de Vivianne, mais il ne mentionna jamais que c'était elle qui l'avait poussé à agir. Après tout, il était Casanova et avait une réputation à garder, surtout devant sa « dame » ! La fin de la soirée fut encore plus magique. Ils marchèrent longuement vers la maison de Joséphine sous un ciel frais mais étoilé, annonçant l'arrivée du printemps, et il l'embrassa tendrement avant de lui souhaiter une bonne nuit. Lorsqu'elle lui demanda si elle le reverrait le lendemain, sa réponse fut : « Je ne peux plus imaginer une journée sans vous voir, *ma Joséphine.* » De n'avoir pu la voir pendant presque sept mois durant sa convalescence avait été pire qu'un cauchemar et, bien que sa fille lui apportât parfois son croissant préféré, c'était d'elle qu'il s'ennuyait.

Dès qu'elle mit le pied à la boulangerie le lendemain matin, Vivianne remarqua la nouvelle coiffure de sa patronne. Non seulement ses cheveux étaient frais lavés, mais ils n'étaient retenus par aucune attache. Joséphine remontait *toujours* ses cheveux et agissait aujourd'hui à l'encontre de son propre règlement, car elle exigeait que Vivianne porte les siens attachés en tout temps.

« Madame Joséphine ! Votre coiffure… » Joséphine se toucha volontairement la tête. « Tu n'aimes pas ? demanda-t-elle nerveusement.

— J'adore ! En quel honneur ?

— Bof, rien de spécial… Parle-moi de ton plan d'agrandissement. »

Surexcitée, Vivianne se joignit à sa patronne pour pétrir la pâte en lui expliquant comment elle voyait les prochaines semaines. Les gens adoreraient le coin confiserie et la section de produits raffinés présentant une variété de foies gras et de fromages fins, de pâtés et de rillettes de lapin. Joséphine renchérit, ajoutant que tous les produits seraient exclusivement français. *Bien sûr !* On y trouverait aussi un coin café où les clients s'assoiraient pour profiter de la nourriture en buvant de bons thés ou cafés tout en lisant leur journal. Ce serait aussi un lieu de rencontre en après-midi pour déguster entre amis un thé « exclusif » accompagné de brownies.

L'activité principale resterait tout de même la boulangerie, mais elles vendraient aussi des pâtisseries en plus des tartes et des gâteaux qu'elles offraient déjà depuis un certain temps. Quand Joséphine posa la question : « Pourquoi les gens viendraient-ils ici au lieu d'aller ailleurs ? », la réponse fut simple : « Le décor sera unique et invitant. »

Rien de trop flamboyant ni de trop discret. Un lieu parfait sur tous les points, avec des chaises en cuir rouge et des demi-murs en acajou, comme elle en avait observé aux bureaux de M. Howard, qui rappelaient le Paris des années vingt. Elle comptait se procurer deux chandeliers qu'elle suspendrait au plafond afin de contribuer à l'atmosphère unique du lieu. Joséphine accepta enfin, mais à une seule condition :

« Promets de ne pas me laisser tomber dès que tu auras une offre ailleurs.

— Je ne pourrais avoir une meilleure offre, madame Joséphine. Toute ma vie est ici maintenant.

— Reconnais-tu enfin être devenue une *putain de boulangère*? » rigola Joséphine.

Vivianne acquiesça allégrement et afficha un sourire épanoui. « Heureux hasard que tu n'aies pas décroché l'emploi avec Ronald », continua sa patronne comme si de rien n'était. Vivianne s'agita sur sa chaise et força un sourire. Le ton de Joséphine la trahissait – elle se doutait de quelque chose – et il traversa l'esprit de Vivianne de lui dire la vérité. Peut-être se confierait-elle un jour, mais, pour l'instant, c'était son secret et elle ne le partagerait avec personne. D'autant plus que Joséphine n'en partageait *aucun* avec elle…

« J'ai peine à croire que tu voulais devenir avocate.

— La vie nous guide parfois vers de drôles de destinations, n'est-ce pas? Mais je comprends enfin que c'était pour le mieux.

— Ne l'oublie jamais, ma chérie. N'oublie jamais que les choses arrivent toujours pour une raison. Même si ça ne se présente pas positivement au début. Il y a toujours une raison, et c'est souvent pour le mieux. »

Comme sa mère le lui avait répété à maintes reprises… La chair de poule envahit ses bras…

Joséphine donna son accord pour l'agrandissement après en avoir approuvé le budget. Et Vivianne se mit alors au travail afin de bien préparer leur demande de prêt bancaire. Elle ne put cacher son excitation lorsqu'elle appela Jimmy pour lui annoncer la bonne nouvelle et ne vit alors Joséphine en train de se masser de nouveau la poitrine.

Une heure après, à 9 h 30 exactement, en voyant Casanova faire son entrée, Vivianne sut ce qui expliquait la coiffure de Joséphine.

« Bonjooooooooouur, mon petit rayon de soleil! dit le vieillard dès que la porte se referma derrière lui.

— Monsieur Casanova! Vous arrivez tôt ce matin!»

Elle prit un croissant de l'étalage tout en discutant avec son client. «Avez-vous des plans aujourd'hui?

— Malheureusement, oui, répondit-il, pas très enthousiaste.»

Vivianne sembla un peu confuse.

«Vous avez l'air mécontent. Que se passe-t-il?

— Rien de spécial, mais j'aurais aimé ne pas en avoir. Comme ça, j'aurais pu faire *d'autres* plans.» Vivianne n'y comprenait décidément rien.

Contrairement à son habitude, il l'écouta parler sans essayer de trouver Joséphine, mais, lorsqu'il la vit apparaître, les mains pleines de baguettes, il enleva son chapeau à la hâte. «Vivianne, fais-moi penser de commander de la farine car...» Joséphine s'arrêta dès qu'elle remarqua Casanova. «Oh! dit-elle simplement en laissant tomber les baguettes dans le panier pour se replacer une mèche de cheveux. Bonjour, Raymond!» Vivianne était sidérée de la sérénité de sa patronne. Casanova contempla la dame en lui faisant une discrète révérence. «Madame Joséphine.» La connexion entre eux était si intense que Vivianne était presque gênée de respirer. «Je ne peux rester longtemps, admit-il, ma fille a demandé à me voir urgemment. Je dois la rencontrer pour le petit déjeuner.

— Bientôt, vous pourrez la rencontrer ici, se risqua Vivianne, pendant que Casanova et Joséphine ne pouvaient s'empêcher de se contempler l'un l'autre. Nous avons tranché en faveur d'un agrandissement, pour offrir une nouvelle variété de produits à nos clients.

— Bonne idée, princesse.» Mais Casanova n'avait d'yeux que pour sa dame. C'est à ce moment que Vivianne saisit ce qui se passait et attribua tout le mérite de l'agrandissement à la Française. «Oh! C'était l'idée de Joséphine.» Celle-ci rougit de gêne. «Cela ne me surprend pas du tout», renchérit simplement Casanova, avec un battement de paupières tellement exagéré que les joues de Joséphine devinrent pourpres et si chaudes qu'on aurait cru qu'elles allaient s'enflammer. «Malheureusement, j'avais oublié avoir un rendez-vous chez le médecin ce soir. Mais je suis libre demain, ajouta encore l'homme.

— D'accord», se contenta d'abord de répondre Joséphine. Puis elle conclut: «Bonne journée, Raymond. Le croissant est aux frais de la maison ce matin!» avant de disparaître pour de bon, ignorant tout de l'air de connivence entre Vivianne et le vieil homme.

Casanova fixa sa dame jusqu'à ce qu'elle soit hors de sa vue, puis se retourna vers Vivianne. «Adieu, le *loser*», se contenta-t-il de lui dire en accompagnant le tout d'un clin d'œil. Il sortit en chantonnant tout en remettant son chapeau. *Adieu, le loser...* Le tintement de la petite cloche fut enterré par le rire franc de Casanova résonnant dans la rue.

Il semblait évident que quelque chose s'était passé entre eux, et Vivianne ne pouvait être plus heureuse. Lorsque la porte se referma complètement, elle se dirigea vers l'arrière. «Je devrais savoir quelque chose, madame? demanda-t-elle en s'appuyant dans le cadre de porte.

— Pas vraiment, dit Joséphine en continuant son travail sans broncher.

— Oh! Vous n'êtes pas cool! Je vous ai parlé de Jim! Je vous parle de tout! Vous ne me dites jamais rien. Et je ne m'en plains jamais, mais, cette fois-ci, j'exige de savoir ce qui se passe!»

Le ton ferme et déterminé de Vivianne prouvait qu'elle ne céderait pas. C'est pourquoi Joséphine lui raconta sa soirée de la veille, en mentionnant non seulement le restaurant indien, mais également le baiser en fin de soirée. Sa journée s'était parfaitement terminée, en compagnie d'un homme en tout point distingué. Vivianne sourit à l'idée d'un Casanova gentleman. Le rôle lui collait à merveille. Joséphine partageait enfin des moments de sa vie privée, et Vivianne se réjouissait d'en connaître plus. «Eh bien, je sens que quelqu'un ne sera plus disponible pour garder dans les prochaines semaines!» taquina-t-elle sa patronne avant de retourner travailler au comptoir.

Mais Joséphine était troublée d'entendre Vivianne lui dire qu'elle ne partageait rien de son passé. N'étaient-elles pas maintenant amies, presque mère et fille? Qu'avaient-elles encore à se cacher?

Cet après-midi-là, pendant que Vivianne nettoyait les étalages et que Stéphanie était sortie pour sa deuxième ronde, Joséphine marcha derrière le comptoir et s'ouvrit à son employée:

«J'avais vingt et un ans lorsque j'ai marié Henri.» Vivianne s'immobilisa pour mieux l'écouter. «Nous étions le couple le plus heureux de la terre. On se complétait tellement bien que les gens en étaient jaloux. Henri était un mari formidable. Sa famille n'était pas chaude à l'idée de notre relation au début, mais ils en sont venus à me connaître et à m'aimer. J'étudiais en chimie et j'étais fascinée par toutes les réactions chimiques du mélange de certains ingrédients.»

Elle avait déjà une passion pour la cuisine…

«Nous avions abandonné l'idée d'avoir un enfant quand j'ai finalement appris que j'étais enceinte. C'était le délire, pour nous comme pour ma belle-famille. Dès le sixième mois, quand mon ventre est devenu bien visible, nous nous sommes mis à sortir tous les soirs pour nous pavaner en public, montrant la raison de notre fierté à la ville entière. On nous remarquait et nous adorions l'attention qu'on nous portait. Juliette est née et devint la créature la plus merveilleuse du monde, avec ses petits doigts et ses magnifiques boucles dorées. Un bébé en parfaite santé.»

Vivianne sentit des larmes brûler ses yeux, devinant quelque peu la suite.

« Elle était si parfaite que, dès le mois suivant, nous avons décidé d'avoir un deuxième enfant et nous sommes mis au travail pour y arriver. Les nausées ont commencé lorsque Juliette n'avait que deux mois, et un test nous confirma que j'attendais un autre enfant. Le paradis… Même si je n'étais enceinte que de sept semaines, nous avons décidé un beau soir de l'annoncer aux parents d'Henri. La première grossesse s'était tellement bien passée que ce devait être encore mieux pour la deuxième. Nous habitions en ville, mais mes beaux-parents vivaient à la campagne, dans les Pyrénées. Je revis cette soirée dans ma tête depuis plus de quarante ans. Il pleuvait si intensément que nous avions d'abord hésité à sortir. »

Vivianne ferma les yeux et des frissons envahirent son corps.

« Henri avait bu quelques verres de vin au souper, alors j'avais décidé de prendre le volant. Il ne cessait de répéter qu'il était en état de conduire et qu'il connaissait mieux la route que moi, mais je ne voulais pas prendre le risque. Je conduirais, quoi qu'il en dise. J'aurais peut-être dû l'écouter… Pour une raison que j'ignore encore, car j'étais très concentrée, j'ai perdu de vue la route pendant une fraction de seconde tellement la pluie noyait le pare-brise. La courbe était plus prononcée que ce que je le croyais… J'ai tenté de donner un coup de volant, mais l'auto a dérapé et j'ai perdu le contrôle. La voiture a fait deux tonneaux et Juliette et Henri sont morts sur le coup. On m'a transférée à l'hôpital par hélicoptère, car j'avais une sévère commotion cérébrale. Quand je me suis réveillée trois jours plus tard, le médecin m'a annoncé que j'avais perdu le bébé, mais que j'étais privilégiée d'avoir été épargnée. Quelle ironie… Ma vie entière était partie en fumée, mais je devais me compter chanceuse d'avoir survécu. »

Vivianne toucha le bras de Joséphine. « C'est pour cela que vous êtes venue à Éden ? demanda-t-elle d'une voix tremblante.

— Pour être plus proche d'eux », enchaîna Joséphine, avec une certaine ironie dans la voix.

Malgré toutes ces années, elle se sentait encore coupable et n'avait jamais pu se remarier ni avoir d'autres enfants. Après avoir entendu l'histoire de Vivianne, qui lui rappelait la sienne, presque quarante ans après qu'elle se fut produite, Joséphine avait enfin compris pourquoi la vie l'avait emmenée à Éden. Elle avait perdu une fille, et Vivianne une mère. Et les deux femmes s'étaient trouvées. Elles furent troublées dans leur intimité par le son de la petite cloche, et Marcy Pressman s'aperçut dès qu'elle mit le pied dans le magasin qu'elle arrivait à un moment d'une grande importance.

« Que se passe-t-il ? »

Quand Joséphine le lui expliqua, Marcy passa sa main sur l'épaule de sa vieille amie : « Les choses ne sont plus jamais faciles, n'est-ce pas ? » Vivianne prit la parole : « Non, mais la vie est bonne, madame Pressman, et il faut profiter du bonheur quand il passe. »

Marcy connaissait l'histoire de Suzie et de Ben, et Vivianne ne fut pas dérangée de l'apprendre. Elle était devenue maman prématurément et l'assumait parfaitement aujourd'hui. Elle savait que d'autres avaient vécu comme elle des tragédies, mais avaient continué leur chemin du mieux qu'ils le pouvaient et s'en étaient remis. *Le temps arrange souvent les choses...* Et c'était souvent pour la même raison que des hommes et des femmes déménageaient à Éden : la recherche du bonheur. Vivianne, Marcy et Joséphine l'avaient en quelque sorte trouvé. Toutes trois se retrouvaient ce jour-là, réunies par leur passé douloureux, mais surtout par leur bonheur de vivre. Et toutes ne pouvaient s'empêcher d'avoir les larmes aux yeux. C'est pourquoi, avant que l'atmosphère ne devienne trop lourde, Vivianne changea de sujet en mentionnant le nouveau «brushing» de Joséphine.

«J'adore! renchérit Marcy avec son enthousiasme habituel. Et… est-ce du brillant à lèvres que je détecte?» Joséphine leva les yeux au ciel. «Vous êtes au courant?» demanda Vivianne, intriguée. M. Casanova et Marcy étaient rarement à la boulangerie en même temps, comment pouvait-elle savoir?

«Je n'ai eu à les voir se disputer qu'une seule fois pour comprendre!» se vanta-t-elle en riant. Elle était profondément heureuse pour son amie. Enchantée que Joséphine passe à autre chose après toutes ces années. Elle le méritait et, maintenant qu'elle pouvait compter sur Vivianne pour s'occuper du magasin, elle envisageait même de prendre quelques journées de congé.

En étudiant ce soir-là la première ébauche du plan de la boulangerie, Vivianne répéta l'histoire de Joséphine à Jimmy et eut du mal à lui cacher ses émotions. Le caractère difficile de la vieille dame s'expliquait aisément. Même après toutes ces années, elle ne s'était pas entièrement remise de la tragédie et son tempérament le confirmait.

Ils passèrent la soirée à examiner les esquisses que Jim avait dessinées. Vivianne s'imaginait parfaitement la future boulangerie et, après trois heures à crayonner et à effacer, Jim eut une bonne idée de ce qu'elle visait. Il ne lui fallait plus que quelques semaines et il pourrait lui proposer un nouveau logo et des croquis plus précis de la nouvelle version de *Chez Joséphine*.

«Devrions-nous changer le nom? lui demanda Vivianne.

— Je ne sais pas. Après tout, c'est *sa* boulangerie.

— Hmm… il faudrait garder le nom *Joséphine*, non?

— J'y réfléchis et te reviens là-dessus.

— Je suis tellement excitée! dit Vivianne en sautillant comme une enfant.

— Je dois admettre que je ne pensais jamais qu'elle accepterait.

— Je l'aime tellement! Je te jure, pour la première fois de ma vie, tout va bien. J'ai l'impression que rien de mauvais ne peut plus m'arriver.

— C'est ce que tu penses?» demanda-t-il en la ramenant près de lui.

Elle adorait sa façon d'aborder les préliminaires amoureux... Il baisota son cou juste derrière les oreilles – son endroit préféré – tout en baladant ses mains partout sur son corps. Puis il défit lentement les boutons de sa blouse, en plongeant son visage entre ses seins, les embrassant passionnément. Elle fit glisser la fermeture éclair de son pantalon et y inséra sa main pour lui tâter l'entrejambe. Elle adorait le sentir excité quand elle le touchait. Il continua de lui embrasser la poitrine tout en enlevant sa blouse. Ses mains glissèrent le long de son dos, jusque dans sa culotte, et il rapprocha ses fesses en les massant l'une contre l'autre. Pendant qu'elle lui caressait le sexe, les mains de Jim remontèrent le long de son dos et sa brassière se défit comme par magie. Elle se sentit excitée à son tour et ne pensa plus qu'à le sentir la pénétrer. Mais, lorsqu'elle ouvrit les yeux pour le regarder, une ombre la fit sursauter et elle reconnut Ben en train de les fixer.

«Qu'est-ce que vous faites?» demanda-t-il d'un air dégoûté.

Vivianne repoussa Jim si abruptement qu'il faillit tomber au sol, puis reprit sa blouse pour se rhabiller à la hâte pendant que son amoureux tentait infructueusement de replacer sa «chose» dans son pantalon.

«Ben! cria Vivianne, que fais-tu debout?

— J'ai fait un cauchemar. Qu'est-ce que vous faisiez?

— Rien, mon trésor, retourne dans ton lit.

— Peux-tu venir avec moi?»

Vivianne l'accompagna à sa chambre, bientôt suivie de Jim, toujours aux prises avec un problème «technique». Ils s'assirent sur le lit jusqu'à ce qu'il s'endorme, quarante-cinq minutes plus tard. L'excitation était tombée et, parce qu'ils étaient tous les deux fatigués, ils décidèrent de se coucher tout de suite. Cette fois, Jim apprit durement les joies de la paternité…

⁓

En route pour la boulangerie le lendemain matin, Vivianne ne put s'empêcher de sourire. Elle se sentait exactement comme dans la chanson *Higher*, de Creed, qui jouait dans son iPod. Sur un nuage. Comme la première fois qu'elle avait mis les pieds à Éden, sauf que, cette fois, elle avait enfin trouvé le bonheur. Elle regarda autour d'elle. Tout semblait encore plus beau et plus chaleureux. Jim était l'homme parfait, et Ben en était fou, un aspect très important à ses yeux. Elle avait terriblement hâte d'arriver au travail pour raconter l'événement de la veille, simplement parce qu'il la faisait bien rire.

La petite cloche signala l'arrivée de Vivianne et, comme d'habitude, elle se dirigea directement à l'arrière pour saluer sa patronne. L'odeur de la première fournée envahissait déjà l'endroit, et Joséphine pétrissait la pâte de l'après-midi. Vivianne remarqua rapidement l'excédent de sueur sur le front de la Française. «Madame Joséphine, vous n'avez pas l'air bien. Est-ce que ça va?»

Joséphine tenta de se lever, mais s'effondra par terre, à demi consciente. Paniquée, Vivianne se rua pour s'agenouiller à ses côtés. «Vi… Vi…» Son employée ne comprenait pas ce que Joséphine voulait dire et approcha son oreille de la bouche de la dame. «Qu'y a-t-il? Dites-moi, que puis-je faire?

— Je… sais…» La dame tentait désespérément de parler.

Vivianne s'étira pour atteindre le téléphone, mais Joséphine l'en empêcha en retenant son bras.

«Que savez-vous?» cria-t-elle en panique.

Peut-être Joséphine avait-elle besoin d'aspirine, puisque cela pouvait sauver des vies lors d'une crise cardiaque? Mais elle ne savait pas ce qui clochait et se pencha encore plus. «De quoi avez-vous besoin?» Vivianne était paniquée et essayait tant bien que mal de comprendre les paroles de sa patronne. «Je... sais», répétait calmement Joséphine. Vivianne ne put garder son sang-froid alors que tous les mauvais souvenirs de sa vie refaisaient surface en même temps. Elle revit le visage tuméfié de Billy, Suzie dans le lit d'hôpital, sa mère gisant dans une mare de sang, et tenta par tous les moyens de chasser ces images de sa tête, en vain.

«S'il te plaît! *Maman*, que sais-tu?» lança-t-elle finalement sans réfléchir. Après avoir réalisé ce qu'elle venait de crier, elle fixa Joséphine droit dans les yeux, assommée. Mais il lui fallait reprendre le contrôle et trouver à tout prix un moyen de sauver la Française. «Dites-moi ce que vous voulez, Joséphine!» la supplia-t-elle.

Joséphine prit son dernier souffle pour enchaîner, tout en luttant contre la douleur dans sa poitrine. «Re... fusé... Ho... ward.» Vivianne recula, sous le choc. Joséphine faisait une crise cardiaque, mais parlait de M. Howard? Ce n'était pas le moment. Elles pourraient en discuter plus tard. «S'il vous plaît, ne parlez pas. Restez calme, je reviens tout de suite.»

Elle tenta de se relever de nouveau pour empoigner le téléphone, mais Joséphine insista en agrippant son bras. Vivianne ne comprenait pas pourquoi, mais ne combattit plus. Elle la prit dans ses bras pour la réconforter. «Tout va bien aller, je suis là, Joséphine... Tout va bien aller...

— M... mer... ci, ma f... fille. Je t'aime.»

À son dernier souffle, Joséphine ferma les yeux pour rejoindre son mari et sa fille, sereine, vers le *vrai* paradis. Elle atteindrait enfin la paix qu'elle n'avait jamais su vraiment trouver après avoir survécu à sa famille.

Finalement, Vivianne saisit le téléphone et composa le 9-1-1 en panique. Elle retourna rapidement vers Joséphine et tenta de la réanimer pendant plus de six minutes. Mais Joséphine n'était plus, et les ambulanciers ne purent que confirmer son décès à leur arrivée, sept minutes plus tard. Ses derniers mots avaient été « Je t'aime. »

Après trois années passées à apprivoiser le caractère difficile de Joséphine, Vivianne était récompensée d'un « Je t'aime. » Cette dame l'aimait comme sa fille. Et Vivianne l'aimait comme sa mère. Les deux femmes s'étaient rencontrées à Éden dans une boulangerie ordinaire au coin des rues Fleur et Cook, et cette rencontre avait changé leurs vies.

Quelques minutes avant son décès, Joséphine avait confirmé à Vivianne qu'elle savait qu'elle avait écarté sa chance de réaliser son plus grand rêve, celui de travailler dans un bureau d'avocats. Mais pourquoi le mentionner à ce moment ? Vivianne ne pouvait se l'expliquer. Si Joséphine avait gardé ce secret, pourquoi l'avait-elle révélé seulement sur son lit de mort ? Voulait-elle lui passer un message ? Elle ne le savait pas et ne le devinerait jamais.

Deux heures plus tard, lorsque les secouristes partirent avec la dépouille, Vivianne ferma boutique pour la journée. Comme Stéphanie était arrivée sur ces entrefaites, Vivianne n'eut pas d'explication à lui donner. Sa jeune collègue avait vu les curieux s'amasser autour de l'ambulance quand le corps y fut déposé. Puisque Vivianne était bouleversée, incapable de faire quoi que ce soit, occupée à chasser les mauvais esprits, Stéphanie ferma les fours et sortit les miches. Vivianne était complètement abasourdie, paralysée, incrédule. Pourquoi n'avait-elle pas appelé le 9-1-1 plus tôt ? L'ambulancier lui avait confirmé que Joséphine avait été emportée seulement quelques minutes après le début de sa défaillance cardiaque. S'ils étaient arrivés plus tôt, ils n'auraient donc probablement pas pu la sauver. *Probablement.* Encore ce mot…

Quelle ironie…

Elle trouva une prescription de pilules dans la sacoche de Joséphine, ce qui lui confirma ses problèmes de cœur. Vivianne l'avait vue se prendre la poitrine à quelques reprises et se blâmait de ne pas l'avoir forcée au repos.

Quand elle eut terminé de sortir les miches, Stéphanie offrit son aide à Vivianne qui la déclina, promettant de la rappeler dans quelques jours. Puisque Joséphine n'avait pas de famille, elle s'occuperait des arrangements funéraires. *J'en ai l'habitude…* Elle se leva, prit une feuille de papier et un crayon, et y inscrivit : « Fermé en raison du décès de Joséphine. » Quand Stéphanie vit la note, elle ne réussit pas à convaincre Vivianne d'écrire quelque chose de moins… brutal. Celle-ci était fermement décidée et, avec ce message, elle aurait moins d'explications à donner. La boulangerie était fermée, et les clients en connaîtraient la vraie raison. Maintenant, elle désirait rentrer à la maison et pleurer toutes les larmes de son corps. *Encore une fois…* Elle colla la note dans la fenêtre de la porte, verrouilla derrière elle et partit, la mine basse, dégoûtée par son impuissance et le cœur en charpie.

Son cellulaire sonna à mi-chemin. C'était Jim. Ne voulant pas lui parler, elle laissa l'appareil vibrer en regardant le ciel. Le soleil tapait exceptionnellement fort en cette journée de mars et les nuages avaient cédé leur place à un ciel d'un bleu parfait. *Quelle ironie…* Sa vie venait d'être ruinée. En une si belle journée… Elle enleva ses souliers dès son entrée à l'appartement et se dirigea vers sa chambre à coucher. Ben ne terminait l'école que cinq heures plus tard, et elle pleura, et pleura encore, jusqu'à ce que ce soit le temps d'aller le chercher. Auprès d'une Joséphine à l'agonie, le mot «maman» était sorti de sa bouche, comme venu de nulle part, de la même façon que Ben l'avait dit quelques mois auparavant. «On a tous besoin d'une famille, lui avait un jour expliqué Joséphine. On se sent en sécurité dans les bras d'une mère.» À défaut d'une maman, pouvait-on se sentir ainsi dans les bras d'une tante? Probablement. Vivianne était restée à la boulangerie pour cette même raison. La sécurité. La sécurité et la famille.

Mme White alla prendre Ben à l'école, car Vivianne était incapable de sortir du lit. En voyant le visage de sa locataire décomposé par la souffrance, la dame l'obligea à accepter son aide. Les yeux de Vivianne étaient rouges et gonflés, et elle remercia sa propriétaire d'une voix inaudible qui poussa Mme White à s'offrir pour préparer le souper.

«Qu'est-ce qu'il y a, maman?»

De bonne foi, la voisine l'interrompit.

«Rien, mon petit chou. Maman est fatiguée. C'est tout.»

Mais parce que Vivianne avait promis de ne jamais lui mentir, elle tenta de le préparer à la mauvaise nouvelle…

«Ben… Il est arrivé quelque chose à Joséphine…»

Ben sut tout de suite.

«Elle est morte? demanda-t-il, ses yeux se remplissant de larmes.

— Je suis désolée, mon amour. Mais on n'a pas pu la sauver…

— Comme mon papa et ma maman.» Ben était d'un calme désarmant. Mme White regarda Vivianne d'un air perplexe, puisqu'elle ne connaissait pas la vraie histoire. À ses yeux, Ben était le fils biologique de Vivianne, et son père avait disparu dans la brume.

«Oui, comme ton papa et ta maman, dit Vivianne en tentant de rester posée.

— Qu'est-ce qu'on va faire?»

Mᵐᵉ White s'interposa de nouveau lorsqu'elle aperçut la lèvre tremblante de Vivianne.

« Pour commencer, tu vas m'aider à préparer le souper pendant que maman se repose. » Elle attrapa la main du petit. « Puis, je te ferai couler un bain. »

Ben savait trop bien ce que représentait la mort. Si jeune et déjà si conscient de la signification du mot. Certaines personnes perdent un grand-parent, un parent ou un ami alors qu'ils sont plus vieux, mais, à huit ans, Ben savait beaucoup trop bien ce que cela signifiait. Joséphine était morte, et il comprenait qu'il n'allait jamais ravoir ses leçons de cuisine. Elle avait rejoint ses parents dans les nuages et, s'il voulait lui parler, il le ferait le soir avant de se coucher.

Il pleura en silence dans sa chambre après le souper. Vivianne l'entendit et se joignit à lui. Ils dormirent ensemble dans son lit au cours des semaines qui suivirent.

Le téléphone ne dérougissait pas, mais Vivianne n'avait pas la force d'y répondre et s'en occuperait le lendemain.

Jim était en voyage d'affaires pour quelques jours, et Vivianne lui laissa un message à la maison pour éviter de lui parler directement. Il avait appelé maintes fois au cours de la journée et, Marcy ayant dû apprendre la triste nouvelle par la note sur la boulangerie, elle l'avait annoncée à son fils. Pendant que Vivianne parlait au répondeur, un faible cognement se fit entendre à la porte. Elle s'y rendit en raccrochant le récepteur.

M. Casanova était la dernière personne qu'elle s'attendait à voir.

Il se tenait en plein centre du corridor, les yeux boursouflés, complètement défait. Son cœur saigna lorsqu'elle aperçut l'homme si pâle devant elle. Elle l'invita à entrer pendant que Mᵐᵉ White préparait du thé.

Il s'assit sur le sofa à côté d'elle et ils restèrent silencieux pendant quelques minutes, puis Casanova amorça son histoire tranquillement, en prenant des pauses pour se remémorer des souvenirs…

« Quand j'ai perdu ma femme il y a vingt-trois ans, je ne pensais jamais m'en remettre. Ma fille n'avait que dix-neuf ans. Un an plus tard, je me rendis compte qu'elle s'occupait de moi malgré son chagrin. Se remettre de la mort d'un être cher est un moment difficile dans une vie, mais je pense que tu en es consciente. J'habite à l'autre bout de la ville, tu sais… loin de la boulangerie. Il y a vingt et un ans, un 31 mai, ma toilette coulait et j'avais besoin d'un joint d'étanchéité de trois quarts de pouce, et le seul endroit pour me le procurer était la quincaillerie à deux coins de rue d'ici. Personne ne tenait en magasin ce petit bout de caoutchouc et je devais traverser la ville entière pour le dénicher. Vingt-cinq minutes de route pour une pièce de dix-sept sous. Peux-tu croire ça ?… En tout cas, j'avais trouvé une place de stationnement à la porte de *Chez Joséphine* et, quand je suis retourné à ma voiture après ma commission, j'ai senti une odeur de chocolat et d'amandes. Les viennoiseries irrésistibles de ma Joséphine. Instinctivement, je suis entré dans la boulangerie et je l'ai vue… Un gros rayon de soleil plombait dans la pièce et elle ressemblait à un ange. Jeune, magnifique… mais elle criait après son employée qui venait d'échapper sur le plancher une tôle pleine de croissants au chocolat et amandes. La pauvre petite pleurait comme une Madeleine en ramassant les croissants. Joséphine était furieuse, et l'employée tremblait de peur. Pour l'aider à se calmer, j'ai ramassé un des croissants sur le sol et je l'ai mangé. Je l'ai mangé au complet, en plein milieu de la pièce, devant elles, en me frottant le ventre après chaque bouchée. Tu aurais dû voir l'expression de Joséphine. Sa mâchoire était tombée au sol, mais la jeune souriait. Marie. Elle s'appelait Marie… Joséphine avait éclaté de rire quelques minutes plus tard lorsque j'avais ajouté que le croissant était ordinaire, mais les cheveux et la poussière, excellents. Puis je m'étais présenté. Je suis tombé amoureux sur-le-champ, la bouche pleine de chocolat et d'amandes. Je m'en souviens comme si c'était hier. Tu sais, elle n'était pas fâchée car les croissants étaient sur le sol. Elle l'était de devoir faire patienter ses clients une autre heure, le temps d'en refaire des nouveaux. »

L'émotion remonta dans le cou du vieil homme, et la seule larme qui sortit de son œil coula au ralenti le long de sa joue. La gorge de Vivianne se resserra elle aussi, mais elle se retint d'éclater en sanglots. « Voilà qui elle était. Voilà la raison de son mauvais caractère : elle voulait plaire à ses clients le mieux qu'elle le pouvait. Parce qu'elle les aimait tellement. »

Vivianne acquiesça d'un signe de tête et Casanova tendit sa main pour prendre la sienne.

« Pendant vingt et un ans, Vivianne, vingt et un ans, j'y suis allé tous les jours dans l'espoir d'avoir le courage de l'inviter à souper. J'ai été bouché pendant vingt et un ans ! Peux-tu croire ça ? Il se surnomme Casanova, mais il ne peut convier une femme à une soirée. Ne te demande pas pourquoi je savais que ton copain n'avait pas l'assurance de te le demander. Je suis l'expert en la matière… Mais, après vingt et un ans, tu m'en as donné le courage… »

Vivianne retint ses larmes du mieux qu'elle le put, mais en vain. Casanova l'observa, puis sécha ses joues de sa main tremblotante avant de continuer :

« Une soirée, Vivianne… Tout ce que j'ai eu, c'est une soirée. Après vingt et un ans, un seul souper mémorable. Quelle ironie ! Ses lèvres étaient si douces… »

Il essuya la larme solitaire coulant lentement le long de sa joue tout en hochant la tête, incrédule, puis se leva et, avant de partir, ajouta : « Elle m'a dit que le destin t'avait mise sur son chemin, Vivianne. Et elle en bénissait chaque jour les dieux. Surtout quand elle a compris que tu avais renoncé à l'emploi chez le frère de Marcy. »

Joséphine lui en avait parlé. Elle savait que Vivianne avait refusé le poste. Elle n'avait pas eu à le lui demander, elle en était persuadée. En voyant l'attitude de Vivianne le lendemain, il n'y avait eu aucun doute dans son esprit et, dès ce jour, elle avait été certaine que Vivianne resterait à la boulangerie aussi longtemps qu'elle voudrait bien d'elle.

« Elle t'aimait comme sa propre fille. »

Ils échangèrent un dernier regard avant que Vivianne ne referme la porte. Elle sanglota toute la nuit, mais s'était finalement endormie quand Jim appela. Mme White le convainquit de rappeler le lendemain pour la laisser se reposer. Elle lui dirait qu'il avait appelé, et nota son numéro de téléphone en cas d'urgence.

Quatre jours plus tard, Vivianne, Jim, Ben, M. Casanova, Marcy et Harry Pressman, Michelle et Paul Winfrey, Stéphanie et quelques autres clients enterrèrent Joséphine Leblanc au cimetière d'Éden. Vivianne était encore sous le choc des dernières paroles de Joséphine, qui résonnaient constamment dans sa tête. « Je t'aime », lui avait-elle clairement avoué. Elle n'avait pas entendu cette phrase depuis très longtemps et la chérirait pour le restant de ses jours. *Je t'aime…*

10

Ben sauta dans le lit de Vivianne à 8 h 15, exigeant son petit déjeuner. Il voulait un pain au chocolat.

Les yeux brumeux de sa mère trahirent sa douleur. « Pourquoi pleures-tu toujours ? demanda-t-il sans ménagement.

— Parce que Joséphine n'est plus. Elle est partie à tout jamais.

— Pas vraiment. Elle est au paradis avec papa et maman. Ils prennent bien soin d'elle.

— Je sais, mon trésor, mais elle me manque. Je m'ennuie de nos conversations.

— Tu peux lui parler pour de vrai n'importe quel soir. Tu me l'as dit toi-même ! »

Vrai. Touchante comparaison.

Elle passa sa main dans les cheveux de son fils. « Je pense que Joséphine s'est rendue au ciel pour préparer des brownies et du bon pain à papa et maman… » Ben prit une pause, se demandant s'il allait en dire plus, puis se remit à parler : « Je vais te dire un secret. » Il se pencha vers Vivianne pour lui chuchoter à l'oreille : « Les anges ne savent pas cuisiner, je crois. »

Quel enfant extraordinaire…

Ben était parvenu à la faire sourire de nouveau, et elle se demandait comment elle aurait pu vivre sans lui. Mais elle peinait à se remettre de la mort de Joséphine et était épuisée. Elle jeta un coup d'œil vers le réveille-matin dans l'espoir de pouvoir encore s'offrir trente minutes de sommeil quand un cognement se fit entendre.

Lorsque Jim se présenta à la porte, elle baissa la tête. Elle n'avait retourné aucun de ses appels depuis les funérailles. Joséphine les avait quittés depuis déjà neuf jours, et Vivianne n'avait le goût de rien. Jim remarqua ses cheveux sales et ébouriffés, et son cœur coula à pic. «Je suis content de voir que tu es vivante, dit-il, presque soulagé. Je peux entrer?»

Elle ouvrit la porte pour le laisser passer. L'appartement était bordélique et les rideaux, encore fermés. Ben sauta dans ses bras et l'invita à déjeuner avec eux.

«J'avais l'intention de vous apporter des viennoiseries, mais la boulangerie est fermée depuis une semaine», renchérit-il en fixant Vivianne droit dans les yeux. Ben se tourna vers elle, une grande tristesse dans son regard.

«Maman, pourquoi la boulangerie est-elle fermée?»

Vivianne ordonna à Ben d'aller faire son lit pendant qu'elle réglait des choses avec Jim. «Oui, pourquoi la boulangerie est-elle encore fermée, Vivianne?» demanda Jim à son tour. Elle fixait le plancher sans dire un mot. «Pourquoi la boulangerie est-elle fermée, Vivianne?» Il insistait, tentant d'attraper son regard. Elle leva enfin les yeux: «J'ai été occupée.

— À nettoyer ton appartement? dit-il sarcastiquement.

— C'est quoi, ton problème?

— Mon problème, c'est que je m'ennuie de ma copine, et que j'ai hâte de rassasier mes rages de sucre.

— Trouve une autre place. Je me retire.

— Vivianne, commença-t-il d'une voix douce, je sais que tu as mal en ce moment, mais tu ne peux…

— Ne peux quoi? l'interrompit-elle brusquement. Lâcher?

— Exactement. Tu ne peux pas lâcher parce que Joséphine nous a quittés. Tu as fait des plans.

— J'ai fait des plans *avec* elle! lui cracha-t-elle au visage.

— Maintenant, fais-le *pour* elle, ajouta-t-il en se rapprochant, mais elle recula en criant:

— Ne comprends-tu rien? Tout tourne mal dans ma vie! Ma mère, ma sœur, et maintenant Joséphine! Je porte malchance, Jim. Tu devrais prendre tes jambes à ton cou et courir le plus loin possible!

— Tu ne penses pas ce que tu dis. Je suis là pour toi.

— Tu ne devrais pas. Il t'arrivera une malédiction et tu ne pourras y échapper, fais-moi confiance.

— Les malheurs arrivent à ceux qui les accueillent», répondit-il, en regrettant déjà ses paroles. Vivianne était épuisée, et facilement irritable, et il devait bien peser chacun de ses mots.

«Oh! Tu penses vraiment que tout est de ma faute? Que je veux attirer le mauvais sort?» Il respira profondément avant de rétorquer: «Ce n'est pas ce que j'ai dit et tu le sais très bien.» Il s'approcha et prit son bras. «Je pensais que tu aimais Joséphine. Qu'elle était une *mère* à tes yeux. Je croyais aussi que tu adorais ton travail. Merde, tu as refusé un emploi extraordinaire avec mon oncle! Joséphine est partie, mais toi, tu ne l'es pas. Ben non plus… et moi non plus!»

Aux grands maux les grands moyens, pensa-t-il. Mais il doutait du résultat. Il lui donna une autre chance avant de lancer: «La vie est belle quand on le veut bien.

— Facile à dire pour toi, monsieur *Parfait*. Tu as grandi dans une famille *parfaite*, dans une maison *parfaite*! Tu as des amis *parfaits*! Tu as étudié en Angleterre dans une école *parfaite,* pour l'amour! Que connais-tu de la *vraie* vie?

— J'ai *rigolé* de voir ma sœur se noyer dans la piscine quand j'avais sept ans! gueula-t-il avant de se calmer. Mais tu as raison, ce n'est *rien* comparativement à ce que *tu* as vécu.»

Vivianne recula d'un pas. Elle savait qu'elle avait dépassé la limite, mais était trop irrationnelle pour bien mesurer la portée de ses paroles.

«Je n'ai peut-être pas eu une vie plus facile que toi, mais laisse-moi te dire quelque chose. Dans ta situation, je n'opterais sûrement pas pour me morfondre dans mon appartement. Je me relèverais pour démontrer au monde entier, encore une fois, que je suis capable de traverser cette nouvelle épreuve. Tu n'es plus seule, Vivianne. »

Ç'aurait pu être le bon moment pour lui demander pardon et l'embrasser, mais sa blessure était si profonde qu'elle ne le voyait même pas.

« Tu n'es pas moi. »

Quelle tête dure ! Jim tenta le tout pour le tout. Leur relation était déjà instable ; il décida de réveiller Viviane, quel qu'en soit le prix…

« À bien y penser, tu aurais dû laisser Ben à la DPJ. Il aurait eu une bien meilleure vie. »

Jim sut tout de suite qu'il venait de toucher une corde sensible. Par contre, cela signifiait probablement la fin de leur liaison. *Je dois sauver Vivianne en premier, notre relation suivra*, pensa-t-il. Elle le pointa du doigt.

« De quel droit me parles-tu ainsi ? J'ai toujours agi en fonction de son bonheur sans même penser au mien depuis trois ans ! Je veux encore ce qu'il y a de mieux pour lui ! Je n'ai jamais cessé de le vouloir !

— Continue à te lamenter et à t'apitoyer sur ton sort enfermée dans ton appartement, ça lui apportera certainement beaucoup de bonheur. »

S'engueuler avec la femme qu'il aimait le rendait malade, mais il avait compris qu'elle avait un comportement irraisonné de même qu'elle était irraisonnable, et qu'il était impossible d'affronter ce genre de personnes lorsqu'elles étaient en crise. Elle était en furie, il venait de lui passer son message et n'irait pas plus loin. Il déposa dans l'entrée le tube de carton qu'il avait apporté avec lui. « Dommage que tu ne les utiliseras jamais. Ç'aurait été chouette. »

Il lui jeta un dernier regard avant de partir, mais ne lui donna pas l'occasion de répondre.

Elle referma ses yeux mouillés et prit de grandes respirations pour recouvrer son calme. Quand elle entendit la voiture de Jim déguerpir, elle réalisa que c'était fini entre eux. Ben avait accouru lorsque la porte avait claqué.

« Où est Jimmy ? »

Vivianne se retourna, mais, avant qu'elle ne puisse répondre, il avait empoigné le tube et l'avait déroulé sur la table du salon. « Qu'est-ce que c'est ? » Vivianne s'approcha finalement et vit les plans étalés sur la table. Tout y était : la confiserie, la section des produits fins, les tables, la caisse enregistreuse, etc. C'était *parfait*.

Jim avait même trouvé un nouveau nom pour l'endroit : *Un coin de paradis*. Ben se permit un commentaire : « Joséphine va adorer ! » Elle le regarda sourire avec fierté. Son visage heureux et illuminé remit tout en perspective.

11

La petite cloche retentit quelques jours plus tard quand Vivianne ouvrit la porte de *Chez Joséphine*. Dès son entrée, elle vit un puissant rayon de soleil qui traversait la fenêtre pour venir éclairer le plancher de la boulangerie. *Comme lors de ma première visite, l'odeur du pain chaud en moins,* pensa Vivianne. Puis, elle décolla la note annonçant le décès de Joséphine et se rendit directement derrière le comptoir pour reprendre son tablier. *Un boulanger doit toujours enfiler son tablier dès qu'il arrive au travail,* avait dit et redit Joséphine.

Elle laissa échapper un sourire en empoignant le balai, mais la petite cloche la sortit de ses pensées. Un homme vêtu d'un habit foncé entra dans la pièce. « Je suis désolé, monsieur, mais… » Elle reconnut l'avocat rencontré la journée de congé de Joséphine. « Monsieur ?… » Son nom lui échappait.

« Nadeau, dit-il en tendant sa main droite qu'elle serra vivement. Vous êtes difficile à joindre, Vivianne. Pourrions-nous prendre quelques minutes pour discuter ? »

Elle acquiesça de la tête en pointant une chaise pour l'inciter à s'asseoir en face d'elle. « J'essaie de vous contacter depuis… Eh bien… je suis content de vous savoir revenue. »

Elle tenta de sourire. « Je suis désolé de ce qui est arrivé. » Comme si elle n'avait pas assez de preuves du décès de Joséphine, les condoléances du notaire la ramenèrent à la réalité. Joséphine était partie, et elle entendrait beaucoup de « Je suis désolé » au cours des prochains mois. Elle devrait s'y faire…

Comme dans le passé pour sa mère et sa sœur. Son visage s'attrista.

« Je comprends que c'est difficile en ce moment, mais nous avons des choses à régler… à propos de la boulangerie. » Très calmement, Vivianne l'interrompit : « Monsieur Nadeau, la boulangerie représente énormément pour moi. J'aimerais la racheter. C'était toute la vie de Joséphine. » Elle devint émotive. « Et elle était aussi *ma* vie… » Elle ravala subtilement ses larmes. « Je ne sais pas combien elle coûte, mais donnez-moi du temps et je trouverai l'argent, ajouta-t-elle en essuyant rapidement une larme qui s'était échappée le long de sa joue. Je sais que j'y arriverai. Que je suis capable. Je veux vraiment la racheter.

— La racheter de qui ? demanda Jean Nadeau.

— Eh bien… des gens qui la vendent, j'imagine.

— Vivianne, je pense que vous ne comprenez pas. Elle appartenait à Joséphine. Vous ne pouvez la racheter. »

M. Nadeau fut saisi par la réaction agressive de Vivianne.

« Je vais la racheter, monsieur, et je défie quiconque de me bloquer le chemin ! » lança-t-elle en cognant son poing sur la table. Joséphine avait raison, pensa M. Nadeau, Vivianne McKinnon avait tout un caractère. Il admira la lionne prête à attaquer et prit son bras. « Elle vous appartient déjà. » Assommée, Vivianne dut prendre quelques secondes pour encaisser le coup. « Que voulez-vous dire ?

— Elle vous a légué la boulangerie… En fait, tout. »

Vivianne était complètement sans mots. Elle prit un moment avant de parler. « Je ne… je… » fut tout ce qui sortit de sa bouche.

« Vous étiez comme sa fille. Quand nous nous sommes rencontrés, elle avait décidé de vous inclure dans son testament. Quelque chose à propos d'un emploi que vous aviez refusé. Elle appréciait votre choix de rester à ses côtés. »

Vivianne avait du mal à entendre ce que l'avocat racontait. «Tout ce qui lui appartenait est maintenant à vous… En fait, après signature de quelques papiers», blagua-t-il, tentant de briser le malaise. Vivianne afficha le plus grand des sourires. «Ne vous excitez pas trop vite, Joséphine n'était pas très riche.

— Je me fiche de l'argent… mais la boulangerie…

— …n'a aucune dette. Joséphine avait également près de trois cent mille dollars en investissements.»

Vivianne était sidérée.

«Trois cent mille dollars? Vous savez ce que ça veut dire?» Elle se leva et virevolta dans la pièce. «Je ferai l'agrandissement! *Un coin de paradis*! Je le réaliserai pour elle!»

Elle marcha de part et d'autre de la pièce pendant quelques minutes, en étudiant chaque coin comme pour la première fois. Elle connaissait les plans de Jim par cœur et savait exactement ce qu'elle voulait. M. Nadeau se leva pour la rejoindre: «Vous êtes exactement comme elle vous a décrite.

— Elle sera fière de moi! Je vous le promets!»

Stéphanie accepta l'offre de travailler à temps plein avec Vivianne. Les deux femmes s'entendaient à merveille, et Vivianne adorait les idées de son «employée» – elle hésitait encore à l'appeler ainsi –, de même que sa philosophie de vie, et lui donna beaucoup plus de responsabilités pour pouvoir se consacrer à l'agrandissement de la boulangerie.

Elle prit le tablier de Joséphine et l'enfila. Maintenant qu'elle la remplaçait, elle porterait le vêtement de Joséphine. En plongeant sa main dans la pochette avant, elle sentit des papiers qu'elle en sortit. Tout d'abord, la photo d'un couple avec leur bébé fillette. *Joséphine, Henri et Juliette*, pensa Vivianne.

Elle la gardait près d'elle en tout temps. Puis, elle trouva la carte que Ben avait dessinée pour la remercier du gâteau Spiderman qu'elle avait créé pour ses sept ans.

Ah! C'est là qu'elle la gardait!

Vivianne avait aussi conservé la carte du bouquet de fleurs de Jim dans la pochette de son tablier. *Une même façon de faire...* Et enfin, elle trouva dans le tablier de sa patronne une enveloppe scellée sur laquelle elle lut « Pour Vivianne. » Son cœur saigna lorsqu'elle reconnut l'écriture de Joséphine. Elle l'ouvrit, en sortit une feuille qu'elle déplia lentement et prit une grande respiration avant d'en commencer la lecture...

Chère Vivianne,

Si tu me lis aujourd'hui, c'est parce que j'ai quitté Éden et retrouvé ma famille au vrai paradis. Pour une raison que j'ignore, le destin m'a emmenée ici il y a plusieurs années, et je n'avais jamais compris pourquoi jusqu'à notre rencontre. Fragile, vulnérable, mais forte et tête dure, douce Vivianne. Comme moi quand je suis arrivée ici avec mon bagage plein de mauvais souvenirs et de douleurs. Par contre, au fil des ans, j'ai réappris à vivre grâce à mes précieux clients, et j'ai même redécouvert l'amour. La vie ne va pas toujours comme on le voudrait, mais, en fin de compte, tu trouveras ta paix, ma fille, crois-moi, comme j'ai retrouvé la mienne.

Le destin t'a obligée à choisir un nouveau chemin quand ta sœur est décédée, t'empêchant ainsi de réaliser ton rêve. Avec Ben, tu as penché pour une vie plus modeste, certes, mais tu as choisi la famille, l'essence de la vie. Tu dois toujours t'en souvenir. Tout l'argent du monde ne pourra jamais te donner une famille, et je suis persuadée qu'en prenant cette voie tu auras hérité d'une vie plus « riche », plus remplie, mais surtout plus heureuse. Une vie de rires, une vie de valeurs, une vie d'amour.

Je n'avais pas grand-chose, mais je te lègue tout, pour donner au suivant, comme tu l'as fait avec Ben. Tu es devenue une « *putain de boulangère* » *la journée où tu as refusé l'offre de Ronald… Nous sommes identiques toi et moi, c'est pour cela que je sais que tu accompliras quelque chose d'extraordinaire avec la boulangerie, et j'espère qu'elle t'apportera autant de joies qu'elle m'en a apporté durant toutes ces années. Je suis heureuse de savoir que ce que j'ai semé prendra racine, grâce à toi. Tu reviens de très loin, ma belle, et je suis fière de ce que tu as accompli, mais surtout de ce que tu feras encore dans les années à venir.*

Va en paix, ma fille, et profite de ta vie avec Ben. Je vous aimerai tous les deux à tout jamais.

Merci d'avoir été la fille qui me manquait tellement.

Ta Joséphine

xxx

PS : Prends soin de mon cher Casanova…
PPS : Ne pense même pas à changer ma musique !

Vivianne rit malgré ses sanglots en terminant la lettre. Sa chère Joséphine voulait tout contrôler, même après son décès. Devinant que sa mort serait un coup dur pour sa protégée, elle avait conclu sa lettre sur une note humoristique. Mission accomplie, car Vivianne se promit de ne jamais changer la musique de Joséphine.

Mais elle avait tout de même dû interrompre sa lecture à trois reprises, ses larmes brouillant les mots. La sachant enfermée dans la cuisine depuis une heure, Stéphanie en ouvrit la porte.

« Ça va ? » Elle était visiblement inquiète.

« Ça va aller. » Vivianne s'essuya les yeux. « Je veux réaliser l'agrandissement. Tout d'abord, j'appellerai pour racheter le local voisin, puis on engagera un entrepreneur.

— Ne devrais-tu pas d'abord faire une demande d'emprunt à la banque ?

— On est couverts grâce à Joséphine.

— J'ai parlé à mon cousin Jonathan. Il attend ton feu vert pour embarquer. Tu n'as qu'à négocier les termes et il est prêt. Tu ne seras pas déçue, je te le promets. Ses hommes et lui travaillent vite et bien.

— Parfait! Je suis excitée. »

Le moral de Vivianne était au meilleur, et elle prit une pause pour se réjouir des bons moments à venir.

« Je veux que Joséphine soit fière.

— Elle l'est sûrement déjà », conclut Stéphanie avant de remettre la main à la pâte pendant que Vivianne faisait scrupuleusement le tour des biens de Joséphine.

En passant sa main sous le comptoir, un objet attira son attention. Elle en retira un vieux livre noir dont la reliure contenait tellement de feuilles éparses qu'elle était retenue par un gros élastique. Elle l'ouvrit et y trouva une centaine de nouvelles recettes que Joséphine avait testées, mais décidé de garder en réserve... *au cas où*.

Au cours de la dernière année, Joséphine avait fait goûter différentes recettes à Vivianne. Tartes à la citrouille, pains aux bananes, gâteaux à l'huile d'olive, muffins sans sucre, scones, ainsi que plusieurs hors-d'œuvre et canapés. En tout, pas moins de soixante-dix recettes différentes, classées par catégories, avec photos et notes dans la marge. Chacune d'elle avait été notée sur cent, et toutes celles ayant obtenu une note inférieure à 80 avaient été rayées et marquées d'un gros « NON » en travers de la page. Bien que le carnet ait été laissé à l'état de brouillon et désordonné, l'idée d'en faire un livre lui vint à l'esprit. Elle trouverait un éditeur et publierait un livre des recettes inédites de Joséphine.

Pour l'instant, Vivianne n'avait pas à s'inquiéter de la variété de produits. Chaque chose en son temps. Elle avait beaucoup à faire pour mettre son projet sur pied.

Elle passa l'après-midi à pétrir la pâte du lendemain tout en réfléchissant au magasin. La boulangerie était fermée depuis plus de deux semaines, et elle voulait revoir sa clientèle le plus rapidement possible. Pour y arriver, elle y entrerait dès cinq heures le lendemain matin afin de préparer et de cuire les croissants.

Elle relut quatre fois la lettre de Joséphine ce soir-là, ainsi que le carnet de recettes. Puis ses pensées bifurquèrent vers Jim. Elle n'avait pas eu de ses nouvelles depuis plusieurs jours, mais n'était pas encore prête à le revoir. Elle tenait à s'occuper avant tout de relancer la boulangerie, mais comptait tout bien pensé s'excuser un jour. Son comportement injuste à l'égard de Jim la chagrinait et elle réglerait la situation en temps et lieu.

Elle s'endormit en pensant à son premier jour à la boulangerie et à sa rencontre avec Joséphine. Jamais elle n'aurait pu imaginer le magasin comme son « dernier arrêt ». Malgré l'arrogance de Joséphine les premières minutes qu'elles s'étaient vues, elle s'était attachée à elle au fil des ans, et les deux femmes avaient appris à se compléter, formant ensemble la meilleure des équipes.

Quand la sonnerie du réveille-matin se fit entendre à quatre heures, Vivianne était déjà réveillée. Elle avait ouvert les yeux à 3 h 48 et attendait le signal avant de sortir du lit. Trente minutes plus tard, elle quittait l'appartement. Fière de faire partie de la « relance » de la boulangerie, Mme White lui avait offert ses services de gardiennage, se disant disponible chaque fois qu'elle en aurait besoin.

La lune tardait à se coucher, bien que chassée par le soleil qui se levait lentement à l'horizon. Il faisait de plus en plus chaud, et Vivianne dénoua son foulard. Éden n'était pas encore réveillé, et ce moment où le calme régnait dans les rues était celui qu'elle préférait de la journée. Seule à marcher sur les trottoirs d'Éden, où elle ne croisait âme qui vive, à l'exception de Mathieu, le marchand de journaux. Après avoir remonté la porte coulissante de son kiosque, il lui envoya la main, et elle lui remit le bonjour, tout en continuant d'écouter la musique de Taylor Swift.

Douze minutes plus tard, elle déverrouilla la porte du magasin et fit la révérence à la petite cloche, qui l'accueillit comme tous les jours. L'objet resterait à tout jamais suspendu en haut de la porte. Malgré l'usure et la rouille, Vivianne ne s'en débarrasserait pas. Elle annonçait les allées et venues depuis les débuts de *Chez Joséphine*, quelque quarante ans plus tôt, et était devenue la marque de commerce de l'endroit. Personne ne la convaincrait de la remplacer.

Elle revêtit son tablier, fit jouer *Restons amants* de Julien Clerc et s'assit au comptoir de marbre blanc. Après avoir pris le bol de pâte et parsemé le comptoir de farine, elle commença à pétrir. Elle travailla la pâte jusqu'à la perfection, puis plaça soigneusement les baguettes crues dans leurs moules respectifs. Au moment où elle fut sur le point de les mettre au four, elle s'aperçut que ceux-ci étaient éteints.

Elle pencha la tête vers l'arrière, incrédule, puis éclata de rire.

« Que le diable m'emporte ! » Elle alluma les fours, en riant encore.

Elle se souvint d'avoir roulé des yeux quand Joséphine lui avait répété qu'un boulanger devait toujours, après avoir passé son tablier, allumer les fours dès son arrivée.

« C'est très important ! » hurlait-elle à répétition.

Et, parce que les fours devaient être à la bonne température avant qu'elle y mette quoi que ce soit, elle devrait attendre quatorze minutes.

« C'est primordial que les fours soient à la bonne température sinon les pains seront ratés ! répétait Joséphine trop souvent. On veut toujours aller trop vite et le pain est dégueulasse. » Évidemment, *Antoine Augustin*.

Joséphine lui avait déjà laissé entendre que faire du pain, c'était comme faire l'amour. Il fallait être doux, passionné et prendre son temps, sinon ça ne marchait pas.

Vivianne avait déjà préparé plusieurs fois les baguettes sous la supervision de Joséphine, mais, ce jour-là, c'était différent et, même si le minuteur fonctionnait, que les fours avaient atteint la bonne température et que la pâte avait été préparée adéquatement, elle ne cessait de jeter des coups d'œil à travers la vitre pour s'assurer qu'elles brunissaient convenablement.

Après les baguettes, ce fut au tour des croissants, des croissants au chocolat et des chaussons aux pommes. Elle ne préparerait les brownies qu'après l'arrivée de Stéphanie, vers 7 h 30.

Lorsque celle-ci entra, Vivianne expliquait déjà à l'entrepreneur comment elle prévoyait fonctionner. Afin de garder l'endroit ouvert le plus possible, ils rénoveraient la nouvelle partie en premier. Le mur mitoyen ne serait démoli que lorsque tout serait terminé et mis en place. Elle devrait malgré tout fermer ses portes pendant quelques jours, mais aviserait les clients à l'avance. Jonathan était un habitué de l'endroit et promit d'inciter ses hommes à travailler le plus rapidement possible !

Paul entra au moment où Jonathan sortait. « Bonjour, Paul. » Vivianne était toujours heureuse de voir son ami critique culinaire. Il l'embrassa. « Comment vas-tu ?

— Pas pire.

— Et Ben ?

— Ça ira.

— Bien sûr que ça ira ! Écoute, j'entends des rumeurs… à propos d'une nouvelle boulangerie ? »

Le silence de Vivianne attisa la curiosité de Paul.

« Ton expression me confirme que j'ai raison, n'est-ce pas ?

— Peut-être…

— Je peux y jeter un coup d'œil?

— Pas question! Vous verrez en même temps que tout le monde!

— Tu devrais planifier une réouverture officielle. Je demanderai au journal d'envoyer quelqu'un couvrir l'événement si tu veux une présence médiatique.

— Vous feriez ça pour moi?

— Non seulement ça, mais épate-moi avec un nouveau produit et j'en parlerai.

— Vous êtes tellement gentil. Comment pourrais-je vous remercier?

— Tu peux me remercier en arrêtant de vouloir me remercier à tout bout de champ. Tu aimes aider les gens, Vivianne. Tu dois accepter que certaines personnes te rendent également service. Nous sommes des amis, toi et moi, et c'est ce que font des amis», dit-il en s'assoyant à la table.

Donner au suivant.

«Au fait, j'aurais une faveur à vous demander, enchaîna Vivianne. Mais en tant qu'ami, pas en tant que critique culinaire.

— N'importe quoi.

— Pourriez-vous venir ici demain matin à 8 h 30?

— Pourquoi?

— Pour me rendre service.»

Il insistait du regard.

«Vous verrez demain matin, 8 h 30!»

Elle lui fit un clin d'œil.

«Comme d'habitude?» ajouta-t-elle pour changer de sujet.

Paul acquiesça de la tête. Il commandait une demi-campaillette grillée avec confiture de framboises et un café chaque fois qu'il passait déjeuner. Vivianne ne servait normalement pas à la seule table de la place, mais faisait exception dans son cas et, lorsqu'ils n'étaient que tous les deux, elle s'assoyait avec lui pour discuter.

«Tu devrais faire tes propres confitures, lui suggéra-t-il lorsque l'assiette atterrit devant lui.

— Bonne idée, mais chaque chose en son temps.

— Ma grand-mère faisait les meilleures confitures au monde!

— Vous devriez me donner sa recette!

— En effet. Michelle déteste en faire. Honnêtement, elle déteste cuisiner, point. Par chance, car elle n'est pas très douée…

— Elle l'est sûrement plus que vous le prétendez.

— Oh! Elle l'avoue elle-même. À part ça, elle est parfaite! Tant mieux, j'adore cuisiner!

— Eh bien, apprêtez-les et je vous les achèterai. Vous deviendrez mon fournisseur officiel de confitures aux framboises!

— Hmm, pas une mauvaise idée! Alors, c'est quoi le plan pour demain?

— Que vous arriviez le ventre vide pour 8 h 30.»

Sur ce, elle retourna derrière le comptoir pour y servir un client qui entrait au même moment. Il portait encore le même t-shirt de Harvard, mais, cette fois-ci, elle le remarqua sans amertume ni regret. Harvard était derrière elle depuis plusieurs années et, même si elle y penserait toujours avec un petit pincement au cœur, sa vie avait pris une tournure complètement différente, mais tout aussi intéressante.

❦

Les plans étaient précis et complets. Jim avait pris les mesures exactes du local désert afin que tout soit le plus à l'échelle possible. Vivianne y traversait plusieurs fois par jour pour superviser la progression des travaux. Elle commanda de nouveaux réfrigérateurs et comptoirs-étalages, et se lança à la recherche de produits fins spécialisés. Elle affichait aussi une annonce « Personnel demandé » à la fenêtre du magasin. Le même écriteau qu'elle avait aperçu trois ans auparavant avant de franchir la porte pour la première fois. Une nouvelle personne était nécessaire pour les livraisons, puisque Stéphanie devait travailler derrière le comptoir toute la journée. Elle engagea également un chef pâtissier, Patrice, un vieil ami de Joséphine, pour faire les gâteaux, tartes, pâtisseries et mignardises.

Le lendemain, elle serra la main de son nouvel employé. Mexicain typique, Pedro avait de magnifiques yeux noirs. Il n'avait que vingt ans, et le fait de se faire engager était pour lui le meilleur moment de la semaine! Vivianne l'avait déjà croisé, et il lui confia être venu *Chez Joséphine* à quelques reprises pour acheter des brownies avec sa mère. Ses parents avaient immigré quand il n'avait qu'un an, avec ses cinq frères et sœurs. Sa mère aidait les personnes âgées et son père était caissier au bureau de poste. Il était si heureux d'avoir obtenu l'emploi qu'il commença sur-le-champ.

L'aide apportée par Mme White tombait à point, puisque Vivianne travailla plus de quinze heures par jour les semaines qui suivirent. Elle voulait ouvrir le 8 juin, date de l'anniversaire de Joséphine, et il lui restait donc seulement cinq semaines avant le grand jour. Tant mieux si Jonathan respectait ses échéanciers, mais elle devait quand même s'assurer que tout se déroulait comme prévu. Elle s'étonnait de constater que, malgré la précision des plans, le chantier nécessitait une supervision constante. Mais la joie régnait dans la boulangerie alors que l'été arrivait à grands pas et que les matinées se faisaient enfin plus clémentes.

Dès l'agrandissement terminé, le mur mitoyen fut détruit et la boulangerie ferma pendant trois jours, au grand soulagement de Vivianne, qui se réjouissait de prendre une courte pause de ses clients. La cuisine n'avait presque pas été affectée par les opérations, et Vivianne put passer du temps à tester de nouvelles recettes.

Jim était passé trois fois au cours du dernier mois et avait observé Vivianne depuis le trottoir. Elle était trop occupée pour s'en apercevoir et il se dit que c'était mieux ainsi, pour l'instant. Il était soulagé de la voir se relever une fois de plus et attendrait le bon moment pour renouer les liens.

Ironiquement, elle se coucha ce soir-là en pensant à lui. Non seulement il avait dessiné les plans idéals pour le projet, mais il l'avait incitée, en la provoquant, à réaliser le rêve de Joséphine. Elle lui en serait reconnaissante à jamais. Bien qu'elle s'en ennuyât, elle était trop fière pour se l'avouer tout haut et envoya les invitations de la réouverture officielle en espérant recevoir une confirmation de sa présence pour s'excuser en personne.

Son regard brilla de fierté et des larmes de joie se taillèrent un chemin sur ses joues lorsqu'elle ouvrit la boîte d'autocollants du nouveau logo d'*Un coin de paradis*. Les couleurs rouge foncé et or rehausseraient l'allure du magasin. Plusieurs modèles et grosseurs de logos avaient été imprimés, en plus des boîtes de cartons de présentation. Il apparaissait aussi sur de nouveaux sacs de plastique, et des étiquettes de prix et de produits. *Un coin de paradis* serait un lieu unique, un cran supérieur aux autres boulangeries. Vivianne se souciait du moindre détail.

Oui, Joséphine sera fière…

Le nouveau nom serait affiché à la dernière minute dans la fenêtre pour garder l'effet de surprise. Vivianne espérait pouvoir attendre jusqu'au matin de l'ouverture officielle.

Stéphanie et Pedro l'aidèrent à organiser l'événement et à envoyer les invitations. Le trio s'entendait à merveille, ce qui rendait agréable l'ambiance de travail.

Le lendemain, Vivianne arriva plus de trois heures à l'avance et, comme prévu, la petite cloche annonça l'arrivée de Paul à 8 h 30.

«Dis-moi ce que je fais ici! s'empressa-t-il de dire.

— Bonjour à vous, monsieur Paul!»

Ils adoraient se taquiner et leur amitié était profonde et sincère. Michelle s'était sentie menacée au début, mais avait rapidement compris que la relation que son mari partageait avec Vivianne était purement amicale. Paul adorait sa femme et Vivianne, Jim – encore! Puisque Stéphanie et Pedro étaient déjà présents, Paul fut invité à l'arrière.

«Qu'est-ce que tout ça?» Paul ne put s'empêcher de remarquer la dizaine de miches de différents pains sur le comptoir. Chacune d'elle avait son étiquette avec description complète des ingrédients.

«C'est une dégustation de pain. Parce que vous en raffolez, je me suis dit que vous seriez mon meilleur cobaye. J'ai préparé différentes recettes, et j'aimerais que vous y goûtiez et me disiez ce que vous en pensez, en leur accordant chacun une note.» Elle lui remit un crayon, ainsi que des feuilles pré-identifiées pour chacun des pains.

Il s'assit sur le tabouret, devant tous ces pains: focaccia aux tomates séchées et fromage de chèvre, pain au levain aux raisins et aux noix, brioche au chocolat et canneberges, pain aux céréales, miche campagnarde. En tout, pas moins de onze sortes de pains.

«Vous vous plaignez que nous n'avons pas assez de variétés. Eh bien, *Un coin de paradis* en aura.

— *Un coin de paradis*? Tu l'appelleras ainsi?»

Zut… Elle ne voulait pas l'annoncer avant le grand jour. «Aimez-vous?

— J'adore!»

Vivianne expira profondément. Durant les deux heures qui suivirent, Paul dégusta les différentes sortes de pains, notant les pour et les contre de chacun en leur donnant une note sur cent.

«Alors? C'est quoi le verdict? lui demanda Vivianne quelques heures plus tard.

— Bien, je ne peux pas dire que j'aime celui au chocolat et canneberges, car je n'ai pas la dent sucrée, mais je suis sûr que Michelle l'appréciera. La focaccia est déjà salée par les tomates séchées alors ne rajoute pas de sel. » *Noté*.

«Même chose pour celle au parmesan et épinards. Le fromage étant déjà très salé, il n'est pas nécessaire d'en rajouter. » *Noté*.

«Ne mets pas autant de noix dans le pain au levain. La mie est humide et fond dans la bouche, mais les noix volent le goût s'il y en a trop. » *Noté*.

«Pour le reste, je n'ai rien à dire, sauf que je suis impressionné! Tu devrais tous les tenir au menu régulier. En plus du goût, la variété fera en sorte que tu te démarqueras, mais je me répète... »

Paul avait raison, et il n'était pas obligatoire de tenir autant de pains «spécialisés» que de baguettes. Deux ou trois de chaque sorte, sélectionnés quotidiennement, feraient amplement l'affaire. Elle s'ajusterait au fil des mois. Pour les baguettes, elle en augmenterait le nombre à deux cent vingt-cinq par jour. Elle le remercia en lui offrant une baguette qu'il déclina pour la première fois.

«Assez de pain pour aujourd'hui!

— Ah oui! Bien sûr!

— Mais je prendrais bien quelques morceaux de *Mont Leblanc*... pour Michelle!» Il leva un sourcil et Vivianne saisit l'allusion.

❧

Une semaine avant l'ouverture, tout semblait chaotique, au grand découragement de tous. Vivianne doutait avoir misé sur une date d'ouverture réaliste, mais Jonathan la rassura en lui disant qu'il ne lui faudrait que deux jours pour terminer la deuxième couche de peinture. Ne resteraient que les lustres à fixer et les poignées de porte à installer. La plupart des cent soixante-dix-huit invités avaient confirmé leur présence. Seulement cinq n'avaient pas encore répondu. Elle restait donc optimiste, même si Jim faisait partie des non-répondants. Elle ne cessait de vérifier ses messages et la liste de noms confirmés afin d'y voir le sien, mais aucun signe de Jim. Elle baissait chaque fois la tête lorsque la petite voix de son répondeur annonçait : «Vous n'avez aucun message.» Elle avait été injuste à son égard et le regrettait amèrement.

La journée était exceptionnellement froide pour un 2 juin. La pluie tombait à grands flots depuis le matin, et la température demeurait bien en dessous de la normale.

Pedro était parti depuis une heure et Stéphanie ne cessait de regarder à l'extérieur. «Pauvre Pedro, dit-elle en regardant encore une fois à travers la fenêtre.

— Tu l'aimes bien, n'est-ce pas?

— Pas du tout!»

Mais Vivianne leva un sourcil. Non seulement elle l'avait deviné, mais la réaction de Stéphanie venait de le lui confirmer. Cette dernière rougit d'être démasquée par sa patronne.

«Bien... je veux dire... Il est très gentil...» Mais elle s'empressa d'ajouter : «Oh, mais ne t'inquiète pas, ça ne nuira jamais à mon travail.

— Si seulement tu savais! C'est le meilleur endroit pour tomber en amour! C'est ici même que Joséphine, Casanova, Jim, moi et Dieu sait combien d'autres personnes nous sommes rencontrés! J'espère que ça se passera ici pour toi aussi! En toute honnêteté, nous vendons du pain et des brownies, mais le bonheur est gratuit... et à volonté! Nous ne sommes pas des avocats trop occupés pour profiter de la vie, vérifiant constamment nos iPhones, toujours stressés par la crainte de manquer le prochain délai. Nous devrions chérir notre profession et célébrer!» Sur ce, elle se dirigea vers la fenêtre. «J'aimerais que d'autres couples se forment ici… et devenir l'endroit de rencontre idéal d'Éden!» Elle jeta un coup d'œil par la fenêtre. «J'espère que Pedro ne fera pas d'efforts inutiles pour revenir à temps sous cette pluie d'enfer.»

Vivianne aperçut un homme marchant rapidement dans la rue, un journal sur la tête pour se protéger de la pluie. Il portait un imperméable bleu marine. «Regarde le pauvre homme!» Il venait de passer devant la boulangerie, et Vivianne reconnut sa démarche. *Jimmy…* Son cœur saigna et, sans penser, elle sortit à la hâte pour le rejoindre.

«Jimmy!»

Jim se retourna et reconnut Vivianne. Il revint sur ses pas.

«Vivianne… commença-t-il.

— Ne dis rien, s'il te plaît… Je m'excuse… Je suis tellement désolée pour la façon dont je t'ai traité… Tu avais raison de…»

Il posa son doigt sur sa bouche pour l'empêcher de continuer. Elle avait toujours rêvé d'embrasser son amoureux sous la pluie comme elle l'avait vu cent fois dans des films romantiques, mais la température n'était pas propice à la romance, et elle était mouillée et grelottait de partout.

«Ne t'en fais plus, dit Jim gentiment. Je suis désolé de t'avoir provoquée. Mais je ne savais pas quoi fai…

— Oh! Je suis incapable», l'interrompit-elle brusquement.

La confusion de Jim devint évidente, et elle s'empressa d'ajouter: «Sous la pluie, dans ce froid. Je suis congelée.» Elle tremblait comme une feuille. «Je sais que ça serait plus romantique, mais je vais tomber malade.»

Il la suivit à l'intérieur. La petite cloche résonna dès l'ouverture de la porte et Stéphanie les aperçut. Dès qu'elle entra, Vivianne se retourna vers Jim qui la suivait. «Vivianne.» Mais elle l'interrompit sur-le-champ.

«Je pense constamment à toi, je m'ennuie de toi à chaque seconde, et je ne peux imaginer une autre journée sans ta présence à mes côtés. Je t'aime et je m'excuse pour tout. Penses-tu être capable de me pardonner?»

Elle sentit ses bras autour d'elle et ses lèvres sur les siennes. Se sentant de trop, Stéphanie s'éclipsa à l'arrière pour les laisser dans leur intimité. C'est ce moment que choisit Pedro pour entrer. Quand il les vit s'embrasser, il laissa tomber son panier au sol et s'écria: «Si tu accueilles tous les clients de cette façon, je démissionne et j'achète! Viens ici que je t'embrasse moi aussi!»

12

Tout était prêt pour le 8. Avec l'aide de Jimmy, les fleurs, verres et bouteilles de champagne – offertes par M. Casanova – étaient alignés pour le jour J. La veille, Vivianne prépara la pâte pour le lendemain en pensant à Joséphine. *Marie-Ange* de Jœ Dassin jouait à la radio. Elle adorait cette chanson, car elle lui rappelait sa défunte patronne, qui aimait tant cette musique. Son rêve deviendrait réalité dans moins de douze heures. Avant de rentrer à la maison, elle fit à répétition le tour de la nouvelle boulangerie pendant plus de trente minutes, non seulement pour s'assurer que tout était en place, mais aussi pour profiter du moment et se réjouir de ce qui lui arrivait. La plupart des autocollants – «pâtisserie», «boulangerie», «produits fins» et «traiteur» – étaient apposés dans les fenêtres, et il ne manquait plus que celui du nouveau logo, qui serait installé le lendemain matin. L'auvent de toile bourgogne et or avait été fixé au mur extérieur, mais ne serait déroulé que le 8 au matin, également afin d'en préserver la surprise.

Elle marcha vers son appartement, enfin en paix, mais sans manquer d'avoir une pensée pour Joséphine, qui l'avait quittée depuis plus de trois mois. Elle écouta *She Believes in Me* de Kenny Rogers sur son iPod en enroulant son foulard autour de son cou, puisque la nuit était fraîche. L'été arrivait à grands pas, mais les soirées tardaient à se réchauffer.

Jim l'attendait avec un verre de saint-émilion et une lasagne maison. Il avait fait à Ben la surprise d'aller le prendre à l'école, et le duo avait préparé un souper de réouverture pour Vivianne.

En s'approchant de son immeuble au revêtement de plâtre blanc, Vivianne eut le pressentiment que la vie lui donnait enfin une chance. Pour de bon. Elle franchit le seuil de la porte pendant que Kenny Rogers entonnait les derniers vers de sa chanson.

Après un souper réussi et après avoir couché Ben, ils prirent le temps de se détendre sur le sofa du salon en discutant de la journée du lendemain. «J'espère ne pas rater le pain, ou bien les…

— Arrête de t'en faire! Tout se déroulera comme il faut. J'y serai, tu pourras m'exploiter… Je serai comme ton esclave! blagua-t-il. La boulangerie est incroyable. Joséphine serait fière de toi. Et moi aussi, je suis fier de toi.» Il se pencha pour l'embrasser.

«Tu crois? Je ne voudrais tellement pas la décevoir, dit-elle en s'abandonnant dans ses bras.

— Impossible.

— Tu sais, ajouta-t-elle, je rêve d'en ouvrir une deuxième, puis une troisième.»

Il se recula.

«Ah! Oui?»

Elle opina de la tête, gênée de son aveu. Sa mère lui avait répété qu'il était sain de rêver, et c'est ce qu'elle faisait, et elle partageait ses rêves avec l'homme de sa vie. Mais, sans plan financier, il était presque impossible d'y arriver…

«Je sais que c'est idiot, mais j'aime rêver. Je suis sur un chemin positif. C'est fou, car aucune banque n'acceptera de me prêter l'argent, mais j'y pense quand même.

— C'est une idée géniale! Écoute, si la boulangerie va bon train dans les six prochains mois, je serai ton partenaire financier… et ton architecte!

— T'es pas sérieux?

— Je me cherche du travail! C'est sûr que je suis sérieux!

— D'accord. Devrait-on se serrer la main?

— Si on faisait une promesse p'tit doigt?» demanda Jim, en lui tendant son auriculaire. Elle l'agrippa avec le sien et ils se firent la promesse d'une collaboration future, si tout allait bien.

Ils se calèrent dans le sofa, et Vivianne sentit la main de Jim dans son pantalon et sa langue qui lui remontait le cou jusqu'à l'oreille. Elle ferma les paupières pour mieux céder à ses caresses.

Le réveil indiquait 2 h 57 lorsqu'elle ouvrit les yeux. Elle les referma aussitôt pour se rendormir et les rouvrit après ce qui lui sembla une heure, mais il n'était que 2 h 59. Elle roula des yeux en expirant et se retourna vers Jim qui dormait profondément à ses côtés. Elle referma les yeux pour encore une heure, mais, puisqu'il n'était que 3 h 03 lorsqu'elle les rouvrit, elle sortit du lit, frustrée par son incapacité à se rendormir, et se versa un verre d'eau à la cuisine. Elle s'assit sur le sofa et relut la lettre de Joséphine, qu'elle connaissait par cœur…

Merci d'avoir été la fille qui me manquait tellement…

Elle n'avait jamais eu la chance de la remercier d'avoir été la mère qui lui manquait tellement… Elle s'ennuyait de Joséphine tous les jours, mais sa douleur était moins vive qu'au début. Elle tourna la page en s'imaginant avoir toujours Joséphine dans sa vie et pouvoir lui faire honneur quotidiennement.

Lorsqu'elle revint à la chambre à 3 h 40, Jim venait de se réveiller et avait remarqué son absence. Il était assis dans le lit, prêt à se lever pour venir la retrouver.

«Je peux m'imaginer le genre de nuit que tu as passée, lui dit-il quand elle s'avança vers lui.

— Désolée de t'avoir réveillé. »

Elle prit sa tête et la posa sur son ventre. « Ne t'en fais pas, moi aussi je suis terriblement excité… mais pour toi », ajouta-t-il.

Un sourire illumina le visage de Vivianne. Il était si attentionné, pas étonnant qu'elle fut tombée amoureuse de lui. Elle l'embrassa tendrement, en profitant de chaque seconde de leur long baiser. « Je m'occupe de Ben si tu veux partir plus tôt. » Il n'eut pas le temps de terminer sa phrase qu'elle était déjà dans la douche et prête à partir à 4 h 07! Elle avait toujours aimé marcher vers le magasin, car elle en profitait pour s'éclaircir les idées. Mais, ce matin, elle profitait encore plus de sa marche. Ce n'était pas une journée comme une autre. C'était l'une des plus importantes de sa vie. Elle passa devant le kiosque à journaux de Mathieu. Personne en vue. Éden dormait encore et elle adorait se retrouver seule dans la rue. *I'm Alive* de Céline Dion jouait dans ses oreilles et elle se sentait exactement comme dans cette chanson. Vivante.

Quand elle entendit la cloche sonner, un sentiment de bien-être envahit son corps. Elle se rendit à l'arrière pour chercher son tablier, puis elle alluma les fours!

Je n'oublierai plus jamais!

Elle ouvrit la radio et la chanson *Quand on a que l'amour* de Jacques Brel se fit entendre. Elle en était venue à apprécier la musique de Joséphine, mais il était absolument hors de question de la télécharger dans son iPod! Elle s'assit sur le tabouret et fit « l'amour » à sa pâte. Elle adorait la travailler, spécialement tôt le matin lorsque personne ne la dérangeait. Ses pensées bifurquèrent vers son ancien copain David et elle remercia la vie de l'avoir emmenée jusqu'ici plutôt que dans un bureau d'avocats. Tout arrive pour une raison… et c'est toujours pour le mieux. Elle mit les tôles au four et retourna dans la boulangerie déserte pour vérifier de nouveau que rien ne clochait. Tout était en place et prêt à accueillir la clientèle. Les étalages, les menus, les tables, tout. Elle balaya la pièce du regard, encore fascinée par la beauté de l'endroit, et profita du silence pendant quelques minutes. Elle replaça tout de même quelques pots ici et là pour la centième fois et retourna à la cuisine pour préparer les croissants…

Stéphanie se présenta peu après six heures, à la grande surprise de Vivianne. Elle était incapable de dormir elle aussi et préférait se rendre utile à la boulangerie. Trente minutes plus tard, Pedro fit à son tour son entrée. « Je ne pouvais plus dormir. Je peux vous aider à quelque chose ? »

Ils s'assurèrent encore une fois que tout était en ordre pour l'ouverture de huit heures. Jonathan arriva peu après, vers sept heures, pour installer l'autocollant *Un coin de paradis* dans la fenêtre principale et dérouler l'auvent extérieur.

En déballant le logo, Vivianne sentit son estomac se resserrer et ses mains tremblèrent. Elle faisait tout en mémoire de Joséphine, mais celle-ci n'avait pas approuvé le logo ni le nom… Jonathan termina son travail quinze minutes plus tard et la boutique était impeccable. On lui offrit un petit déjeuner consistant en un jus d'orange et un croissant de son choix, gracieuseté de la maison. Il était attendu à l'autre bout de la ville et demanda sa nourriture dans un sac pour emporter. Quand la cloche résonna à son départ, Jim et Ben firent leur entrée, suivis de Casanova. « Monsieur Casanova ! s'exclama Vivianne. Que faites-vous ici si tôt ?

— Bonjour, princesse ! répondit-il avec un trémolo dans la voix. Je ne pouvais plus dormir. Ça vous dérange si je reste avec vous ? Si je peux aider à quelque chose…

— Absolument pas ! Assoyez-vous. » Elle lui tira une chaise. « Que diriez-vous d'un jus d'orange frais pressé ? Le café n'est pas tout à fait prêt. »

Il sourit et se tourna vers Jim. « Vous savez, c'était mon idée d'installer des tables ici, afin que les clients fassent exac-

tement ce que je fais en ce moment. Je suis certain que Jos…»
À la pensée de Joséphine, la voix de Casanova se brisa.
Vivianne s'agenouilla en face de lui pour le réconforter.

« J'aurais effectivement une faveur à vous demander…
Seriez-vous assez aimable pour m'aider à couper le ruban de
l'ouverture officielle? Il me semble tout naturel d'en laisser
l'honneur au client préféré de Joséphine…» Il s'essuya les
yeux et laissa son visage s'éclairer d'un sourire avant d'opiner
de la tête.

Peu de temps après, Mme White fit son entrée. Puis Vivianne
repéra un photographe à l'extérieur en même temps que
quelqu'un poussait la porte pour demander à rencontrer
Vivianne McKinnon. «Je suis Vivianne, répondit-elle en
tendant la main au journaliste.

— Tim Kavanagh, du *Journal d'Éden.*»
Paul avait tenu sa promesse.
«Enchantée, monsieur Kavanagh. Je peux vous offrir un
thé ou un café?

— Café. Noir. Merci. Auriez-vous quelques minutes pour
une entrevue?»

Vivianne l'invita à s'asseoir à une table. Elle lui parla de
Joséphine, de la boulangerie, de son plan d'expansion et de
tout le soutien qu'elle avait eu de son entourage. Elle lui
mentionna également que son collègue Paul Winfrey avait
fait une grosse différence dans le sort d'*Un coin de paradis.* À
bien y penser, c'était l'une des raisons principales pour les-
quelles elle avait décliné l'offre de M. Howard, puisque l'article avait été publié quelques jours auparavant.

Le journaliste prit des notes et lui posa plusieurs questions. Il arrêtait de parler chaque fois qu'il croquait dans sa
chocolatine aux amandes, flattant ainsi l'ego de la nouvelle
patronne. Elle lui offrit également une portion de sa dernière
création, *Le paradis.*

«En l'honneur de ma ville!»

Le paradis était un brownie au chocolat blanc, avec des pépites de chocolat blanc. Le journaliste avoua qu'en fait cette sucrerie était paradisiaque et annonça en exclusivité qu'il intitulerait son article « Un morceau de paradis » !

Elle jeta un coup d'œil vers la nouvelle horloge installée sur le mur derrière la caisse enregistreuse, juste au-dessus de l'article de journal encadré qu'elle avait offert à Joséphine. 7 h 55. Cinq minutes avant la grande ouverture. Elle confia les ciseaux à M. Casanova et invita tout le monde à sortir. Elle inspira et expira profondément en sortant pour rejoindre les clients rassemblés à l'extérieur. La petite cloche sonna, faisant vibrer le cœur de Vivianne. Jimmy prit sa main pour la calmer.

« Es-tu nerveuse ?

— Pas vraiment. Je suis plutôt excitée !

— Je suis tellement fier de toi.

— Merci d'être ici. »

Près de cent cinquante personnes s'étaient amassées devant la porte, incluant trois photographes de différentes revues et journaux. Paul et Michelle Winfrey y étaient, évidemment, tout comme les Pressman. À huit heures tapant, Casanova, aidé de Ben, coupa le ruban, officialisant ainsi l'ouverture d'*Un coin de paradis*. Vivianne tira de la poche de son tablier le portrait de famille de Joséphine. Elle le regarda, le cœur gros, puis le remit à sa place avec la lettre et invita les convives pour une flûte de champagne et des croissants à l'intérieur. Tous, excepté Paul. Il avait droit à une campaillette bien chaude, qu'il dévora en un temps record de moins de deux minutes !

L'événement dura une heure et demie, et près de trois cents personnes s'y présentèrent entre huit heures et 9 h 30, incluant les membres du cercle mondain de Marcy Pressman. Cette dernière resta tout le long de l'événement pour discuter avec Vivianne, devenue officieusement sa belle-fille.

«Tu rends mon fils très heureux, tu sais, lui avoua-t-elle, tout en aidant à ramasser les verres vides.

— Mme Pressman, s'il vous plaît, laissez-nous faire, ordonna-t-elle en lui enlevant les flûtes des mains.

— Vivianne, appelle-moi Marcy, insista-t-elle une fois de plus.

— Je vous confirme que ça n'arrivera *jamais*… Du moins, pas tant que je serai avec votre fils!» Sa mère l'avait bien élevée.

«J'ai toujours aimé ta politesse, Vivianne, et j'espère que tu ne m'appelleras *jamais* Marcy! ajouta cette dernière en faisant un clin d'œil amical. Et je m'assurerai que mon fils prenne toujours bien soin de toi!

— Je m'en assurerai aussi.»

Marcy savait qu'elle tiendrait parole. Et c'était vrai, elle avait aimé Vivianne dès leur première poignée de main et avait supplié Joséphine d'être aimable envers son employée. Par chance, Vivianne avait refusé l'offre de son frère, sinon qui aurait repris la boulangerie?

«Pense à toutes les personnes qui seraient misérables à Éden ce matin si tu n'avais pas rouvert!»

Moi la première…

Quand Vivianne posa sa tête sur l'oreiller ce soir-là, elle y repensa. Joséphine avait raison. L'argent ne faisait pas le bonheur, mais de voir tous ces visages heureux et la satisfaction dans leurs yeux à chaque bouchée de brownie n'avait pas de prix.

∾

Six mois plus tard, Jimmy rappela à Vivianne leur promesse p'tit doigt. *Un coin de paradis* allait au-delà de leurs espérances. Toute la ville parlait de Vivianne McKinnon, et elle avait maintenant embauché six personnes à temps plein! Il était donc temps d'ouvrir une seconde boulangerie. Ils signèrent un accord de partenariat, et Jim commença à chercher un endroit où installer leur nouveau commerce.

Il trouva des locaux commerciaux sur une rue très achalandée à l'autre bout de la ville. Deux mois après, le bail était signé, et *Un coin de paradis* eut une petite sœur moins d'un an plus tard.

La relation de Vivianne et de Jim allait tellement bien qu'elle avait hésité avant de se lancer en affaires avec lui, de peur de la ruiner. Mais il s'avéra le partenaire par excellence : il administrait les commerces, s'occupait de l'équipement, du design, et de tout le côté entrepreneurial de *Joséphine inc.* De son côté, elle se concentrait sur le développement de nouveaux produits, les ressources humaines, les relations publiques, ainsi que tout ce qui avait trait aux décisions quotidiennes. Ils plaisantaient souvent sur l'idée de s'être rencontrés au paradis !

ÉPILOGUE

Quelques années plus tard, les délices d'*Un coin de paradis* pouvaient être appréciés à sept endroits différents dans un rayon de trois cents kilomètres. Vivianne avait fait les manchettes à quelques reprises, et *Un coin de paradis* avait profité d'une belle couverture de presse. Elle avait gardé tous les articles et quelques-uns étaient encadrés et cloués au mur de la boulangerie originale – qu'elle supervisait toujours –, près de la porte d'entrée. Stéphanie et Pedro s'étaient acheté une maison à l'autre bout de la ville, à proximité de la deuxième boulangerie, dont ils étaient responsables.

Vivianne adorait travailler dans l'action et servir les clients tout en discutant avec eux. Parfois, elle aidait à la caisse, autrement elle servait aux tables et tenait à ce que chaque client ressorte un sourire accroché aux lèvres.

Un matin occupé, elle prit la caisse afin que Charlotte donne un coup de main à Annabelle avec le service aux tables. La petite cloche résonna pendant qu'elle terminait de servir un habitué.

« Monsieur Howard ! Quel plaisir ! Ça fait un bout que je ne vous ai pas vu !

— Ne m'en parle pas. Ma femme m'a mis au régime – encore une fois ! – et j'ai faim ! J'ai besoin de sucre, si tu vois ce que je veux dire !

— Eh bien, vous êtes à la bonne place !

— Je prendrais un *Paradis* », dit-il en pointant le morceau de brownie au triple chocolat blanc.

Vivianne se pencha pour prendre un morceau sous le comptoir vitré. « Oh! Donne-moi deux morceaux, tant qu'à y être! » Elle ne put s'empêcher de sourire. « Mais n'en parle pas à ma femme, sinon je suis mort!

— Je vais vous faire un aveu, dit-elle en se penchant pour lui faire sa confidence : elle est venue deux fois cette semaine. » Il recula d'un pas, sous le choc.

« Je le savais! Et elle me répète constamment que c'est plus difficile pour une femme de cinquante ans de perdre du poids! C'est toujours son excuse! La p'tite bonyenne! » La cloche retentit, mais Vivianne ne prêta pas attention à la personne qui entra, tant elle s'amusait avec son ami. Elle remit le sac à M. Howard. « Attendez une heure entre les deux, vous vous sentirez moins coupable!

— Mais si je les mange en même temps, je ne me sentirai coupable qu'une seule fois!

— Excellent point! »

Il lui envoya la main avant de partir, au grand amusement de Vivianne.

Elle remarqua enfin le client qui venait d'entrer. Il examinait les étalages, indécis quant à son choix. Elle reconnut son ancien copain David instantanément. Elle ne l'avait pas revu depuis près de six ans, et la première chose qu'elle observa fut les cheveux gris autour de ses oreilles. Elle ne pouvait nier qu'il paraissait encore bien et attendit de le recevoir à la caisse avant de le saluer.

Il se retrouva finalement en face d'elle et, sans vraiment la regarder dans les yeux, il dit : « Donne-moi donc un… » C'est alors qu'il remarqua son ancienne copine. « Vivianne?

— Allô, David, dit-elle calmement.

— Wow! Ça fait combien de temps? Cinq ans?

— Presque six.

— Wow! Tu es resplendissante. Wow… »

Un gros malaise planait au-dessus de leurs têtes. David semblait nerveux de l'avoir recroisée. De son côté, elle était excessivement calme.

« Es-tu célibataire ? demanda-t-il sans ménagement.

— Non, j'ai un copain depuis trois ans.

— Ah ! Chanceuse ! Connais-tu des belles filles célibataires ? dit-il en tentant de plaisanter.

— Que fais-tu dans le coin ? »

Éden étant à quelque cinq cents kilomètres de Boston, elle se devait de le demander. « J'ai un mariage pas loin d'ici. J'avais le goût d'un bon café. »

Quelle coïncidence…

« C'est drôle que tu te sois arrêté ici. »

Il savait probablement qu'elle avait ouvert la boutique et voulait la saluer. Après tout, elle se débrouillait mieux que ce qu'il avait prédit. Peut-être voulait-il s'excuser ? Elle le laissa parler avant de dire quoi que ce soit.

« On me dit que c'est l'endroit populaire pour un brownie ! » Il était si condescendant que Vivianne voulait vomir. « Tu es caissière ici ? »

Je suis la propriétaire, idiot… Mais tu ne sembles pas le savoir…

Il était un client, elle se devait de le traiter comme tel, avec courtoisie. David avait toujours été hautain envers la classe moyenne et n'aurait sûrement pas porté intérêt à la caissière, si ce n'avait été Vivianne. À ce sujet, il n'avait pas du tout changé. Elle l'examina. Il portait un habit bas de gamme et elle se demanda pour quelle firme il poussait ses mines de crayon.

« Oui, je travaille ici tous les jours.

— Ah ! Je vois que tu es une employée exemplaire. C'est mieux que de faire la rue, hein ? »

Mauvaise blague.

Il était un bâtard, et elle le voulait hors de sa boulangerie, *maintenant*. Elle lui servit un café. «Et puis? Comment aimes-tu ta voiture de cent mille dollars?»

À sa grande surprise, l'attitude de David changea radicalement. Il sembla soudain mal à l'aise, fragile sur ses deux jambes. «Ah, Vivianne, toi plus que tout le monde, tu devrais savoir qu'il n'y a pas que l'argent dans la vie.»

Ah bon?

Ce fut au tour de Vivianne d'être intriguée et curieuse de ce qu'il avait à dire. «N'es-tu pas avocat?

— Euh, je… En fait… je travaille à temps partiel dans une grosse firme… Mais ils m'ont promis un temps plein d'ici la fin de l'année. On verra», termina-t-il nerveusement.

Sa réponse était négative. Il n'avait probablement pas obtenu de diplôme à Harvard, parce que tous les étudiants dénichaient des emplois lucratifs en sortant. À moins de s'être fait renvoyer. Il lui brûlait d'en savoir plus, et Vivianne se promit d'aller fouiner sur Internet. «Temps partiel? fut tout ce qu'elle trouva à dire.

— C'est mieux que rien, n'est-ce pas?» Il changea de sujet. «Mais toi! Je suis content que tu te sois trouvé une jobine. Caissière dans une boulangerie, ç'aurait pu être pire.»

Va chez le diable, pauvre con…

Elle s'imagina sauter par-dessus le comptoir et lui arracher la tête, mais se contenta d'un sourire. Il n'avait pas changé, il était toujours aussi insupportable et superficiel. C'était ce qu'elle détestait de lui à l'époque, et il avait empiré au fil des ans.

«En passant, ajouta-t-il en pointant les morceaux de brownie avec le chocolat blanc sur le dessus, si tu veux compter des points, dis à ton *boss* que la montagne en France s'appelle le *mont Blanc*. Pas *Leblanc*!»

Quelqu'un peut-il lui fermer la trappe?

«Merci du conseil, lui répondit-elle d'un ton sec.

— Bon, je devrais y aller. Combien pour le café?»

Il sortit un billet de dix dollars de sa poche pendant qu'elle remplissait un sac de croissants et de brownies, incluant un *Mont Leblanc*. «Le café est offert par la maison, ainsi que tout ceci.» Elle lui tendit le sac.

«Oh, voyons, Viv, ils te le déduiront de ton salaire!»

Faites taire ce moron! aurait-elle voulu s'écrier.

«Combien es-tu payée, sept ou huit dollars l'heure?»

Vraiment! C'est toi le loser et tu me fais de l'attitude?

Elle ne pouvait en croire ses oreilles. Mais le silence est d'or, et elle ne ferait aucun commentaire désobligeant.

«Fais-moi confiance, la propriétaire a bien assez d'argent. Elle ne s'en apercevra pas.

— Bien dit!» Il lui fit un clin d'œil d'une condescendance incroyable. «Je n'en parlerai à personne.»

LOOOOOOOSER.

«Bon, bien, ça m'a fait plaisir de te revoir, dit-il en prenant son sac et son café sur le comptoir.

— Tu n'as pas idée.»

Elle le suivit des yeux jusqu'à la porte, qu'il ouvrit malgré ses mains pleines. Au moment où il s'apprêtait à sortir, son regard s'arrêta sur un des cadres accrochés au mur sur lequel il reconnut Vivianne. C'était la couverture d'une revue sur laquelle on pouvait lire en gros titre: «Rencontre avec Vivianne McKinnon, fondatrice d'*Un coin de paradis*».

Il regarda vers l'encadré au-dessus et lut: «Boulangerie de l'année» sur une photo de Vivianne acceptant un trophée. Partout au mur se trouvaient d'autres articles aux titres tels que: «Vivianne McKinnon: femme d'affaires!», «Bienvenue au paradis de Vivianne!», «Meilleurs brownies au monde» et «En l'honneur de Joséphine Leblanc.»

Les articles apparaissaient comme des éclairs sous ses yeux, et David réalisa que Vivianne n'était pas la caissière de la boulangerie, mais la propriétaire et il en fut complètement paralysé.

Il se retourna lentement vers elle, qui le fixait depuis l'arrière du comptoir.

Tiens, toi! Imbécile…

Ils s'observèrent chacun à une extrémité de la pièce pendant quelques secondes, puis elle lui renvoya le clin d'œil arrogant et méprisant qu'il lui avait lancé plus tôt.

Déjà, elle était retournée à ses affaires et, quand il se rendit compte qu'il était le dindon de la farce, un frisson glacial lui descendit le long de la colonne vertébrale. Ses jambes flanchèrent et il dut prendre appui sur le cadre de porte pour ne pas s'effondrer au sol. Elle le regarda entrer dans son vieux Honda et lâcha un «Pff!» en le voyant disparaître, mais sans pouvoir s'empêcher d'être un peu touchée par sa détresse. La petite cloche vibra de nouveau en annonçant l'arrivée de Jim. Vivianne l'aperçut et se jeta dans ses bras pour l'embrasser. «Tu es déjà de retour? dit-elle, enthousiaste.

— Je m'ennuyais de toi.» Vivianne rougit à ces mots doux. «Comment ça s'est passé?» Elle faisait référence aux négociations pour l'ouverture d'une prochaine boulangerie. «Très bien. J'ai trouvé un superbe endroit, alors je serai parti quelques jours la semaine prochaine pour régler le tout.» Elle fit une moue, mais il l'embrassa et la fit sourire de nouveau. «Tu es le meilleur partenaire qu'une femme pourrait rêver avoir, le savais-tu?

— Je ne pourrais être plus d'accord avec toi!» répondit-il, un brin moqueur.

Il se sépara d'elle un moment…

«Parlant de partenaire…»

Il plongea sa main dans la poche de son veston et en sortit une petite boîte bleue qu'elle ouvrit immédiatement. Un magnifique, mais très simple diamant solitaire sur une monture d'or blanc brilla sous les yeux de Viviane et son visage s'illumina. « Ben est d'accord.

— Ah oui ? »

Elle acquiesça d'un signe de tête et lui sauta au cou.

Remerciements

J'aimerais tout d'abord remercier Martin Balthazar pour sa confiance dès la première lecture du roman (qui a d'abord été écrit en anglais!). Merci également à toute l'équipe de VLB éditeur: Myriam Comtois, Stéphane Berthomet et Annie Goulet, ainsi qu'à Pierre Lespérance, qui a été la «courroie de transmission» de ce projet. La rédaction d'un roman est un travail laborieux, certes, mais la révision, elle, est un travail minutieux; un merci spécial à David Clerson pour sa patience et son implication dans le texte. David, tu es génial!

Merci, D^{re} Anne-Marie Gosselin, pour tes précieux conseils médicaux; merci, charmante équipe de la boulangerie Aux pains d'autrefois, à Mandelieu, pour vos Campaillette, Grand Siècle et autres miches si délicieuses dont je ne peux me passer lors de mes visites en France.

Ce projet n'aurait jamais pu se concrétiser sans l'appui de mes proches. Sophie, l'idée de cette histoire m'est venue après que tu m'as désignée comme marraine de Vincent, ce dont je te suis très reconnaissante. Stef, Manou, papa, vous avez tous contribué à ce livre par votre intérêt et votre enthousiasme. Maman, merci pour l'encouragement: j'en avais besoin pour me convaincre de me mettre au travail!

Christian, Catriona et Charles-Olivier, vous m'inspirez tous les jours, et je vous en remercie du fond du cœur.

Je vous aime. Vous avez tous et toutes une place spéciale dans mon coin de paradis.